新潮文庫

ラッシュライフ

伊坂幸太郎著

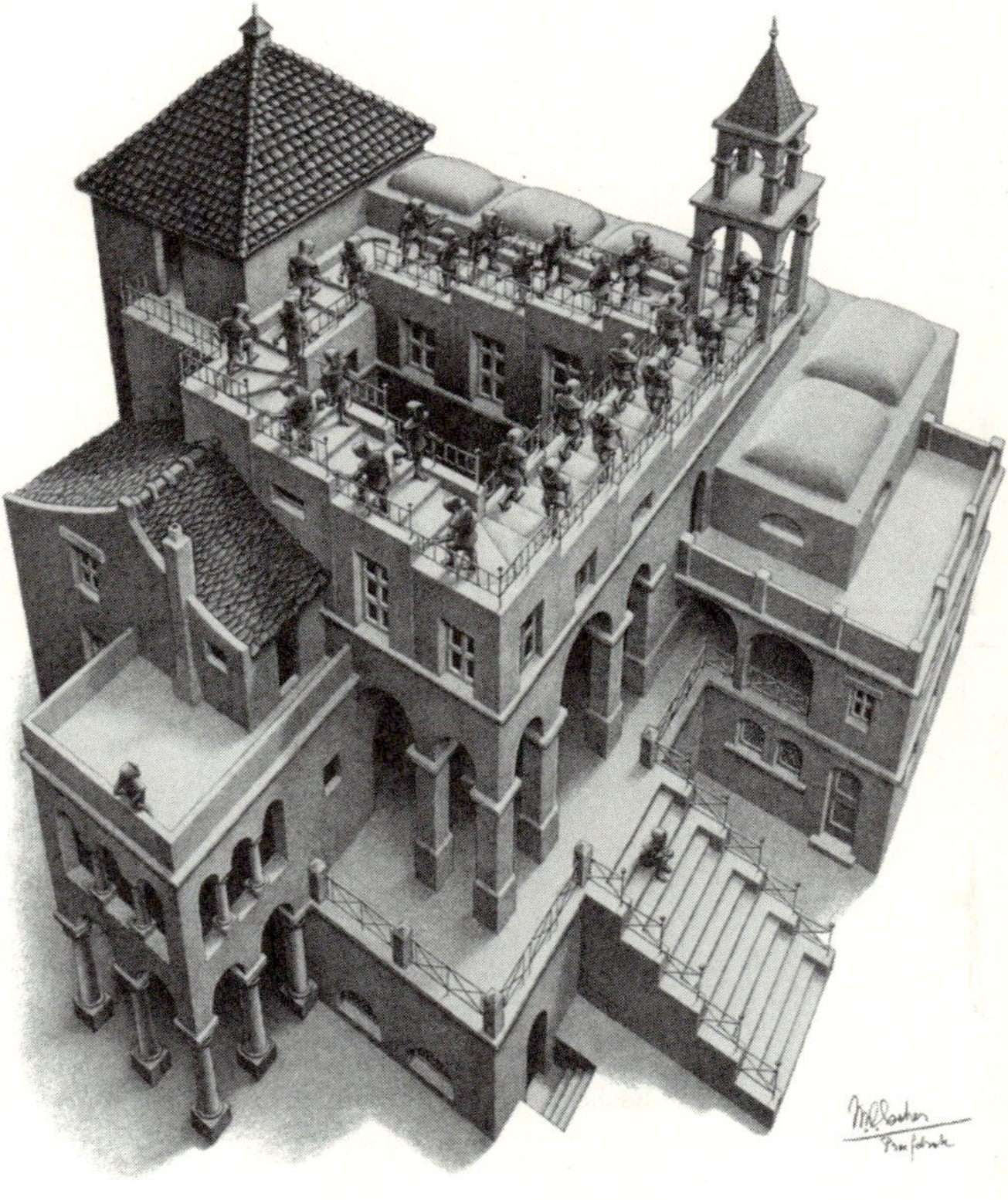

挿画

a life

最高時速240キロの場所から物語が始まる

0

志奈子《しなこ》が目を前に向けると、車両の自動ドアが開くところだった。ぷしゅう、と空気が漏れる音がする。のぞみ500系が吐きだした溜《た》め息《いき》にも聞こえた。

戸田が戻ってくる。慌《あわ》てて目を窓の外に逸《そ》らすが、その姿はどうしても視界に入ってきた。肥えた六十歳だ、と無意識に顔を背けたくなる。体格は中肉中背で、どちらかといえば痩身《そうしん》だった。けれど、溢《あふ》れている自信とあたりを払う堂々とした歩き方が、不要な脂肪に見える。派手なセーターを着ていた。濃い黒と黄色のストライプ模様は悪趣味としか思えなかったが、銀座とヨーロッパを行き来する画商と聞けば、それらしくも見えるから不思議だ。

戸田が隣の座席に腰を降ろした途端、息苦しくなる。車両には他に乗客がいなかったが、窮屈にしか感じられない。二十八歳にしてはじめて乗ったグリーン車は、快適とは言えなかった。

うろうろと視線が泳いでいるうちに、戸田の持っている新聞に目が行った。

「ピッキング窃盗犯が日本を北上中」「仙台市内バラバラ殺人事件の続報」「夫婦で死体を隠蔽《いんぺい》、死体に整形跡」と穏やかではないニュースが並んでいる。

明るい記事もあるにはあって、「香港《ホンコン》の宝くじで四十億円の当選くじ。購入者は日本人旅行者の可能性」と小さいながら、景気の良いことが載っていた。

「すごいですね」と言ってみる。

戸田は記事を読むと、「ふん」と鼻を鳴らした。「不景気、不景気と騒いでいるがな、これだけ長い間不景気なんだ、それがこの国の標準の状態なんだろう。子供がテストで一度満点を取ったからと言って、その後五十点程度しか取っていなければ、その子の実力は五十点だろ。違うか？　この経済状態だってずっと続いてればそれが普通なんだ。昔のまぐれ当りを待ちつづけている馬鹿《ばか》ばかりの国に先はない。だいたい、失業率にしたところで、全人口分の仕事がこの世の中に用意されていると誰が決めたんだ？　少なくとも私は決めた覚えはないぞ。誰もが仕事にありつけると無根拠に思い込んでいるだけだろ？　人口が多くて、全員分の仕事はない。簡単なことだ」

「あ、いえ」志奈子はようやく口を挟めた。「わたしはその、宝くじ四十億円と書いてある記事がすごいと思って」

「幸運だな」「これか」戸田は開いているページの裏をちらと見やった。「幸運だな」

「戸田さんももし当たったら嬉《うれ》しいですか?」下らない質問だと自分でも思う。

戸田は、還暦を過ぎたとは思えない綺麗《きれい》な肌をしていて、白い歯を見せると、「金はあればあるほど幸せになる」と言った。「四十億か。おまえも欲しいか?」

「それは」と志奈子は笑った。それはもちろんです、と。

「欲しけりゃやる」

「ご冗談を」

「それだけのことをしてくれれば、もちろんやるさ」

戸田の顔を真正面から見ることができなかった。抱き寄せられ、その場で裸にされてしまうような不快感がよぎった。

「金で買えないものはない」戸田は、まるでその台詞《せりふ》自体を自分が発明したと言わんばかりに胸を張る。

ご冗談を、と今度は言えなかった。挫《ざ》折《せつ》や失敗と無縁の者がいるとすれば、戸田はまさにそうだ。評価の上がりはじめた海外の画家がいれば、すぐに生涯契約を結び、目をつけた絵は次々に入手する。才覚に富み、奸智《かんち》に長《た》けていた。同年代の男とは、他の同業者とも、明らかに風格が違っている。

そもそも戸田は、戸田ビルの三代目オーナーで、生まれた時から全国に散らばるビルの経営者として育てられた。「ライオンの子は、意識せずとも自分がライオンだってことを教えられる」とよく言う。「生きていくのに金が必要だと分かったのは、最近のことだ」

しかも、安定したビル経営を大人しく続けているだけの男でもなかった。ビルの経営を維持しながらも、美術界に進出した。どういう目論見《もくろみ》や勝算があったのか志奈子には想像もつかなかったが、画商としても戸田はすぐに成功した。

有望な画家の作品にはすぐに唾《つば》をつけ、売買する権利を手に入れる。しかもそれをすぐに売るのではなく、相場が上がるのをゆっくりと待ってから、大々的に売り出すのだ。資金があるからこそできるやり方だ。「戸田さんにとっては絵は株の一種でしかない」と言った男を思い出す。「絵具で描かれた株券とでも思っているんだ」と悲しそうな顔をした。「絵の価値はイマジネーションではなくて、価格表の桁数《けたすう》で決まると信じている」

「いいか」と隣で戸田はまだ喋《しゃべ》り続けている。「愛だろうがペットだろうが値段はつけられる。徐々に値を吊《つ》り上げてみればいい。おまえだって、私に買われたようなものではないか」

返す言葉もない。志奈子が、恩人を裏切り、戸田と契約を結んだのは事実だ。

「金で買えないものはない」

旅の途中で騒がしいのはごめんだと言って、グリーン車一両分の乗車券、特急券、グリーン券を全《すべ》て買い占めることだって簡単にできた。現に志奈子は、それを戸田がやるのを見た。政治家にも金を融資していた。あの議員は髪が薄いくせに、深々とお辞儀をするから、などと言って突然融資の電話をかけることもあった。現に志奈子は、数十分前に、戸田が指示を出すのを聞いた。

「今日は、どういう予定になるんでしょうか？」

「仙台の客におまえのことを紹介しにいくんだ」

その顔が下品に歪《ゆが》む。彼は、わたしの絵になど興味がないに違いない、と志奈子は暗い気分になった。「絵を描くことから離れちゃ駄目だよ」と言ってくれた、あの男のことを思い出す。戸田の画廊に勤めていた社員だ。彼は資金や地位はなかったが、絵のことを分かっていた。志奈子の絵も熱心に観《み》てくれた。

「『つなぐ』という絵がとても良かった」最後に喋った時にも彼は、志奈子の新作を誉《ほ》めた。絵に込めた思いを汲《く》んでくれ、「あれはリレーを意味しているんだね。人生はきっと誰かにバトンを渡すためにあるんだ。今日の私の一日が、別の人の次の一日に繋《つな》がる」とも言った。

彼はいつも、若い画家に目をかけ、売れずとも良い作品を扱うことを望んでいて、だからその彼が、戸田の画廊を辞めて独立しようとしたのは、意外ではなかった。「小さい画廊でも、私は、君たちのような画家のための店を作りたい」そう言って独立を試みた。彼は、世の中は最終的に人と人の繋がりでいかようにもうまく行くものだ、と信じていた節があった。

けれど結局、彼の画廊は開店しなかった。当てにしていた画家の全員が全員、背中を向けたのだ。

拍子抜けするほどあっけなかった。信頼していた画家たち全員に裏切られた彼は、自分の店で一点の絵も架けられず、去った。

あの時、戸田は金の力で、一人の人間の夢を潰《つぶ》すことも簡単にやってみせたのだ。

「東京で夕飯でも食ってから、仙台へ行くか」

予定は全て、戸田の思うままだった。戸田が、志奈子に電話をしてきたのが二日前だった。「一緒に得意先を回らないか」と言われたのだ。断われるわけがない。

「ラッシュライフを知っているか？」ずいぶん経《た》ってから戸田が口を開いた。

「何ですか?」

「曲だよ。そういう名の曲だ。ジャズは聴かないのか」

志奈子は、「いえ知りません」と首を振る。作り笑いをする自分に、嫌悪《けんお》感《かん》が走る。

「コルトレーンの名演だ。Lush Life。豊潤な人生。いいじゃないか。私は、今この瞬間、別の場所で同時に生きている誰よりも、豊かな人生を送っている。そう言い切れる」幸福そうな笑顔だった。「想像をしてみろ。馬鹿な失業者はもちろんのこと、自分ではうまくやっていると勘違いしている泥棒や宗教家、とにかく、今、この瞬間に生きている誰よりも私は豊かに生きている」

黒澤《くろさわ》はマンションの部屋を出るところだった。玄関口に刺さっていたチラシに気がつき、それを抜いて読む。マンションの管理組合からのもので、「仙台でも多発するピッキング窃盗」と書かれている。ようするにマンション全体で鍵《かぎ》を交換しないかという呼びかけらしい。ディスクシリンダー錠の写真が載せられ、「鍵穴が縦向きで、くの字のものは危険です」と書いてあった。まったく迷惑な話だ。舌打ちが出る。

中国の窃盗団が日本で荒稼ぎをするようになったのは、最近のことだ。二重三重に鍵を付けるのが当たり前のほかの国に比べれば、交通費を差し引いても日本のほうが儲《もう》けが出るのだろう。

東京では仕事が成立しなくなってきたせいか、仙台でも、ピッキング窃盗団があたりかまわずマンションを荒らしまわっている。その結果、黒澤が目をつけた家のことごとくが、回転式タンブラーとロッキングバーを組み合わせた厄介な鍵を、玄関に二つ三つとくっつけるようになるありさまだった。

靴を履き、チラシを折り畳んでポケットにしまうと、外に出た。

徒党を組んで、ひたすら金を求めて犯罪を繰り返す中国人たちは、ある意味では資本主義の鏡と言えるのかもしれない。黒澤はふとそんなことを考えた。彼らは効率と利益を何よりも優先させている。それならば、俺のような者は何を優先させるべきなのだろう。「美学か？」と答えを出してみて、笑うのを堪《こら》える。陳腐だ。

ドアの鍵を締める。と、同時に隣の部屋のドアが勢いよく開いた。

隣人と顔を合わせるのははじめてで、思わず、「隣の黒澤です」と間の抜けた自己紹介をしてしまった。若い男だった。二十代だろう。青白い顔をしていて、夜通し酒でも飲んでいたのか、具合も悪そうだった。紺のシャツがよれている。昨日は隣の部屋で物音やら喋り声がうるさかったから、宴会でもあったのかもしれない。

青年のほうも驚いた顔をしていた。黒澤に挨拶《あいさつ》をしたが聞き取れない小声だった。しばらく考える間があって、「そうだ、このドア支えていてくれませんか?」と言ってきた。ドア? と首を傾ける。

「友人が飲み過ぎちゃって、下まで背負っていかなくちゃいけないんです」青年は怯《おび》えているようだった。「このドア、手を離すとすぐに閉まっちゃうので、だから、支えてくれると助かるんですが」

黒澤は肩をすくめた。無言のまま、言われる通りにドアを支える。

相手は小声で礼を口にした。どうやら礼のようだと想像することができる程度のものだった。そうしてから青年は、もう一度部屋の中に入っていき、少しして今度は、引《ひ》き摺《ず》るように男を背負って玄関を出てくる。酒臭かった。若者は気楽でいいものだ。

黒澤はちょうど来ていたエレベーターを開けて、待った。青年が、友人を背負ったままエレベーターに入るのをじっと見る。よほど酔っ払ったのか、負ぶわれたほうは壊れた操り人形のようにフラフラとしていた。すぐに戻ってくるつもりなのか、青年は鍵もかけない。不用心だな。

黒澤にとって、観察は習性のようなものだった。すれ違う人がいればそれを観察し、財布にはいくら入っているだろうか、家に戻ればどれくらいの財産を持っているだろうか、家族はいるか、犬好きなのか猫好きなのか、貯蓄好きなのかどうか、銀行を信頼するタイプなのか、こいつは本当に男なのか、などと推測をする。実際、家に忍び込んだ時に、自分の想像と彼らの現実が一致した時には、仕事以上の達成感がある。

ドアが閉まった。青年に向かって手を挙げて挨拶をしてみたが、相手は気がつかなかったようだ。

紙が通路に落ちているのに気づいたのは、その後だった。紙幣かと期待したが、違った。青年か、あの負ぶわれた男、どちらかのポケットに入っていたのが落ちたのかもしれない。

読めない文字が並んでいて、数字も羅列してある。漢字もあるが記号も書かれている。海外で発売されているお守りかくじのようなものではないか、と思った。透かしてみるが、何かが浮き上がることもない。指で摘まんで揺らした。エレベーターのドアをもう一度振り返る。さっきの青年はもしかしたら日本人ではなかったのか、と想像もしてみる。

紙を何度かひっくり返し、悩んだ末に、そのまま自分の財布の中に押し込んだ。

別の国の言葉で書かれたこの紙が、財布の中に御利益をもたらすかもしれない。馬鹿なことを考えながら、財布をしまう。

　仙台駅前には行列ができていた。歩きながら目で辿《たど》っていくと、喫茶店の入口から続いている。開店したばかりなのか、活気が溢《あふ》れていた。

　それを横目に、駅の構内を早足で歩く。平日のせいか、旅行客は少ない。エスカレーターで一階に降りて、タクシー乗り場を横切る。駅前に立つ、塔のような建物が目に入った。市で建設した展望台だった。細く尖《とが》ったタワーが高く伸びているのは壮観で、展望台エレベーターの入口には、「何か特別な日に」と垂れ幕がかかっている。黒澤自身は、自分が展望台に昇れる日が来るとは、到底思えなかった。泥棒にとって、「特別な日」とは、ドジを踏んで現行犯で捕まった時くらいだろう。

　周囲の壁には、「エッシャー展」のポスターも貼《は》られていた。騙《だま》し絵で有名な画家だ。イラストと呼ぶのだろうか？　よく見掛ける城の絵だ。

　黒澤は、絵画などの美術品には基本的に興味がなかった。以前、イタリアの美術館にあったクリムトという画家の名画が、天井から釣り針のようなもので盗まれたという事件があったが、それを思い出した程度だ。

　しばらくして、歩道の脇に白人女性が立っているのが目に入った。金髪をポニーテールにした若い女性だ。ストレートのジーンズが似合っている。

黒澤が立ち止まったのは、彼女が若い美人だったからでも、裕福で不用心な標的に見えたからでもなかった。プラカードを持っていたのだ。「あなたの好きな日本語を教えて下さい」とスケッチブックに書かれた字を、歩行者に向かって見せている。

「これは自分で書いたのか」近づいて声をかけてみると、その白人女性は大学の留学生だと自己紹介をして微笑《ほほえ》んだ。「日本人はどんな言葉が好きなのか、調べているんです」

「どういう言葉が多い？」信号が青になったが、黒澤はそこを離れなかった。

「今のところ、多いのは」と彼女は、日本語を滑らかにつづけ、スケッチブックの中をちらちらと窺《うかが》いながら、「『夢』とか」

「とか？」

「『景気』」と彼女は可笑《おか》しそうに言った。「とか、多いですね」

「俺も書くよ」黒澤はマジックペンを受け取り、スケッチブックの一番新しいページを開いてもらい、「夜」と書いた。ページの真ん中に、堂々とした整った字で書いた。

「『夜』ですか」彼女が、黒澤を見上げた。

「夜が好きなんだ」

「面白いですね」彼女は言って、そうしてから、「泥棒みたいです」

黒澤は一瞬どきりとしたが、「ちなみに嫌いな言葉は『戸締まり』だ」と続けた。

「トジマリ?」彼女は意味が分からないようだった。「オマワリ、ではなくて、ですか?」

黒澤は笑った。「それも嫌いだ」

その場を離れる。歩いていると途中で犬を見かけた。野良《のら》犬としか見えなかった。首輪もない。柴《しば》犬だろうか。柴犬の野良とはあまりお目にかからないな、と黒澤は思った。もとは茶色であったはずの毛が、泥や埃《ほこり》で灰色になっている。駅の付近に犬がいるのは珍しかった。野良犬自体が減っているのだろう。街で同業者に会うよりも珍しい。車通りの激しい往来に、あの老犬がよろけて飛び出てしまわないかと気になる。

信号がもう一度青になり、今度こそ黒澤はそちらへ向かった。泥棒と犬が仲良くしてはいけない、と彼は彼の美学に従い、うす汚れた犬を無視して、先へ進む。

河原崎は混みはじめてきた喫茶店の入口をぼんやりと眺めていた。大き目の窓を通して、新幹線の高架も見えた。下り線のＭａｘやまびこＥ４系がホームに入ってくるところだ。

手元にあるコーヒーはとっくになくなっていたが、店を出るわけにもいかない。かと言って、奨学金をもらってどうにか暮らしている学生としては、二杯目を注文するのも躊躇《ちゅうちょ》してしまう。一杯目のコーヒーは半額だった。店のオープン記念で配られた割引券のサービスが行われていたのだ。

絵を描いている。いつものことだった。街で渡された、「尋ね人」のチラシの裏側に、ボールペンで絵を描いている。目に入った客たちの横顔や、一瞬だけ見えたＭａｘやまびこの姿を、ラフなやり方で描いていた。絵を描くのは趣味ではなくて生活の一部だ。

チラシは、行方不明の男性の捜索依頼だった。若い男性が一週間近くも行方不明で、親が捜しているらしい。写真を見ると、あまり血色がいいとは思えない青年が写っている。身長はさほど高くなく、小柄な男性のようだ。

「足の付け根のところに手術痕《あと》があります」特徴としてそう書かれているので、河原崎は失笑してしまった。見ず知らずの者に、「あなたの足の付け根を見せてくれませんか」と訊《たず》ねろと言うのだろうか。「八針縫った痕です」とまである。何針なのか数えろと言うのか。

開店したばかりの大型喫茶店はにぎわっていた。座る場所はどこも埋まっている。塚本さんはいったい何の用があるのだろう、と考えてみた。幹部である塚本さんと直接、話ができる機会はめったにないことだ。自分が声をかけられた理由にも心当たりがない。

前回の集会後、仙台の県民センターの出口で声をかけられた。黒いワンピースを着た若い女性が立っていて、「河原崎さんですね。一階の控え室で待っている人がいます。ついてきて下さい」と言った。

奥の部屋に行くと塚本が待っていて、思わず、「え」と声を上げてしまった。塚本は、「そんなに驚くなよ」とくだけた口調で言った。「高橋さんに呼ばれたわけじゃない」

その言葉に足が震えた。「高橋」は河原崎からすれば恐れ多くて名前を口にするのも憚《はばか》られる存在だ。

「俺は塚本と言って」

「し、知っています」と即座に河原崎はうなずいた。知らないわけがない。二十代後半で幹部となり、「高橋」の側近として活動している塚本は、信者たちの間では有名だ。それが二日前だった。


塚本がいつのまにか前に立っていた。驚いて、カップを倒しそうになった。

「絵がうまいんだね」河原崎の手元の悪戯《いたずら》描きに気がついたのか、塚本がそう言う。

「あ、ど、どうも。今日はいそがしいところ、すみません」と河原崎は慌《あわ》ててチラシを裏返しにする。そうすると、「この男性を捜しています」という尋ね人の写真が上を向いた。

塚本が驚いたように、その顔写真を見る。「君、この人の知り合いなの？」

「いえ、違います」首を振って否定する。「街で配っていたんです。行方不明の人を捜しているそうで。僕は全然関係ないんです」思わず弁解口調になり、チラシを折り畳み、ポケットに押し込んだ。

その動作を塚本はじっと見ていた。他人の行方を捜すくらいであれば、自分の未来を模索すべきだ、と忠告されるのを覚悟したが、そうはならない。
外に出ようか、と塚本が出口を指した。

店の外にも行列はできていた。仙台ではじめてできたチェーン店とはいえ、たかだかコーヒーを一杯飲むために列を作るのは奇妙だった。列が好きなのか、コーヒーが好きなのか。おそらく前者だな、と思った。

塚本と並んで歩いているだけで、優越感が湧《わ》きあがってくる。たまたま街角で会ったわけではない。彼は自分の名前を覚えていてくれて、わざわざ名指しで、呼び出してくれたのだ。名誉とはこのことだ、と河原崎は喜びを嚙《か》みしめる。

アーケードの入口には、先ほどと同じく、尋ね人のチラシを配っている人がいた。深刻な皺《しわ》を額に作って、チラシを配る彼らに比べ、自分は何て恵まれているのだろう。そう思わずにはいられなかった。

「その帽子、いいね」塚本が、河原崎の被《かぶ》っている赤いキャップを指した。

「父が昔買ってくれたんですよ」

鍔《つば》が長めの、外国製だった。ブラジルのサッカー選手がトレードマークにしているもので、一時期、日本では手に入りにくく、その人気は社会現象にまでなった。

「真っ赤なその帽子、話題になっていたやつだろ。あんまり売ってなくて」

父がどこでそれを手に入れたのか今もって分からない。当時、河原崎はそれがコピー製品だろうと決めつけていたが、実際はそうではなかった。とにかく得意げだった父の顔をよく覚えている。「お揃《そろ》いだ」と自分の分も見せて、嬉《うれ》しそうだった。

「確か、鍔を山折りにするのが流行《はや》りじゃなかったかな。君のは違うけど」

「父はそうやっていました」河原崎は苦笑する。やっぱりどうせなら流行に合わせないとな、と父はキャップ帽の鍔を不慣れな手つきなで山折りにしていた。あの時の父は心底、喜んでいた。河原崎自身はそれを冷たく笑い、頑《かたく》なまでに鍔を折らなかった。

「あそこ」と塚本が言った。「犬がいる、犬が」

慌てて視線を動かす。早く見つけなければ塚本に見放されてしまう気がした。

確かに犬がいた。二十メートルほど離れたところを歩いていた。歩道の上をのろのろと進み、時折、鼻を地面に擦りつけている。首輪もせずに徘徊《はいかい》していた。

「犬がこんなところにいるなんて珍しいですね。首輪もないから野良犬でしょうか」

「柴犬っぽいな。柴の入った雑種かな」

塚本の言葉を聞きながら、河原崎は、父を思い出していた。毛が薄汚れて、居場所もなく、邪魔にされながらもうろついている姿が、自分の父親と重なってしまったのかもしれない。

三年前、父は突然、二十階建てマンションの十七階から、両手を広げたまま飛び降りて、死んだ。思い出すのは自宅の玄関の場面だ。あの日は大学の入学式で、河原崎は玄関に腰を下ろし、買ってきたばかりのローファーを磨いていた。背中に電話の鳴っている音が聞こえた。母が、河原崎の名前を呼び、「お父さんが飛び降りた」と大声を出して、ようやく顔を上げた。あの時の彼は振り向きながら、状況が飲み込めないあまり、「何階から?」と馬鹿《ばか》なことを訊ねていた。

警察から事情を聞いて、河原崎はショックを受けつつも、父らしいな、と思った。非常階段を昇った父は、きっと最上階の二十階まで行く途中で疲れてしまったのだろう。途中で、「このあたりでも良しとするか」と思ったに違いない。それゆえの十七階だったのだ。ゴール手前八合目強。彼の人生はいつもそんなところで挫折《ざせつ》した。

「浮かない顔をしているなあ。犬は嫌いかい?」

塚本の声がして、我に返った。「い、いえ」と慌てて否定をする。

様子を窺うように塚本は、河原崎をしばらく見ていた。「河原崎くんは、いつからうちに来たんだ?」

たぶん、三年くらい前じゃないでしょうか、と答える。

「うちのことを知ったきっかけってのはやっぱり、あれかい？　例の」と塚本が言う。

ちょうど信号が赤に変わり、立ち止まった。

「あれ」が何を指すのか、河原崎にもすぐに分かった。仙台で起きた、ビジネスホテルでの連続殺人事件のことだ。「あれって二年前でしたか？」

「いや、事件がはじまったのは三年前だったかなあ。東口のビジネスホテルで絞殺《こうさつ》された男が最初だったはずだ」

ビジネスホテルで次々と殺人が起きた。一ヶ月に一人の間隔で、場所はいつでも仙台市内のビジネスホテルだった。全国区のワイドショーやら野次馬、便乗した愉快犯を巻き込んだ大事件だった。当時、犯人が逮捕される気配はまるでなく、河原崎は警察に同情すら感じていた。それくらい見通しは暗かった。

それがある日、事件は突然の解決を迎えた。一般市民の意見がきっかけで犯人が逮捕されたのだ。その一般市民が、「高橋」だった。

信者たちがその日のことを喋《しゃべ》る時には、大抵が、眩《まぶ》しさに目を細めた顔になる。

講演のあった日らしい。「高橋」は集会の講演後、いつもであればそのまま壇上から降りるのに、そうはせず、「そう言えば、あの事件を知っていますか？　ビジネスホテルで殺されている人達のことです。あれはつながっていますよ。世の中のことは大抵つながっているんです。次は仙台パークホテルの三階で起きますよ」と穏やかに言ったらしい。

当時、河原崎は、信者ではなかったのでその場にはいなかった。それが何よりも悔しい。信者の中ではその日を境に、それよりも以前の信者、それ以降の信者と見えない区別がされている。眩しさを思い出せる者と、想像するしかない者の区別だ。

「あの言葉には鳥肌が立った。高橋さんがあの事件に興味を持っていること自体知らなかったからなあ。集会の後、幹部会が慌てて開かれたんだ。でさ、その時、高橋さんがこう言ったんだ」塚本が遠くを見ながら、その時の光景を思い出すかのように喋る。河原崎は唾《つば》を飲み込む。

「『それではこれから証明をします』」

塚本の口から聞いてもぞくりとした。何と魅力的な言葉なのだ。

「高橋さんはそう言ったんだ。そして実際にホワイトボードを使い、証明をした。被害者の年齢と性別、事件当日の天気、ビジネスホテルの位置関係。今までの情報を書き出して、法則性を述べた。あらゆる状況が次の犯行場所、仙台パークホテルの三階を指していることを証明してみせた」

「警察はすぐに信じてくれたんですか？」

「まさか。一般市民からの意見を素直に聞いてくれるわけがない。あれはあれで苦労したな」

塚本はそれ以上説明をしてくれなかった。しかし、仙台中央警察署が、犯人を仙台パークホテルの三階非常階段で取り押さえたのは事実だ。

それからのマスコミの騒ぎは劇的で、かつ劇画的だった。「現代のシャーロック・ホームズ」などと、読んでいるほうが恥ずかしくなる安易な見出しが紙面に躍り、仙台に取材陣が押し寄せた。「高橋」が真相に辿《たど》り着くまでの、論理のフローチャートを作成し、掲載した雑誌もあった。

はじめのうちはテレビ局や雑誌記者たちも、「高橋」を英雄扱いし、祭り上げようとしていたのだろう。事件解決に貢献した民間人は賞賛されるべきだと彼らも信じていたのだ。そういう扱いだった。

信者は急激に増えた。「天才」や「英雄」に強く惹《ひ》きつけられる者たちや、心の指針を求めている潜在的な信仰者たちが、どっと、「高橋」のもとへと集まった。河原崎もその一人だった。「高橋」には未来が見える、などの噂《うわさ》が飛び交ったのもその頃だ。「先回りして人を救うことができる」と誰かが言っているのを耳にした。

けれど、「高橋」が表には滅多に姿を見せず、取材には非協力的で、なかなか記事にもならないことが分かりはじめると、マスコミは次第に不満を感じはじめた。どこかの出版社が、「二十一世紀の探偵はカルト教団の教祖」という話題を見つけ出すと、出口を見つけた溜《た》まり水が勢いよく流れ出すように、マスコミはそれに飛びついた。

「塚本さんはあれ、最近のあの事件をどう思います？」河原崎は口に出してみた。

「あの事件？」塚本は考える顔になってから、「ああ、バラバラ殺人のことかい」

半年ほど前に、仙台市内で身体《からだ》をバラバラに切断された死体が発見された。若い男性のものと断定はされたが、被害者の身元はわからず、加害者も見つからないままだった。それが最近になって、同じような死体が数箇所で見つかって大騒ぎになったのだ。同一犯人である可能性が高くなった。

「河原崎くんは、あれも高橋さんが解決しないだろうかって期待しているのか？」

河原崎は恥ずかしくなり、「え、ええ」と中途半端《ちゅうとはんぱ》に返事をした。

「もしかしたら、高橋さんはすでにあの事件のからくりも分かっているのかもしれない」

「本当ですか？」

塚本が笑う。「分からないよ。前の事件の時のように突然、それを口にするのかもしれない。ある朝、突然に、『証明します』と静かに言うのかもしれない」

信号が青になる。

「神の仕業だよ」と塚本が言った。

「え？」

「世界には、神の仕業としか思えないことが時々現われるんだ」

意味が分かりません、とは河原崎は言えなかった。迂闊《うかつ》なことを口にして、軽蔑《けいべつ》されたくなかった。

「セイウチを知ってるかい？」

「セイウチ？」

「北極にうじゃうじゃいるんだ。でかい身体で、口から地面に向かって大きな牙《きば》をはやしている」

「それが？」背筋が伸びる。

「テレビでやってたんだ。セイウチたちがある時に、陸地に上がる。ものすごい数だな。でさ、そのうちの何十頭かが丘の上に向かう。どうするのかと見ていると、おもむろに転がり落ちるんだ。崖《がけ》の下に向かって。当然のように死ぬ。それをみんなが繰り返すんだぜ。折り重なって死ぬ。集団自殺だな、ありゃ」

「十七階から?」河原崎は思わず言ってしまう。

塚本は不審げに顔をしかめた。「どういう習性なのかは分からないらしいけど」

「それがどうかしたのですか?」言いながら河原崎は、頭の中でセイウチの落下する姿を想像し、無意識にそれをデッサンしようと手が動きそうになった。

「みんな同じことなんだ。重力も公転も、墜落死するセイウチも、みんな、神の仕業だ」塚本が心を落ち着かせるように目を閉じて、立ち止まった。歩行者の流れが脇《わき》を通りぬけていく。「君はテレビに高橋さんが出たのを見てうちにやって来たわけだ」

河原崎は曖昧《あいまい》に返事をした。厳密に言えばそれが、「高橋」と会った最初ではなかったからだ。実は河原崎は、テレビで見る前に、「高橋」と会っている。父が死んだ直後の頃だ。当時、河原崎は眠ることもできず、夢遊病者同然で、近所の橋の上をひたすら歩きつづけることが多かった。深夜に橋の上を行ったりきたりしながら川の音を聞き、何も考えないようにしていたのだ。何往復かしているうちにどうにか眠くなるか、もしくは眠らないでも平気になるか、どちらかだった。

その夜は、台風が接近している最中で、広瀬川は濁流が轟々《ごうごう》と流れていて、その時に人の泳いでいる音がした。

夏ではなかった。深夜のこんなどしゃ降りの日に、どういう物好きが泳いでいるのか、と驚き、橋を降りて川岸に向かった。

すると、男が立っていた。深夜の街灯の下で上半身裸のまま脱いだシャツを絞っている姿があったのだ。

男は溺《おぼ》れた猫を助けていた。ずぶ濡《ぬ》れになった猫が、身体を振って水飛沫《しぶき》を飛ばしているのが見えた。

河原崎は、我を忘れて男を眺めていた。橋の上に立つ街灯に照らされて、さほど身長はないが、神々《こうごう》しく男の背中が光った。その背には印象的な傷があった。×印の火傷痕《やけどあと》のようだった。目を背けたくなる種類の傷ではなかったが、火傷の痕は痛々しく目立った。

男の横顔は端正で美しく、その火傷が神秘的な外見をさらに際立《きわだ》たせていた。

声をかけることもできず、傘を持ったまま河原崎は、しばらくうっとりとしていた。

その男が、「高橋」だと分かったのはそれよりもずいぶん後のことだ。テレビに映る、「高橋」の姿を見て、あれはあの川で見かけた人だと気がついた。

川で、「高橋」を見かけたことについては誰にも話したことがない。猫を救うために川に飛び込んだ「高橋」は、河原崎にとってはまさに天から人を掬《すく》い上げる神と同じに見え、だからそれを目撃したことは、自分だけの特別なことに思えたのだ。他人に分け与えてなるものか、という気持ちがあった。

「あそこの展望台に上がったことがあるかい?」塚本が駅前の展望台を指差した。河原崎は首を横に振った。高いビルになど興味がなかった。そもそも、上を見上げること自体が苦手だった。父親が飛んだ、二十階建てのマンションがいつも頭に浮かぶ。「塚本さんは?」

「俺もないよ。見晴らしはいいらしいね」

「『何か特別な日に』と書いてありますよ」河原崎は言った。笑いが堪《こら》えられない。自分にとって、「特別な日」などあるようには決して思えなかったからだ。強いて言えば、塚本と並んで歩いている今だ、とも思う。

「エッシャー展」のポスターが目に入った。仕掛けがあるだけの絵に興味はなかったが、描かれている城と兵士は可愛《かわい》らしくて好きだった。いや、兵士ではなく、修道女だったかな、とも思い出す。通り過ぎながら頭の中で同じ絵を模写してみる。

白人女性に気がついたのは、河原崎が先だった。仙台駅の構内から少し離れたところに若い白人女性が立っている。プラカードを持っていた。スケッチブックに、「あなたの好きな日本語を教えて下さい」と書いてあるだけだったが、塚本も興味を持ったのか無言のまま、足がそちらへ向いた。

「好きな日本語を書いてくれませんか?」ポニーテールの白人女性は美しかった。近づいてきた河原崎たちに笑顔を見せる。

「好きな日本語かあ」と塚本が首を捻《ひね》る。考えた後、マジックを受け取ると、スケッチブックの最終ページを開いた。彼は一瞬、河原崎の顔を覗《のぞ》いた。そうしてペンを寄越した。君が書けよ、と言った。試されている気分だった。ペンを持っていると気がつかぬうちに、白い紙に絵を描きはじめそうにもなる。

「何か好きな言葉がありますか?」彼女が訊《たず》ねてくる。

緊張で手が震えた。綺麗《きれい》とは言えない字で、「力」と書いた。採点を待つかのように塚本の顔をこっそりと見上げる。塚本はさっぱり感心しない顔で首を動かしていたが、「いいね」とうなずいた。白人女性が日本語と英語で礼を言うのを聞きながら、河原崎は、塚本と並んだまま広瀬通りへと向かう。

「でさ、本題に入るけど」塚本が言った。

「はい」河原崎は身構えるようにする。

「詳しくは車に乗ってから話すけど」と塚本は神妙な顔になり、「神を知りたくないか？」

「神様、ですか？」

「神様の仕組みだよ」

「はい？」

「神を解体するんだ」塚本の顔は冗談を口にしている様子でもなかった。


京子は電話の子機に耳を当てながらも、いったい何が起きているのか理解できなかった。自宅のソファから立ち上がり、耳から離した電話を訝《いぶか》しそうに見る。

電話の相手は夫だった。五歳年上で甲斐性《かいしょう》なしの、あの夫からだった。

「あんたねえ、こんな朝っぱらに外から電話をかけて来たと思ったら、何を言ってんの？」と電話口に向かって怒る。相手の台詞《せりふ》はずっと変わらなかった。「別れよう。家にはもう帰らない」そればかりを繰り返している。

何ということだろうか。夫が自分から離婚を口にすることがあるとは予想もしていなかった。離婚をすること自体に問題はない。と言うよりもまさに京子自身が、方法は違っているが別れるつもりだったのだ。好都合と言えば、これ以上にない好都合ではあった。目の前のソファに青山が座っている。京子を心配そうに見ている。夜通し起きていたせいか、彼の目は赤い。

「本当に別れるのね？」脅すつもりはなかったが、語調を強めた。

人との別れを何よりも嫌う夫が突発的な決断をしたのだから、その機会を利用するに越したことはなかった。「いいわ、さっさと離婚しましょう」

夫は、「ありがとう」と生真面目《きまじめ》な声を出した。誠実ではあるが、割を食ってばかりの男にはぴったりの口調だ。彼は離婚届についてくどくど続けて、「荷物はまとめて取りに行くよ」と言った。すまない、と夫は最後に付け足した。

この家を出てどこに行くつもりなのかしら。京子は下唇を突き出す。

目の前の青山が立ち上がり、手を広げた。サッカーの現役選手とあって肩幅も広く胸板が厚い。「どうした？」シーズンオフでも、鍛えられた身体には弛《たる》みがない。

どうもこうもない、と答えようとしたところ、電話が再び鳴った。

夫からの電話かと思ったが違った。「心理カウンセラーになりたいのですが仕事に就くにはどうすれば良いですかね」落ち着いた中年男の声が唐突に、そんなことを言ってくる。

それどころじゃないわよ、と怒鳴りつけようとしたがそれをぐっと堪えた。かわりに、「あなた自身がカウンセリングを受けたら？」

男は、京子の皮肉などものともせず、「そう思って、さっきから鏡の前で自分と問答しているんですが、うまく行かないんですよ」と軽く応《こた》えてきた。

返事をせずに電話を切った。「悪戯《いたずら》電話よ。売り込みだったのかもしれない。わたしのところで働きたかったのかも」青山に向かって呆《あき》れた表情をしてみせた。

「売り込み？　クリニックで？」

「癒《いや》しのクリニック」と京子は自嘲《じちよう》を込めて言いなおす。精神カウンセリングとは人を癒すものだ、と信じている人間は多い。カウンセリングは、歪《ゆが》んで走っている車の軸を、騙《だま》し騙し、真《ま》っ直《す》ぐにするだけであるのに。もちろん、もっと素晴らしい精神科医は多くいるのだろうが、京子自身はそうだった。しかも実際のところは、真っ直ぐにすらしないで、「真っ直ぐになりましたよ」と見せかけるだけのこともある。

「その前にかかってきたのは夫からよ。わたしと別れるって」

青山は複雑な顔をして、ソファに座った。「別れるって？　あの旦那《だんな》さんが？」

「驚きでしょ」京子は眉毛《まゆげ》を持ち上げる。「あの男がよ」

「だから、俺が何度も確認したじゃないか」青山が急に、責め立てる口調になった。

「旦那さんは離婚に応じてくれるかどうか。京子は絶対にありえないの一点張りだったけど、やっぱりこうやって可能性はあった」

「絶対にありえないわね」

「でも、現にあった。今電話でそう言ってきたんだろう？」

京子は言葉に詰まりかけるが、それでも口を開いた。「でも、あれよ。とにかくこれはチャンスでしょ。向うから言って来てくれたんだから」

「千載一遇」青山が言う。

「青天の霹靂《へきれき》」京子は言い返す。

「渡りに船」

「棚からぼたもち」

「間一髪」

「グッドタイミング」

「物怪《もっけ》の幸い」

「運のいい奴《やつ》」京子は、今はここにいない夫に向けてそう言う。「あの男」

「あやうく罪を犯すところだった」青山が芝居がかったことを言った。人心地がついたのだろう。安堵《あんど》が顔に出ている。「これで中止だ」

「うちの旦那のほうだけね」京子は語尾を強く発音した。

青山の顔がさっと怯《おび》えた少年のようになる。かりにもプロサッカーリーグでディフエンダーとして現役の男が、泣き出しそうな表情になった。

「あなたの奥さんのほうは中止じゃないわよ。だってあの女が言い出すわけないでしょう？『別れる』なんて」

青山の目が宙をさ迷う。「いや、それだって可能性がないわけじゃない。君の旦那さんが離婚を言い出すくらいなんだ」

「うちの旦那は奇跡を起こしたのよ。奇跡が二度起きる？」

「二度起きたら奇跡じゃない」と青山は即答した。条件反射に近かった。五年前、プロサッカーの二部リーグ、その、最終戦を思い浮かべているのだと京子には分かった。優勝がかかっていたあの試合で、三対〇の劣勢から逆転したのは、「奇跡」であると青山はよく言った。

「あなたの奥様は奇跡を起こすタマじゃないわ」

青山の顔には疲れがありありと見えていた。

何しろ人を殺す予定だったのだ。京子の夫が帰宅したところで、青山が襲いかかり首を絞める、そういう段取りになっていた。夫がなかなか帰ってこないのが予想外で、結局朝までずっと待つことになった青山は、精神的にかなり消耗したに違いない。寧《ねい》日《じつ》なしの兵隊のような顔をしていて、今にも倒れて眠り出しそうに見えた。

「あなた、気が変わってないわよね」京子は念を押す。昨日までは二人とも意志が固かった。お互いに協力して配偶者を殺害するのだ、二人で暮らすのだ、と何度も打ち合わせを繰り返して、決定をした。青山は根が単純で臆病《おくびょう》なところがあるが、何度も淡々と話し合っているうちに、試合を前にした選手の顔になり、決心した。

「も、もちろんだ」青山が弱々しく言う。

「でも、そうね」京子はうなずいた。「そうね。あなたの奥さんにもチャンスをあげたほうがいいわ」と上辺だけの声を出す。「もしかしたら、前と違ってうなずいてくれるかもしれない。うちの旦那だって半年前は、離婚なんて絶対に許さない感じだったんだから。今日、何があったのか知らないけれど態度が豹変《ひょうへん》した。あなたの奥さんに同じことが起きないとも言えない。彼女に最後のチャンスをあげましょう」

青山の妻は、彼よりも五歳年下の強気の女だ。一度だけ会ったことがある。その頃はまだ、青山とはカウンセラーと選手の関係でしかなかったにもかかわらず、彼女は敵意を剝《む》き出しにしていた。もともと球技スポーツの選手だったとかで、女性にしては体格が良かった。その身体《からだ》に、見えない針が一斉に逆立つのが分かった。

あの女は降りないだろう、と京子は内心では分かっていた。なぜなら、あの女は、わたしに似ているからだ、と。

「これから、家に帰って話をしてみなさいよ」

青山は困った顔をしたが、それでもうんうんとうなずいた。彼はサッカー選手らしくジャージに身を包み、軽装だったが、顔つきは重い。

しばらく間があった。「そうだな。そうしてみる」

午後にもう一度会いましょう、と待ち合わせ場所を決め、玄関へ青山を送り出した。

「そうだ、最近、駅のところに行った？」靴を履いたところで青山が訊ねてきた。

「駅って仙台駅？」

「駅前にさ、ガイジンの女が立っている」

「ガイジンって差別的な言い方らしいわよ」

「とにかくさ、白人のやたら美人の子なんだけど紙を持っていてさ、『好きな日本語を書いて下さい』とか、そういうのが書いてあるんだ」

「日本語で？」

「そう。日本語で。京子なら何て書く？　日本語で好きな言葉」

「さあ。わたしそういう寄せ書きのたぐいって嫌いだから。それにガイジンも大っ嫌い」

「あ、今、ガイジンって」青山は眉を顰《ひそ》め、京子を指差した。

「あなたなら何て書くわけ？」

「俺はもう書いてきたよ。好きな日本語ならあるんだ。『約束』。良い言葉だろ？」

「似合わない」京子は笑みも浮かべなかった。「あなたなら、『筋肉』とか『勝利』とかのほうが似合ってるわよ」

「俺のこと馬鹿《ばか》にしてるだろ」青山が太い眉毛を斜めにした。それからふと思い出したように、「あ、そうだ、あそこ知ってる？　駅前の展望台。京子、行った？」

「まさか」と京子は苦々しく答える。エレベーターで昇るだけなのに、何の価値があるというのか。誰でも昇れるようなところから景色を眺めても何の自慢にもならない。

「あの展望台、何か特別な日に昇るといいらしい」

「それなら、今日よ。あなたの奥さんを殺すんだから。今日こそ特別な日よ」京子は笑う。「まあいいわ。とにかく、午後、一時過ぎには合流しましょうよ」

そうして解放感を示すように手を広げた。「わたしはすでに独身になったわ。それも相手を殺さずに」

青山の顔が再び蒼《あお》ざめる。

「大丈夫。二人で二人を殺す予定だったのが、二対一になったんだから。楽勝よ」

青山はゆっくりと玄関を出ていこうとしたが、ふと立ち止まった。「試合だと意外に、退場した選手のいる、人数の少ないチームのほうが勝ったりするんだ」

豊田《とよだ》は車を売ろうか、と真剣に考えていた。考えれば考えるほど気が重くなる。

車を売ること自体は、さほど辛《つら》くもなかった。三年前にローンは払い終わっているし、走行距離と同じ程度には思い出はあるが、それは記憶と言っても良いくらいの無味乾燥なものばかりで、さほど思い入れがあるわけでもない。

車を手放さないと生活ができない。そのことがショックだった。正確に言えば、車を手放したところで根本的な解決にはならない。職がないのだ。

若干の預金はあるが、それも数ヶ月すればなくなるだろうし、二年前に離婚した妻へ支払う養育費もひねり出さなくてはいけない。

妻が唐突に離婚を言い出してきた時、何が起きたのか豊田には分からなかった。

「わたしは『はずれくじ』を引いたのよ」彼女が別れ際《ぎわ》に言ったその台詞がずっと引

っかかっている。

今日の朝一番に電話が入った。一週間前に面接を受けた会社からで、事務的に、多少は人間的なニュアンスを混ぜながら、不採用だと知らせてきた。いても立ってもいられず、気付けば、仙台駅の周辺をうろついていた。

四十社目の不採用だ。悲観的で有名な職業安定所の担当者も、「これで落ち着けるんじゃないですか」などと言った。「そこまで条件を下げてしまっても良いのですか?」と心配されるくらいの就職先だった。そこが不採用だったのだ。

再就職口を探しはじめたころはまだ楽観的だった。半年程度は失業給付をもらいつつ、多少の条件ダウンはあってもそれなりの会社に再就職し、「前の会社は薄情だった」と愚痴りながらもやり直しが図れると想像していた。

甘かった。片端から落とされた。ことごとくの不採用だった。求人二名の会社に何十倍もの倍率で応募者が集まる様子は、醜く滑稽《こっけい》であったが、そこに混ざるしかなかった。

「働きたいんです」駅のペデストリアンデッキにあるベンチに座りながら、ぼんやりと呟《つぶや》いてみる。

四十社連続不採用とは、まるで何か偉大な記録のようだった。三分の二は書類で落とされ、面接まで進めたのは十数社だった。書類で蹴《け》られてしまうのも辛かったが、実際に面と向かい会話を交した面接試験で、「不採用」と決定されるのは、自分の存在を全《すべ》て否定された気分になった。ようするに、「あなたとは同じ職場で働きたくない」と判断されたのと同じに思えた。

働きたいんです。

アパートを引き払わなくてはいけないかもしれない。いや、かもしれない、などと悠長なことを言っている場合ではなかった。

サラリーマンの行列が駅の周りを行進している。九時はちょうど出勤の時間帯だ。会社員だった頃にはあれほど嫌だったあの行列に加わりたい、と願った。ラッシュアワーというよりはラッシュライフだ。Rush Life の仲間入りがしたい。

不安感がいけないのだろうか。食事はあまり喉《のど》を通らない。熟睡もままならず、じっとしてもいられない。未来が見えないことがこれほどまで苦しいとは知らなかった。

ベンチの前を人が次々と進んでいく。奇妙な行列だ。彼らは戦場へ向かう兵士に見えるし、餌《えさ》を探す虫にも見えた。不気味だった。それなのに、自分はあの行列に戻りたがっている。

自分に馘《くび》を言い渡してきた上司のことを思い出した。豊田の会社は景気が良いとは言えなかったが、それでも社員一人一人が危機感を抱くほどではなかった。だから上司に呼び出されたときにも、てっきり辞めていく女性事務員の送別会についての打ち合わせだと思った。

「あなたはここに勤めて何年になるのだっけ?」いけ好かない年下の上司が、「あなた」などと距離感のある言葉を使い出したあたりで怪しむべきだった。「二十一年です」と指を折ってから答えた。

舟木だ。豊田はその上司の名前を思い出す。

舟木は、豊田が過去に犯したミスや数回の遅刻を持ち出し、周囲とのコミュニケーションが欠けていると言い、豊田本人の性格上の欠点を列挙した。あなたが会社に与えた損害を金で換算するといくらいくらになるなどと言った。

豊田は呆然《ぼうぜん》とした。遅れて、腹が立った。腹立ちまぎれに、彼の言葉を頑として受け入れなかった。会社には貢献してきたつもりだし、たとえ老いて厄介者となろうとも生活のために会社にしがみついてやる、とうそぶいた。

すると舟木は、「あなたが無理であれば、別の者が職を失うんだよねえ」と至極困った顔で言った。

「他人のことなど知ったことではない」と豊田は言ってやった。

それでも彼は落ち着いたものだった。キッチンに並んだ鶏を機械的に捌《さば》くような感覚だったのかもしれない。そして、他のリストラ候補の名前を読み上げた。背の後ろに隠していたカードをそっと差し出す嫌なやり方だった。

それは、豊田も知っている男だった。同期入社の仲間だ。気弱そうな顔をしていて口下手で、自分の意見を前に押し出すことを不得手とするタイプの男だった。デザイン部ではなく、どこか別の部で管理職をしているはずだった。

「彼のお子さん、今年から小学生らしいんですがね」と白々しく舟木は言った。それから、かなり芝居がかった口調で、「お子さん、足に障害を持っているらしいんですよ」と付け加えた。「一生、車椅子《くるまいす》の生活らしいんですよ。可哀相《かわいそう》に」

ふざけるな、とその時、豊田は声を上げそうになった。

「考えておいて下さい」と彼は言った。余裕のある、見透かした口調だった。

馬鹿馬鹿しい、と豊田はその場を立った。

けれど結局のところ、舟木のやり方は効果があったのだ。

豊田は別の同期に連絡を取り、その彼に障害を持った息子がいることを確認すると、舟木に退職しても良いと伝えた。他人に不幸を押しつけて、自分だけがのうのうと会社勤めをしていくことを考えれば、自ら飛び出したほうがマシだと判断したのだ。

人助けをした誇りや満足感はなかった。どちらかと言えば怒りと疲れだけがあった。思い出すたびに腹が立つのは、舟木に、悪びれるところが塵《ちり》ほどもなかったことだ。申し訳なさそうに眉《まゆ》を下げることもなければ、仕事で仕方なくやっているような事務的なニュアンスもなかった。彼は嬉々《きき》としていたのではないか。人の職を奪い、生活を劣化させ、人生を反転させる作業は、本来であれば神のみ行えるはずである。自分が神にでもなった気分だったに違いない。

消費者金融の看板が浮き上がって見える。自分が金を借りている姿が頭に浮かんだ。近い将来確実にそうなる。

手に持っていた鞄《かばん》に手をやった。震える手でがさごそと中からウォークマンを取り出す。二年前、小学生だった息子のために買ったものだ。離婚する直前、息子への誕生日プレゼントだった。

正直なところ、妻と別れることになった時、息子は自分についてくるのではないかという期待があった。期待ではなくて確信だ。温厚な息子が心を開くのは、あの口うるさい美容師の妻よりも、多少稼ぎは悪くとも馬の合う自分のほうだと高をくくっていたのだ。

それが案に相違し、息子は、妻と暮らすことを選んだ。部屋にぽつんと残ったウォークマンを見つけ、豊田は、自分が見限られたのだと分かった。

手が震える。必死にイアフォンのコードを引っ張り耳に突っ込む。麻薬中毒がドラッグを求める姿と似ていた。不安感が自分を押し潰《つぶ》す前に、クスリを投与しなくてはいけない。クスリは耳から注入する。ウォークマンの再生ボタンを押した。

病院の名は、「ビートルズ」だ。この場合の薬剤師はきっと、「ジョージ・ハリスン」で、薬の名前は、「HERE COMES THE SUN」だった。

ボリュームを上げ目を閉じ、じっと聴く。「It's All Right」と繰り返される。豊田はそれを自分の中で何度も繰り返した。「大丈夫だ。大丈夫だ。It's All Right」と繰り返し、不安感を取り除いていく。二回同じ曲を聴く。

駅の階段を降りて、下に向かった。段を踏むたびに、腹立たしいことが脈絡もなく、頭に浮かぶ。あの上司の顔。不採用とした会社の面接官の嫌味。別れた妻の勝ち誇った笑み。景気を回復できない政治家たちの写真。銃があれば片端から撃ってやるのに、と地団太を踏む。

しばらく進むと、女性が立っていた。品の良い顔をした若い白人女性だった。

プラカードを持っていた。「あなたの好きな日本語を教えて下さい」奇妙なメッセージが書かれている。彼女は流暢《りゅうちょう》な日本語で、「好きな日本語はありませんか?」と言ってきた。

差し出されたマジックを手に取り、キャップを外したところで思案する。好きな言葉、そんなものがあっただろうか。「採用」か。

豊田はスケッチブックの真ん中より多少右に逸《そ》れた場所に小さく、「無職」と書こうとした。自虐《じぎゃく》的な気分だったからかもしれない。虫の通った痕《あと》にも見える、自信のない字だった。けれど、「職」の字の途中でふと考え直し、「色」と書いてみた。

「無色」白人女性が口に出して言った。

「無色透明」そう口にしながらも豊田自身、ぱっとしない言葉だと感じた。

彼女も中途半端《ちゅうとはんぱ》な笑みを浮かべていた。あまり良い言葉だと思っていないのかもしれない。「可愛《かわい》らしい字ですね」と慰められる。

恥ずかしくて豊田は下を向き、その場を立ち去った。

人の流れに逆行して歩き、オープンしたばかりの駅前の喫茶店に立ち寄った。行列に並び、やっとのことでレジまで辿《たど》り着くと、ポケットからどうにか取り出した半額割り引きのサービス券を差し出した。無職の男には百円であろうと節約が必要だった。

「使えない、とサービス券を返されて驚いてしまう。「申し訳ありませんが」とレジの子はもっともらしい理由を続けるが、豊田の耳には入ってこない。

「どうして使えないんですか」豊田が必死に詰め寄ると、相手は困った顔になった。無職だからだ。そう思った。

無職の中年に対する差別だ。他のみんなは半額にしてもらっているのではないか。そう勘ぐりたくもなった。

そのまま踵《きびす》を返して店を出るほかなかった。

駅前には、塔のように聳《そび》える展望台があり、人がエレベーターの前に並んでいた。「何か特別な日に」と豊田は呟いてみる。自分にとってそれは、もちろん就職の採用が決まった時のはずだ。そうだ、採用が決まった暁にはあの展望台に昇ろう。

駅前に、「エッシャー」という画家の展覧会のポスターが貼《は》られている。城の屋上を大勢の者たちが歩き回っている絵だった。懐《なつ》かしい、と思った。子供の頃、ずいぶん好きだったのを思い出した。列を作って歩く者たちは窮屈そうで、子供ながらに、「大変そうだな」と思った覚えがある。まさに、通勤する背広姿の男たちと同じだ。そう言えば、昔この絵を見て、なにか疑問を感じたような気がする。豊田はそれを思い出そうとするがうまくいかない。

早足で歩いていると、数人の交す会話が聞こえてきた。

「あの犬さ」と声がする。「あれ、野良《のら》犬かなあ」

「だよね。汚かったし」言いながらもスーツ姿の女性たちは先へ急いでいく。

「犬か」と豊田は呟いた。犬は嫌いじゃなかった。ただ、女性たちの会話の「犬」とはまさに自分のことを言っていたのではないか、そんな気がした。

1

黒澤の狙《ねら》っているのは、仙台の新興住宅地に建っている高層マンションだった。アーケード街を通り、次の大通りまで出ると、やってきたバスに飛び乗った。二十分程度、揺られて、目標の停留所の一つ前で降りた。後ろから降りてくる客との距離を測る。

右手に持ったバッグのファスナーを開け、日焼けした水色のジャンパーを取り出すと、羽織った。濃い紺の帽子を引っ張り出してかぶる。

ガスか電気の計測員に見える格好だった。マンションの通路で住人とすれ違っても、堂々と挨拶《あいさつ》すればさほど怪しまれない。

辺りは殺風景だった。整備された道路が網の目に走り、人工的に植樹されている。バブルの頃に勢いよく開発された住宅区域だろう。今となっては、街もすっかり活気を失っていたが、それでも新築マンションが建つ気配が依然としてある。誰かが意地を張っているとしか思えない。

左手に小さな公園があった。柵《さく》を跨《また》ぐ。離れたところで主婦たちの笑い声と子供の呼び声がする。ベンチに座り、バッグを脇《わき》に置いた。

目の前を若い男が通り過ぎた。気まずそうな顔を下に向けて、口が笑っている。

「おい」黒澤は声をかけた。

若い男が照れくさそうな顔を見せた。「いつから気がついてたんですか？」

「バスに乗る前だ」

「嘘《うそ》」と若い男は目を丸くして、顔を崩す。「まじっすか？」そう言って隣に腰を降ろした。

「どうしてついてきた」黒澤はバッグに手をやりながら、男の顔を見ずに言った。

「黒澤さんと話がしたくて」まだ二十代前半の若い男は、調子良く歯を見せる。「でも、その服やばいっすよ」

「やばい？」やばいなどという言葉が、日本語として正式に認められているのだろうか、と黒澤は嫌になる。日本語は正しい発音、正しい用法で使用されるべきだ。

「やばいってのは野に咲く梅のことだ。野梅だ」

「その服、やばいっすよ。ダサいっす」

「仕事着だよ」

「ああ」と若者は意外に察しが良く、「なるほど。ガス屋ですね、それ。すげえ。どこで売ってるんですか？」

「今時、ネット上で探せば手に入る」

「失礼ですけど、黒澤さん幾つですか？」

「三十五」

「そのくらいの人もパソコンでネットとかするもんですか」

「悪かったな」何か特別な企《たくら》みがあって後をつけてきたわけでもなさそうだった。だとすれば用はない。煩《わずら》わしいだけだ。

「あ、そう言えば、俺、凄《すご》いことに気がついちゃったんですよ」

黒澤は腰を上げかけていた。

「この間なんですけど、ぼうっと寝てたら木から林檎《りんご》が落ちてきたんですよ」

「いったいおまえはどこに住んでいるんだよ」

「仙台より南ですよ。福島との境目あたり」

「林檎があるのか？」

「うちの庭にばんばん立ってますよ。林檎の木。で、家で寝転んでたら、いつものように実が落ちて」

「それがどうした？」

「最初は不思議にも思ってなかったんですけど、あれって何か引っ張る力があるから落ちるんじゃないですかね？　そう考えると分かるんですけど、俺たちだって地球の上に乗ってるくせに、地球が回っても宇宙に飛び出していかないじゃないっすか。何か、こう引っ張る力ってのが地球の真ん中にあるんですよ。だから物が落ちる」

黒澤は呆《あき》れて、肩をすくめた。「おまえはニュートンか？」

若者はきょとんとして、「何ですかそれ」と言った。

無視しようかと悩んだが、「おまえだって重力くらいは知ってるだろう？」と言ってみた。すると男は、「ジュウリョクって何です？」と怯《おび》えるように聞き返してくる。ふざけている様子もない。変な奴《やつ》だ、と笑ってしまった。ベンチに座り直す。「おまえの大発見に免じて、話を聞いてやるよ。何だ？　おまえのところの上司が何か言ってきたのか？」

「上司じゃない。親分ですよ」

「今時、そんな階級はない。泥棒は泥棒だ」

「黒澤さんは、本当につるんで仕事をするの嫌なんですね」

「バッターボックスに三人も五人も入ったって、みっともないだけだろう？　あれは個人競技だ」

「知らないんですか、バッターボックスは一人しか入れませんよ」と若者が真顔で答える。「実は、二、三日後にでかい仕事あるんですよ」

「やればいい」

「俺と親分とあと一人いるんですけど、黒澤さんも乗らないですか」

「興味がない。どうせ強盗だろう？」

「まあ拳銃《けんじゅう》くらいは持って行きますけど、撃ちませんよ。今度はまじででかいっすよ。やばいくらいに」

「また、野梅か。で、おまえのところの上司は俺を誘いに行けと言ったのか？」

「口説いても無駄だとは言ってましたけどね。うちの親分、黒澤さんのこと買ってるんですよ」

「買うも何も、売ってないんだ」

「黒澤さん、瞬間移動できるんですって？」

若者の顔をじっと見て、黒澤は笑いを堪《こら》えた。シュンカンイドウとは幼稚な言葉だった。黙ってにやにやしていると、若者が続けた。「親分、言ってましたよ。黒澤さんはいつだってふっと現われて、すっと消えてしまうって。ある場所で友人と喋《しゃべ》っていたのが、ドアを開けた瞬間には高級マンションに移動していて、仕事を済ましたかと思うと、また友人のところに戻ってくるって、そう言ってましたよ。だから捕まったことがないんだって。そういうのって本当ですか？」

「おまえは本当だと思ってるのか？」

「ありえると思いますよ。人の能力って無限大ですから」

「無限大ねえ」と黒澤は発音を楽しむように口に出す。「いい言葉だな」

「黒澤さんは神様とか信じます？」

「俺は宗教が嫌いなんだ」

「日本人は都合のいい時だけ神をでっち上げて、祈るそうですよ」

黒澤も苦笑する。「おまえはそういうのも信じているのか」

「そんなわけないじゃないですか。やばいっすよ、そういうの。今時、この街でも変な宗教ばっかりっすよ。いえ、何でそんなことを聞いたかって言いますとね。昨日のテレビ観《み》ましたか？」

「いや」

「例の団体があるじゃないですか？　タカハシとかいう男を祭り上げている奇妙な団体ですよ」

黒澤もそのグループのことは知っていた。タカハシというのは、何年か前に殺人事件の犯人を指摘し、一躍有名になった男だ。そのタカハシを崇拝している信者が、かなりの数いるとも聞いたことがある。

その男に本当に特殊な能力があるかどうかは分からなかったが、それだけの人を集めるのだから何かしらの魅力があるのだろう、とは思っていた。

「昨日、夜のニュース番組で観たんですよ。タカハシっていう人、滅多に姿を現わさないんですけどね。珍しくカメラの前で喋ってましたよ」

「テレビも一種の宗教だ」

「生放送だったのかなあ。仙台からの中継でした。あれだけマスコミに出なかったのが、急にインタビューに応じたみたいで」

「今、話題のバラバラ殺人事件があるだろう。あれを解決したんじゃないのか？」思いつきを口にした。

「俺もそう思ったんですけど違いました。期待外れでしたね。あまり面白いことは言ってなかったなあ。俺、実ははじめてまともに、あの人の姿を見たんですよねえ。信者でもないし。でも、見た目は、結構格好良くてびっくりだったなあ」

「何を喋っていたんだ」

「普通のことですよ。『ご自分の宗教団体についてどう思われますか』と質問されて『宗教などではないんです』なんて答えてね。下らないやり取りでした。ただあれはそうですね、質問する側が下らなかった」

「どういう男なんだ」

「黒澤さんと同じくらいの年ですよ。思ってたよりも普通っぽかったですよ。好感は持てたなあ」

「好感が持てるカリスマというのは矛盾しないか?」

「さあ」と若者は笑った。「でも、何でも、先のことが分かるらしいですよ。信者のコメントで言ってました。何が起きるか先が見えるんだって。難しいことを言ってましたが、カオス理論と同じ理屈らしいです」

混乱そのものとも言える奇妙な若者の口から、「カオス」という単語が出てくるのは新鮮でもある。

「先が分かるから宝くじとかも当たるらしいですよ。信者が言うにはね。未来が見えるらしくて。やばいっすよねえ、そういうの」

「未来が見えるなら、世の中をもっと良くしてほしいものだ」

「最後にあの人、テレビカメラに向かって、『目を覚ましてほしい。私は生きています』なんて言ってました」

「どういう意味だ」

「さあ。馬鹿《ばか》げた台詞《せりふ》だけど、あの真面目《まじめ》さは好感が持てましたよ」と苦笑する。

「あの言葉は印象的でした。あれは誰に対して言っていたんだろう」

「おまえだよ」黒澤は若者を茶化しながらも、その、「私は生きています」の意味を考えていた。自分も皆と同じく人生を生きているのだ、と言いたかったのだろうか。目を覚ませ、とは信者に向けられたものなのか、それとも信者以外の、例えば黒澤のような男に向けられた言葉なのか。怪しげな新興宗教の大半は、「目を覚ませ」と怒鳴りながら、信者たちの目を瞑《つむ》ったままにさせようとする。

「終始、謙虚で威張っていないところなんて好感が持てましたけどね」

「偉そうな人間は底が浅いからな」

「昨日のテレビを観ていてつくづく宗教とか神様とかって何だろうなあって悩んじゃって。あのタカハシって男も、自分では自分のことを、『神様』だと言ってないんですよね。宗教をやってるつもりもない。でも人が集まってくる。俺には良く分からないですよ。俺は落ちてる林檎でも眺めてるほうが性に合ってます」

しばらく二人は黙って座っていた。

「黒澤さんは、今日、これから仕事ですよね」

「さあな」

「でも、ガス屋の服を着てるし」彼は可笑《おか》しそうに、黒澤を指差す。「それ、空き巣の時のカモフラージュですよね」

「本当にガス屋かもしれないだろう?」

「でも、さっきネットで買ったって言いましたよ」

もう一度、若者を見た。相手は無邪気な笑顔を見せている。

「黒澤さん、どこか一流企業とかに勤めてると言っても通用しますよね。見た感じ。どうして泥棒なんてやってるんですか?」

「瞬間移動ができるからだろ」と黒澤は乱暴に返事をした。

ベンチを立とうとしたところで若者が「あ、猫、死んでますね」と言った。

公園のベンチの側《そば》のツツジの植え込みを見ていた。確かに黒い猫が死んでいた。赤い首輪に鈴を付けている。口から内臓のようなものが飛び出していた。轢《ひ》かれたに違いなかった。

「可哀相《かわいそう》に」

「黒猫なのに『ミケ』って名前のようだな」と黒澤はそう言って、猫の首輪にかかった鈴に、「ミケ」と書かれているのを指差した。

「飼い主、探してるかもしれないですね」

「かもしれないな」

「黒澤さん、生き返らせられませんか？」若者が言った。はじめは冗談だろうと思ったが、あまりに真剣な顔をしているので、笑い飛ばすこともできなかった。「黒澤さんならきっとできますよ」

「そうだな、俺ならきっとできる」と答えていた。無邪気な若者の顔を見ていると、どんなことでも叶《かな》えられる気分になったのは事実だ。

黒澤は両手を柔らかく前に翳《かざ》して、黒猫に向かって目を瞑った。即席で祈ってみせる。黒猫に向かって、伸ばした手の先をゆっくりと動かす。気功師が、直接手を触れずに相手の身体《からだ》の調子を治すのと似ている、と若者が横から言った。

しばらくそのままの格好をしていた。両手を下ろすと、深呼吸をした。

「きっと生き返る」黒澤はそう言った。

ですよね、と若者が嬉《うれ》しそうに声を上げる。

実際、黒澤は自分自身でも猫が生き返るような気がしてならなかった。

「さっきの仕事の話、気が変わったら電話して下さい」別れ際《ぎわ》、若者はそう言った。ジーンズの後ろポケットに両手を入れて、歩いていく。

できることならば、彼らの次の仕事が成功すれば良いな、と願ってはいたが、あまり楽観的には考えていなかった。物事には引き際や程度というものがあるが、あの若者を率いる男にはその判断が昔から欠けていた。


タワーマンションB棟五〇五号室。狙《ねら》う場所は決まっている。

あれは運転免許証の更新日だった。

列を作ることが苦手な黒澤にとって、免許更新の混雑は修行と言っても良いくらいに辛《つら》かった。優良運転手の講習が終了し、できあがったばかりの免許証を受け取ると、ようやく解放されたのだが、ちょうどその時に目の前の男性が免許証を落とした。黒澤の足元に落ちたので、腰をかがめて拾った。住所が目に入った。反射的に記憶する。

男の顔を確認した。三十代の後半くらいだった。若者の持つ狡猾《こうかつ》さを持ちつづけているようで、眼鏡をかけた、エリートの見本に見えた。企業がリストラをはじめても、最後の最後まで会社に生き残るのはこういう男だな、と黒澤には分かった。好きなタイプの男ではない。

ただ、ふと見えた腕時計がブランパンの綺麗《きれい》な青色であるのに気がついて途端に興味が湧《わ》いた。文字盤に幾何学的な彫金が施されている、おそらく限定版だ。値段は覚えていないが、安くはないはずだった。

男は落ち着いた低い声で礼を言って、免許証を受け取った。背広も靴もサラリーマンにしては高価な、ブランド品だった。腹に贅肉《ぜいにく》が溜《た》まっていた。悪くない。友人にはなりたくないが、家にはお邪魔したいタイプの男だ。

黒澤は数日後、免許証に書かれていた住所を訪れる。タワーマンションは二棟あり、同じ形をした建物が並んでいた。近所では双子のマンションと呼ばれているのだと、どこからか聞いた。

男の後を追う日々がしばらく続いた。マンションの入口を見張ることもあれば、駅に向かう男を尾行することもあった。生活サイクルを確認するため、様子を窺《うかが》った。幸いなことに、新築マンションには珍しく、鍵《かぎ》はディスクシリンダーで一つきりだった。さらに幸運だったことには男は一人暮らしだった。独身であるのか、離婚でもして独りになったのかは分からないが、平日の昼間にはマンションは留守になった。また、週に一度は夜から会議があるようで、その日は帰りが遅かった。狙い目は平日の昼間か、その会議の夜だ。

マンション敷地内に入る。歩幅を小さくする。

自然を装《よそお》いスムーズに歩く。不安げにきょろきょろするようではいけない。堂々としていれば周囲の人間は怪しまない。手袋をはめてからエレベーターに乗り、五階行きのボタンを押した。

五〇五号室の前で、チャイムを押す。「舟木」と表札が見える。ゆっくりと間を置いて、二度押した。

ポケットからフックを二つ取り出す。針金の先が耳かきに似ていた。両手で持ち、鍵穴を何度か引っ搔《か》く。鍵が開く音が、黒澤に充実感を与える。「まだ生きていても良いです」と許可をもらった気分だった。宗教は嫌いだったが、泥棒の神様くらいはいてもいいのかもしれない。ピッキングで開けた他人の家の玄関を押し開ける瞬間、黒澤はいつもそんなことを考える。

ドアを開けて、中に身体を滑り込ませる瞬間こそ、もっとも緊張する時だった。チャイムを事前に鳴らしているとはいえ、人がいる可能性はある。居留守を使っているだとか、トイレに入っていただとか、とにかく鉢合わせのケースは意外に多い。

人がいればアウトだ。試合終了。負けた選手は走ってベンチに帰るしかない。最近のピッキング窃盗団のように、居直って危害を加えるようではいけない。あれは、エラーをした野球選手が居心地が悪くなり審判を殴りつけるくらいにみっともないことだ。

音はしなかった。人の気配はない。

靴を脱ぎ、部屋に上がる。玄関に靴を並べ直す。黒澤の靴だけが、ぼろだ。バッグを部屋の真ん中に置くと、あとは時間との戦いだった。五分が目安で十分を過ぎるとうまくいかないことのほうが多い。

狙いは現金だ。居間に入ると周りを素早く見渡し、家具に近寄る。ニスの効いた高級サイドボードの引き出しを下から開けていく。

二つ目の引き出しに、百万円の束が無造作に置かれていた。自分の臭覚が劣っていないことを確認し、まんざらでもない気分になる。

うなずいてみてから、ひとまず元の場所へ戻し、別の部屋に足を伸ばす。

寝室は後ずさりをしたくなるほどの高級感があった。深い絨毯《じゅうたん》が敷かれていて、そこ自体が布団《ふとん》のようだ。ベッドを乱さぬよう近づき、ワードローブの中を確かめる。

次に書斎に足を踏み入れる。壁に張りついた書棚があり、見知らぬ作家の全集が並んでいた。重い風格を持った机の上に名刺ケースが置かれており、そこから一枚だけ抜く。予想していたよりも役職は上だ。

机の引き出しを順番に開ける。預金通帳が五冊ほど出てきた。羨《うらや》ましいくらいの残高が並んでいたが、それは戻す。

一通り探りおわると、居間にもう一度引き返した。先ほど見つけた束から二十万円を抜き取って、内ポケットに入れる。残りは元々あった場所に戻した。

ボストンバッグから、バインダーに挟んでいた紙を引っ張り出す。

ソファに座った。背の低いテーブルに紙を置くと、取り出したボールペンで番号を書き込む。紙の右上だ。西暦の後にハイフンを書いて、シリアル番号を振る。「25」だった。要するに今年に入って二十五番目の仕事というわけだ。

その紙には、黒澤の作った文章が書いてある。「空き巣に入ったこと」「ピッキングにより鍵を開けたので、窓ガラスを割ったりだとか玄関をこじ開けたりはしていないこと」「この家を狙ったのには特別な理由はないこと」「部屋は必要以上には荒らしていないこと」の説明が書いてある。

どうしてそんな七面倒なことをするのだ、と同業者の男に蔑《さげす》む顔で言われたことがあった。

「泥棒に入られると面倒くさいんだ」

「面倒くさいかあ？」

黒澤はそう言われると溜め息を吐《つ》きたくなる。被害者の気持ちを想像することのできない同業者を半ば軽蔑《けいべつ》していた。

「面倒くさいに決まっている。警察を呼ばなくてはいけない。被害がどの程度なのか調べなくてはいけない。通帳やクレジットカードを止めなくてはいけない。それから不安になる。どうして自分の家が狙われたのだろう？　恨みでも買っているのか、落ち度があったのか。娘がいるとすれば娘が襲われることはないか、そんな不安で眠れなくなるかもしれない」

「で、あんな紙を置いていくわけか？」

黒澤は眉《まゆ》を上げ、顔を揺らしてうなずいた。「お宅の家から盗んでいったのはいくらで、あくまでも金が目的だった。そういうことを書いてやれば安心する。そう思わないか。面倒臭さと不安を取り除いてやれば、数十万円の出費は痛いとしても、麻疹《はしか》か人生勉強だと諦《あきら》めてくれるかもしれない」

「自分が下らないと思うときがないかあ、おまえ」

「おまえにこんなことを一々説明している、今この瞬間だってそう思っているよ」黒澤が言うと、男は不愉快そうに顔を歪《ゆが》めた。

シリアル番号を振った紙の左隅に、領収欄を設けてある。そこに、「引き出しの中より二十万」と記入する。全額取っても良かったが躊躇《ちゅうちょ》する。何だったらあとでもう一度盗みにきても良い、と考えもした。

一件あたり十から二十万円が目安だった。一ヶ月に二、三回仕事をこなしてちょうど良いくらいで、欲張るのは失敗の元だ。

部屋の中に遣《や》り残したことや置き忘れたものがないかを確認する。サイドボードの引き出しがわずかにしまっていなかったので、もう一度押して閉じ直した。

時計を見る。七分経《た》っている。予定よりも二分オーバーだがまずまずだ。

玄関に戻ると、靴を履き、軽く息を吐く。部屋に向き直り、ゆっくりと礼をして、ドアを押して外に出た。

何週間も男の行動を観察し、時間を費やし、手に入れたのは二十万円だった。空き巣は効率の良い仕事などでは決してなく、道楽に近い作業だと納得しないと割に合わなかった。

おかげさまで無事のうちに作業が終了しました。泥棒の神様へ向かって、黒澤は静かに呟《つぶや》いてみる。どうせ冴《さ》えない顔の神様だろう。

塚本は駐車してあった車に河原崎を乗せ、「あちこち走ってみよう」と言った。

車は銀のオープンカーだった。幌《ほろ》を下ろしている。河原崎は自動車には興味がなかった。乗ってみてはじめてシートが二つしかないことに気がついたくらいで、車内のどこをどうコメントすべきなのかも見当もつかず、仕方がないので、「あまり大きい車じゃないので小回りが効きそうですね」と当たり障《さわ》りのないことを言った。

頭の中がひどく混乱していた。「解体って何ですか」と訊《たず》ねた。頭には川岸で猫を抱えている、「高橋」の姿が浮かぶだけだった。

運転席の塚本はずっと前を向いている。ウィンカーを出して、ハンドルを切った。

「言葉そのものだよ。解体する」

「解体ってバラバラにする、あれ、ですよね」

「そう、その解体だよ。仕組みを調べるんだ」

何の仕組みです？　とおっかなびっくりに河原崎は訊ねてみる。

「神様」塚本がぽつりと言う。アクセルが踏まれた。身体がシートに押しつけられる。

河原崎は横目で塚本の顔を窺う。「それって」

「高橋さんだよ」こともなげに、しかし真剣な口調で塚本が口にする。河原崎は大袈《おおげ》裟《さ》ではなくて、まさにそのまま気が遠くなりそうだった。

神を解体する。それは田圃《たんぼ》に立つ案山子《かかし》を鋸《のこぎり》か何かでバラバラにするような容易《たやす》いことではないはずだ。

市街地を車は抜けて、北環状線に入った。渋滞はなく、車は車線を滑らかに移動し、坂を下っていく。無言のままだ。カーステレオから流れてくる音楽もない。

そのまま黙っていれば、いずれ塚本が、「冗談だよ」と笑い出すのではないかと待った。

「どんな気分だい?」塚本が言う。

「どんなって」

「高橋さんを解体する気になったかい」今度は若干、冗談めかしてはいたが、塚本はそう言った。

ひっと悲鳴を上げそうになる。

環状線を抜け、細い道を何本か曲がり、泉ヶ岳へ向かう途中だった。周りは山ばかりだ。長い見通しの良い、緩やかな一本道だった。

そこでブレーキがかかった。車体がつんのめり、シートベルトに身体がひっかかる。

「ど、どうしたんですか？」

「ちょっと待っていて」運転席の塚本は深刻な顔をしていた。ギアをバックに入れて路肩に幅寄せしながら駐車した。車のエンジンを切ると外に出た。

河原崎も慌《あわ》てて外に出ようとする。シートベルトを取り忘れて、引っかかり、次にドアのロックを外し忘れてドアにぶつかってしまった。何をやってもうまくいかない。

外に出た途端、身体を風で撫《な》でられた。寒いことは寒かったが、心地良さもある。塚本は車のトランクを開けていたらしく、そこからシャベルを抱えてきていた。手にはゴム手袋をしている。「ほら、そこ、タヌキだ」

進行方向の車道をシャベルの先で差した。気がつかなかったが、小さな動物が横わっていた。確かにタヌキなのかもしれない。車に撥《は》ねられたのだろう。

塚本は、「俺が轢《ひ》いたんじゃないよ」と小さく笑った。

シャベルで、毛と血にしか見えないその動物を掬《すく》った。アスファルトとシャベルが擦れる音がする。車道の脇《わき》の地面に運ぶと、一度そこに動物を置いた。オムレツを皿に移すような、優しいやり方だった。

塚本は慣れた手つきで地面を掘りはじめ、ある程度までやるとタヌキを入れて、土を戻した。

「いつも持ち歩いてるのですか？」とシャベルを指差してみた。

「この地面にアスファルトを流してるのは、俺たちの勝手だ。ガソリンで突っ走るこの乗り物だって俺たちの勝手。そうだろう？　それでもってその勝手とは無関係のはずのタヌキだとか猫が轢かれちまう。とばっちりだよな。俺たちの横暴だよ。せめてこんな固いアスファルトで晒《さら》し者になっているのだけは救ってやりたいんだ」

塚本がシャベルをトランクに戻している。

河原崎はその作業をうっとりとする気分で、じっと見ていた。雨の中、川で猫を拾い上げる、「高橋」と重なって見えた。

あの時、背中の火傷痕《やけどあと》すら美しく見えた「高橋」は広瀬川の濁流をじっと眺めて何を考えていたのだろうか。使命感だろうか。自分の存在についてだろうか。それとも誰にも見送られず十七階から飛んだ冴えない男を哀れんでいたのだろうか。目的を失い彷徨《ほうこう》するだけの若者を憂《うれ》いていたのだろうか。

「塚本さん」

「どうした？」

「感動しました」河原崎はそう呟いた。

軽快に塚本が笑った。河原崎の言葉を歯牙《しが》にもかけない様子だった。

発進したオープンカーは加速をはじめ、勢いよく進んだ。

河原崎は助手席で、「塚本さんのシャベルに感動しました」と繰り返し言った。何を喋《しゃべ》っているのか自分でも分からなかった。


泉ヶ岳の駐車場に車は止まった。登山シーズンは終わっているため、二台ほど大きなランドクルーザーが駐車しているだけで、広大な駐車場はがら空きだった。

車を降りた。「泉ヶ岳に来るの久しぶりですよ。小学校の遠足では来ましたけど」

「ここの標高どれくらいか知ってるかい？」鍵《かぎ》をかけて背筋を伸ばした塚本が山のほうを指す。

「見当もつきません」

「二十階建てのマンションよりも高い」

「え？」河原崎は、塚本の言葉に小さな声を上げた。父の飛び降りたマンションを思い出した。あの煉瓦色《れんがいろ》をした壁の色。螺旋状《らせんじょう》につづく非常階段。上から眺めた時に見えた無機質な地面のコンクリート。父は非常階段の螺旋をくぐり、落下していった。

「どうかしたか」

いえ、と首を振る。「ということは十七階よりも高いんでしょうね」とだけ答えた。

「そりゃ、二十階よりも高いんだから」

登山道は封鎖されていたので、山の斜面をそのまま二人で歩いた。十二月にもなればスキーのゲレンデとなる部分で、雑草が広がっている。リフトがあるが、シーズン前でそれも止まっていた。

十五分ほどかかってリフトの到着点あたりまで登り切ると、二人で並んで腰を降ろした。勾配《こうばい》は急で、息が切れる。「見晴らしがいい。爽快《そうかい》だろ」

写生をしたがっている自分に気がついた。

「これを見てみなよ」塚本がそう言ったのはてっきり景色についてだとばかり思ったが、違った。目の前に紙が差し出されていた。「宝くじだよ」

見たこともない宝くじだった。日本語ではない、読めない字で埋め尽くされている。数字が並んでいるので、くじだとかろうじて分かる。

「こ、これは？」

「高橋さんがね、当てたんだ。香港《ホンコン》で売っているくじだ。信者が、高橋さんの口にした番号を買ってきたんだ。あの人は天才だから、こういうのをいとも簡単に当てる」

塚本の声がこの時だけは上擦っていた。「いくらか分かるかい？」

「さ、さあ」わざわざ聞いてくるくらいであるのだから、高額なのだとは見当がついたのだが、どの程度の数字を言えば喜ばれるのか分からなかった。低く言えば馬鹿《ばか》にしていると感じるかもしれなかったし、多めに言い過ぎれば相手の気分を害するかもしれない。

「すごく高い」塚本は歯を見せて笑うと、宝くじを自分のスーツへしまった。

「ものすごく、ですか」

「ああ」塚本は言った。「あの人は神だから」

「高橋さんを解体する」突然、塚本が言った。視線の遠く向うには仙台の街が見下ろせた。それをぼんやりと眺めていただけの河原崎はまたどきりとする。

「じょ、冗談なんですよね」

「高橋さんは殺される」

「え、何です？」

「高橋さんは死ぬ。その後で解体されるべきなんだ。君が手を貸そうが貸すまいが高橋さんは殺される」

河原崎は言葉を失った。

「誰にですか」ようやく声を絞り出せたのは数分経ってからの気がした。「誰に殺されてしまうんです」

「うちの幹部だよ。俺も含めて。幹部会の一致で決まった」

絶句するしかない。

「信じられないだろう」と塚本も言った。最近の高橋さんは変わってしまったんだよ、と続けた。「いや、あまりこういう話はしないほうがいいだろうな」

「お、教えて下さい」

塚本には悩んでいる間があった。ちらちらと何度か河原崎のことを窺《うかが》う顔になって、息を吐くと、「優しさが消えた」と言った。その言葉自体で自分が凍えてしまう、そんな顔をしていた。

「優しさ、ですか？」

「優しいって字はさ、人偏に『憂い』って書くだろう。あれは『人の憂いが分かる』って意味なんだよ、きっと。それが優しいってことなんだ。ようするに」

「ようするに？」

「想像力なんだよ」塚本の顔は複雑だった。下唇を前に出してむくれている風でもあった。「それが高橋さんから消えてしまった。放っておいたコカコーラから炭酸が呆《あっ》気《け》なく消えちまうのと同じだ」

「そ、そうなんですか？」

「天才は変わらないけど、優しさが減った。あれは、ただの野心の人だ」

河原崎にとっては意外だった。信じがたかった。マスコミで騒がれていた時、頑《かたく》なに姿を現わさない、「高橋」は野心とはもっとも無縁に見えた。

塚本は続けた。「高橋」が、自殺者を冷たく突き放す言い方で馬鹿にしたり、轢かれた野良《のら》犬を汚いものでも見るように邪魔にした、そういう話をいくつかした。ぼそぼそと語られる塚本の話は、永遠に続く雰囲気があった。そんなことがあるわけがない、と口を開こうとするが声は出ない。真夜中に猫を救うために川に飛び込んだ「高橋」を河原崎は見たことがあった。

あれは何だったのだ。

街灯の下で、背中の火傷痕すら美しく、猫を抱え上げたあの姿に漂っていたのは優しさ以外の何ものでもなかった。決して大きい身体《からだ》ではなかったのに、優しさの巨人にも見えた。

それが今では犬を轢いても、「忌々《いまいま》しい」と舌打ちするだけだと言う。

「優しさが減った」塚本は断言する口調だった。

「今日。今晩だよ」

「え？」

「今晩、高橋さんは殺される」

河原崎は、塚本の次々と投げてくる言葉を受け取れずにいた。

「その後、俺と君は神様の仕組みを調べなくてはいけない」

「ど、どうしてですか？」

「神が死ぬんだ。その能力の秘密を受け継いでいくのは義務みたいなもんだ」

「義務」

「別の言い方をすれば使命だな」

使命、指名、氏名と駄洒落《だじゃれ》にもならない言葉が頭に浮かんでは消えた。駄洒落好きだった父を思い出す。父の使命はいったい何だったのだろうか。塾を十一年間細々と経営し、突如として出現した大手予備校に飲み込まれてしまった。情けない顔をして、「山が見たいな」とこぼす父は頼りなく見えた。「岩手山を見てみろよ。でかくて笑っちまう。一生かけてもあんな大きな山に勝てるわけがない」河原崎はそれが現実から逃れようとしているだけに思えて、嫌だった。山がどうしたというのだ。岩手山が人を救うのであればこれほど楽なことはない。

「最近、面白い話を聞いた」塚本が街を見下ろしながら喋り出す。「旅行客たちが山賊に殺される話だ。旅行客も必死に抵抗をするが、結局皆殺しにあう。で、次にやってくる旅人たちのために、山賊の弱点を書いておいてやるんだな。どこか秘密の場所に。でさ、次に来た旅人たちはそのおかげで、山賊の襲撃に遭っても何とかやっつけることができた。勝利だ」

「ハッピーエンドですか」

「いや、そうはならない。今度は山賊側がだ、新しい仲間を連れてやってきて旅行客たちを殺してしまった」

「悲劇ですか？」

「どう思う。俺もはじめは悲しい話だと思った。ただね、これも別の視点から見ればまったく違ったものが見えるんだよ」

「違うんですか」

「旅行客は細菌で、山賊のほうは抗生物質だ。それを喩《たと》え話に置き換えているだけなんだ。抗生物質が新しくなり、細菌は撲滅される。そういう話だ」

「え」河原崎は声を上げる。

「こんな単純な話だって、ちょっと軸をいじられると訳が分からなくなっちまうだろう？　正義だとか悪だとかそういうのは見方によって反転しちまうんだ」塚本は鼻の頭をこすり、「破壊活動をつづけるイスラム原理主義者の話も、原住民と開拓者の話も、益虫と害虫の違いも、どれも見る角度によって正しさは変わる」

河原崎は頭がぼうっとしてきていた。

俺の言っていることも正しいかどうか分からない。けれどこれだけは分かって欲しい。隣の塚本がそう喋りつづけている。

「壇上で喋るだけの天才と、今こうして、隣で話をしているシャベルを持っているくらいしか能のないただの凡人と、どちらを信頼してともに歩いていくべきなのか。これはもしかしたらそういう問題なのかもしれないな」

河原崎の耳にそんな声が聞こえてくる。真っ赤な帽子を触り、被《かぶ》り直してみる。父とお揃《そろ》いの帽子だ、と思った。実のところ父は死んでおらず、あの鍔《つば》の部分を折り曲げた帽子を被って、今もどこかにいるのかもしれない、とそんな気がした。

京子は口をつけたコーヒーカップを置いた。「こんなもの」と言うのを我慢した。味は薄いし、とってつけた香りしかしないじゃない。どうしてこんな店に行列ができるのかが分からなかった。その列に惹《ひ》かれて三十分も待った自分自身に対しても、軽い怒りの気持ちが湧《わ》いた。ようするに仙台にはじめて開店したチェーン店という話題性に踊らされているだけなのだろう。

オープン記念の半額サービス券がばら撒《ま》かれていた。京子もそれを使ったのだが、味まで半分に薄められているのではないか、と勘ぐってみる。

レジ前に並ぶ客を見ながら、汚い格好をした者や貧乏な学生などは、客と認めなければいいのに、とも思う。

すぐにでも立ち上がって店を出て、忌々しい気分から解放されたかった。ただ、そうしてしまうと、いまだ席が空くのを待っている行列の、愚かな誰かを喜ばせることになってしまうので、いつまでもぐずぐずとコーヒーを飲みつづけていた。

隣の座席に置いてあったバッグの中に手を入れて、鍵を引っ張り出した。小さな鍵。

駅構内のコインロッカーの鍵だ。

この鍵が三十万円だと思うと顔が歪《ゆが》む。相場など知るわけがなかった。相手が要求してきた通りの金を振り込んだだけだ。

拳銃《けんじゅう》売ります。

インターネット上では、様々な非合法的な物品の売買がされていると聞いてはいたが、実際にそんなページがあるとは知らなかった。

はじめは患者から聞いた。

京子のクリニックにやってきた四十歳の女性だった。目を合わせようとしないくせに、何かというと「撃ってやる」「撃ち殺してやる」と口走っていた。

「何を、誰を撃つの?」と京子が訊《たず》ねると、彼女は瞬《まばた》きを何度かして、「そうだねえ。わたしは政治家が嫌いだから」と宣言をして、衆議院議員の名前を五十音順に呼びはじめた。指を折りながら、党の名前を口にして、何々党の誰それは料亭通いをしているだとか、別の党のなにがしは白髪があるのに若手議員と呼ばれているだとか、それぞれに理由をつけて、「よって撃たれるべきだ」と告発をしていった。

女の告発を一通り聞いてあげた。止めるのが面倒くさかったせいでもあるが、それ以上に愉快だった。参議院はいいの? と訊ねると彼女は困った顔で、「いや、参議院は今晩、憶《おぼ》えるんだ」と言った。

「でも、拳銃なんて簡単に手に入るわけがないわ」と言ってみると、彼女は綺麗《きれい》な笑顔を見せた。

「いや、先生。実はですね、それが手に入るんですよ。特別に教えて差し上げますよ」と不意に上品な口調で言うと、机の上のメモ用紙に文字を書きはじめた。

それがホームページのアドレスだった。

好奇心もあった。夜になってインターネットに接続をしてみた。想像していたのとは異なり殺風景な画面が表示され、グレーの背景に黒字で、装飾のない文字が並んでいた。教えてもらった通りの手順でページを移動していくと、センスが良いホームページに辿《たど》り着く。そこまで行くのに一時間はかかった。ページの端に、「拳銃売ります」とあった。

半信半疑だった京子もとりあえずはメールを送ってみることにした。「おいくら」と書いただけのメールを、発信元が分からないフリーのメールアドレスで送ると、返信はその日のうちに送られてきた。何たる呆気なさ、何たる軽々しさなのだ、と京子自身が驚いた。

相手はどうやら都心に住居を構えているらしかった。それでも全国の主要都市であれば、直接届けることが可能であると言う。自腹を切りわざわざやってくるのか、それとも各地に仲間やルートがあるのかは分からない。ただ、仙台であれば、コインロッカーに入れる方式も可能だと相手は伝えてきた。

じゃあ、それで、と京子は金を振り込んだ。正式な口座ではないだろう。メールアドレスについても、その後すぐに使えなくなった。

コインロッカーの鍵《かぎ》が郵送されてきたのは、一週間ほど前だった。郵便物を代行して受け取る業者は無数に存在するので、京子もそれを利用した。鍵のほかには、駅構内のどのロッカーなのかを明記したメモが入っているだけだった。

すぐには鍵を使わなかった。鍵を握ってのこのこ出かけたところを、ロッカーの前で待機していた何者かにデジタルカメラで撮影され、顧客名簿にでも載せられたら堪《た》まらない。

それで日を置くことにした。ロッカーの延長代金はそれなりにかかるだろうが、もとから費用のうちだと意識していれば大したこともない。

けれど、今日こそは、拳銃が必要だった。あの小生意気な女を殺すのには拳銃があったほうがいい。どちらが優位に立っているかを示すのにはちょうどいい道具だ。銃口を向けた者と向けられた者との間にはっきりとした立場の違い、上下関係をつくりだす。拳銃とはきっとそういうツールに違いない。

一時間も店に座っていた。食器をわざと片づけずに店を出た。

駅前には白人女性が立っていた。青山が言っていた通りだった。確かにプラカードらしきものを持っている。

気に食わないが美人だった。髪を真《ま》っ直《す》ぐに垂らし、それが似合っている。昼間から酔っ払った中年男が、白人の女性に近づいて卑猥《ひわい》な顔のまま何やら声をかけていた。いい気味だ、と京子は下を向いて笑う。

近づいていくと、「好きな日本語を書いてくれませんか?」と声をかけられた。唾《つば》でも吐いて去ろうかとも思うが、途中で思い直す。

マジックを受け取ると白紙に、「心」と書いた。笑い出すのを堪《こら》える。

「こころ、ですか」白人女性が目を細めた。

「心にもないことを書いたわ」と京子は言い、そこを立ち去る。

少し歩いていると、下腹部に痛みがあるのを感じた。先ほどトイレに行ったばかりなのにまだ尿が残っている感覚もある。またか、と顔をしかめる。ストレスが原因なのか、身体《からだ》が冷えるからなのか、それともセックスのやり方がまずいのか、京子は年に一度は膀胱炎《ぼうこうえん》になった。残尿感と腹痛ですぐに分かる。重い場合は病院に行くが、そうでない場合は水を一リットルがぶ飲みし、さらに毎時間麦茶だとかお茶だとか缶ジュースを飲みつづけ、ひたすら睡眠を取る。

それで大抵の場合は治る。いやそれは治っているわけではないのだ、と知人から忠告されたことがある。そんなやり方をしているから再発するのだ、と。そういう時、京子は鼻であしらう。わたしの身体はわたしが統率しているのよ、と。

尿を我慢するのは症状を悪化させる。早足で駅構内へ向かった。

その時に、携帯電話が鳴った。「何よ、もう」と言いながら電話をつかんでみるが、番号は通知されていない。いつもであれば見知らぬ電話など無視するのだが、深く考えもせずにそのまま耳に当てた。

「もしもし」と落ち着いた男の声がする。

「何？」

「カウンセラーになりたいんだけれど」受話器の向こうの声はつい最近耳にしたものだった。

「あんた、朝にも電話してきた人ね」

「ええ、朝に電話をしました。迷惑は分かりますけれど、心機一転出直したいんです。

いい言葉と思いませんか、心機一転。やり直すんだ」

「そうね。あなたは向いてるわ。そんな気がする。今度、うちにいらして。ゆっくりお話ししましょう」

早口で一気に喋ると、電話をそのまま切った。二度とかけてくるな、と怒鳴るのを我慢する。固定電話だけでなく携帯にかけてくるとはずうずうしい男だ。

え、携帯？　はたと立ち止まってしまった。

今の男は、どうして携帯電話の番号まで知っているのだろうか？

自宅兼診療所の電話番号であれば、電話帳でもインターネットでも簡単に調べることができる。悪戯《いたずら》電話や少し変わった内容の電話ならさほど珍しくない。でも携帯電話は別だ。公表はしていない。どうやって調べたのだろうか。確かに、不可能ではない。わたしと親しい誰かに聞けばいい。でも、誰から。

身体が揺れた。ぶつかられたと気がつくまでに時間がかかった。無防備に立っていたからだろう、膝《ひざ》が地面に付いてしまった。バッグが落ちる。

駅の清掃員が、空いたダンボール箱を両手に抱えていた。「申し訳ありません」と大きな声で謝ってくる。手にしていたダンボールを慌《あわ》てて置いて、落ちたバッグを拾おうとしていた。

「触らないで」京子は立ち直り、小さな声で言った。ダンボールを触っていた手でグッチを触るとはどういう神経なのだろうか。

奪うようにバッグを拾った。相手の清掃員は頼りない顔をした男だった。何度か頭を下げている。

無言のまま踵《きびす》を返すと、すぐにトイレへ向かった。冗談じゃない。どうしてわたしがあんな目に遭わなくちゃいけないの。

京子は腹が立って仕方がなかった。妙なカウンセラー志望者が、どうしてわたしに電話をかけてくるのよ？　ダンボール運びがわたしにぶつかってどうするのよ？

トイレに入り、便器に腰を降ろしても苛立ちはおさまらなかった。

尿が出終わるが痛みはない。残尿感はわずかに残っている。いつもの膀胱炎の忌々《いまいま》しい予感があった。

鏡を見ながら化粧をする。自分の顔を見ていると、青山の妻を思い出した。「全部、あの女がいけないんじゃないの」と呟《つぶや》いた。あの女を殺さなくちゃいけないから、拳銃を手に入れる必要があったのだし、そのために拳銃を取りにわざわざ駅まで来た。駅に来なければ、あんな男にぶつかられることもなかった。

全部あの女のせいだ。バッグの中身を探る。「あ」と声を上げてしまう。隣の老婦人が驚いて、京子の顔を見た。
ロッカーの鍵がない。落としたんだ。あの女のせいだ。

豊田の視線の先には犬がいた。
綺麗な飼い犬ではない。雨に濡《ぬ》れたり、泥に塗《まみ》れたりの繰り返しで、灰色になったのだろう。純粋な少年が、世知辛い世の中に揉《も》まれて汚れるのと似ている。親近感を覚えた。あれは私だ、とさえ思えた。
会社での自分の立場は、あの犬と同じようではなかったか。いや、そんなことはない、私は若い頃は必要とされていた。清涼飲料水の缶のデザインについては、それなりの評価をされていたはずだ。缶コーヒーに真っ白のラベルを提案したのも自分だったし、ワンポイントとして濃い茶色のラインを入れたものも評判が良かった。それが次第に若い連中の発言力が強くなってくると、指名で飛んでくる仕事も少なくなり、雑用やアシスタントの作業ばかりになった。アドバイザーなどという名ばかりのポジションで意見らしい意見も言えないまま、技術は鈍っていった。首切りの時には、

「あなたのデザインは、何かの物真似《ものまね》ばかりでしたよね」とまで言われた。

昔は綺麗で可愛《かわい》がられたのに、今や泥だらけだ。そうか、やはりあの犬と同じだ、と豊田は考えた末に納得をする。よく見ると犬は首輪をつけていた。以前はどこかの家庭に飼われていたのが、見捨てられたのか。飼い犬にもリストラがあり、その一環で捨てられたのかもしれない。

仙台駅の一階の通り道に沿い、十メートル程、北へ向かったあたりだった。頭上に歩行者用のデッキが広がっていて、空を塞《ふさ》いでいる。駅ビルの入口近くで、老犬は丸くなっていた。

豊田は犬を一瞥《いちべつ》し、そのまま通り過ぎようとした。老犬を眺めつづけているのは、自分の未来を目《ま》の当《あ》たりにするようで怖かった。

妙な女が犬の脇《わき》に立っているのに気づいた。ぶつぶつ呟いている。

気にかかるので、豊田も犬に近づくことにした。

老犬は身体を丸めて足の先などを舐《な》めている。

「バラバラだよ」女がそんなことを口にする。「バラバラにしてやるんだ」

嫌な予感がした。この女はまともじゃない。三十代だろう。若くはないが、老いても見えなかった。細身のパンツに紺のセーターを着ている。髪はツヤがなく、パーマネントをかけているわけではないのに、髪の先がささくれ立っている。

女の手がハンドバッグを探った。出てきたのは鋏《はさみ》だった。自分の体がびくんと反応するのが分かった。女は取り出した鋏を、それも、布やらダンボールを軽々と裁断するのに使える物騒な鋏を、かちゃかちゃと音を鳴らしながら動かしている。

「犬に何をするつもりなんですか？」知らない間に豊田は割って入っていた。

女は正気とは見えなかった。目の焦点もはっきりせず、肌も荒れている。まともな分別を持っているとは思えない。余計なことに首を突っ込んでしまったのだろうか、と不安がよぎる。犬は我関せずの顔で前足に顔を載せていた。

「ひ、人の犬を鋏で怖がらせないでくれ」豊田はそう口走っていた。

「人の犬ってこれあんたの？」

「私の犬だ」

「馬鹿《ばか》じゃないの。これ野良《のら》犬よ。前からこの辺うろついているんだから」

女の手の中で鋏が音を立てた。不快な音だった。何より、ちょきんちょきん、と鳴る鋏はまさに、「首を切る」リストラクチャリングに適した道具に思えた。

「この辺をうろついてると野良犬になるのか？　ならあんたもそうじゃないか。これは私の犬だ。その証拠に」

勢いでそう言ってしまって、後悔をする。サラリーマンの時からそうだった。後先を考えずに喋りはじめ、そのうち説得力のある言葉が出てくるのではないかと怯《おび》えながら話しつづけるのだが、気の利《き》いたものなど何一つ出てこなくて、結局のところ周りから馬鹿にされる。いつもそうだった。

女は愉快げに、口紅の落ちた唇を歪《ゆが》めた。「証拠に？　何よ？」

「わ、私になついているし」半ばやけくそになりながらそう答えた。

「馬鹿じゃないの」と女は甲高い声を出した。

「そんなことより、手に持っているその鋏は何ですか」豊田はようやくそれを非難する。女は不本意な顔をして、自分の手元を見詰め、視線の合わない顔のまま、「何って、鋏なんだから、切るんじゃない」と足踏みをした。「バラバラになっちゃうのよ。身体が」

厄介な女に関わってしまった、と豊田は後悔をする。就職活動中の無力な中年男が他人のやることに掛かり合うことはないのだ。

「あんた知ってるの」と女は叫ぶ。「人の身体がバラバラになって、くっつくのよ。いつのまにか手足がバラバラになって、いつのまにかくっつくのよ。バラバラがくっつくのよ」

女の台詞《せりふ》は奇妙だった。呪《のろ》いの言葉には聞こえなかった。何かを伝えようとしているのだろうか。「バラバラ」と「くっつく」は何の暗喩《あんゆ》だろう。

女はヒステリックになったかと思うと、小声に戻って呟く。

「わたしみたいな女は、みんなこうなるわけ？」

「そ、そうだ、あんたが性悪だからだ」豊田は相手を指差した。

「きっとまた誰かが同じ目に遭うわ」女のその言葉は預言者のそれと似ていた。暗く、抑揚もなく、断定する。「街にはね、そういう恐ろしいのがいるのよ。身体がバラバラになったりくっついたりして。みんな同じ目に遭うのよ」

豊田は仙台で今、話題となっているバラバラ殺人事件のことを考えた。

もしかしたら、目の前のこの支離滅裂な女がその犯人かとも思ったが、鋏で死体を切れるとも思えない。

気味の悪い女に構っている場合ではないのだ、豊田はそう決心した。去るべきだと思った。いくら無職の男が暇であると言っても、狂いかけの鋏女の人生に巻き込まれる必要はない。

犬だけが気にかかる。「バラバラ」だとか、「くっつく」とうわ言のように繰り返す女は、鋏を持っているのだから、遅かれ早かれ、汚い老犬をバラバラにしてやろうと考えないだろうか、と不安になった。

ありえないことではない。世の中は信じられないことばかりだ。自分は終身雇用制度を過信し、会社にも貢献していると信じていた。リストラの対象になど絶対にならないと確信していた。可能性はゼロではないにしろ、ありえないと考えていた。それが誤りだった。可能性とは、ゼロでなければ、起こりうることを意味するのだ。

あの犬も、気の触れた女に刺されてしまう可能性がある。馬鹿げていてもありえた。

するとそこで突然、使命感が、空から豊田に向かって降ってきた。

軽い気持ちだった。試しに、犬のほうを向き、スラックスの右太股《ふともも》のところを叩《たた》いてみた。こっちに来い、と呼んだのだ。

何をやってるのよ、と女が馬鹿笑いをするのが聞こえてくるようだった。実際、数秒もすれば聞こえてきただろう。

だがそうはならなかった。先ほどまで無関心そのものだった老犬が、豊田の出した音に顔を上げると、近寄ってきたのだ。

驚いて突っ立っていたのは、女よりも豊田のほうだった。右手に近づいてちょこんと座る老犬が、豊田の顔を見上げた。

「じゃあ、そ、そういうことで」たどたどしく豊田は言って、駅へとまた歩き出した。

後ろから、女のヒステリックな声が聞こえた。
野良犬がついてくる。
これは余計なお荷物を抱えることになってしまったぞ、と豊田は困惑した。
数分前には考えもしなかった状態だった。再就職の面接に四十連敗中で鬱々《うつうつ》として
いた自分が、犬を連れて歩いている。何だ、この状態は？
意外にも、駅の構内に犬を連れて入っても、即座に追い出されることはなかった。
胡散臭《うさんくさ》いものを見る目で、豊田たちに視線を向けてくるが、だからと言って、「出
て行け」と声を荒げる者もいなければ、「甲斐性《かいしょう》無しの男が汚らしい犬を連れている」
と指を差してくる店員もいなかった。申し訳ありませんが、と軽蔑《けいべつ》する目つきで駅員
が寄ってくることもなかったし、親爺《おやじ》、汚ねえ犬を俺たちの駅に持ち込むんじゃねえ
ぞ、と退屈そうな若者たちが囲んでくることもない。
彼らは一様に怪訝《けげん》な表情だったが、実際に豊田に向かって指摘なり注意なり、もし
くは警告を行うことはしなかった。
犬は雑種の小型犬だ。柴《しば》犬らしくも見えた。短い毛が汚れている。
見た目は汚れているが、歩くたび地面に足跡を残していくほどの汚さではなく、人

込みの中を堂々と歩いている。

以前から自分が飼っていたのではないか、気を抜くと豊田自身がそう勘違いしてしまうほど、老犬はなついていた。べたべたと擦り寄ってくることはなかったが、散歩用の綱もないのに豊田の足元にくっついている。

逃げようともしない。ためしに、土産物売り場のところで立ち止まってみると、老犬は数歩は先へ行くがすぐに後ろを振り返り、面倒くさそうに近寄ってくるのだった。年を取っているせいか、動作は早くない。

四十を過ぎた独り身の男の職探しはただでさえ難しいのに、汚い老犬がくっついているとなったら、もう絶望的と言って良かった。採用してくれる会社があるとすれば、人事担当者がよほどの犬好きで、犬を連れて面接会場を訪れた豊田を目にした途端、「あなたもですか」と走り寄ってくるか、もしくは経営者自身が犬である場合くらいではないか。

そこで老犬が、方向を変えた。ちょっとこっちへ来いよ。実際に犬が日本語を喋《しゃべ》ったわけではないが、豊田にはそう言っている気がした。犬は真っ直《ますぐ》ぐに歩いていたはずなのにコースを逸《そ》れて、出口へと歩いていく。地面に鼻を擦りつけ、身体《からだ》を低くし、進んでいった。覚えのある臭《にお》いを見つけ出したかのようだ。

コインロッカーの鍵《かぎ》が落ちていた。

一階への下りエスカレーターが並ぶ辺りで、団子の売店が設置されている場所の裏に、黄色い番号札の付いた鍵が落ちていた。

豊田が拾っても犬は怒らなかった。目の前に近づけて、よく見てみる。ロッカーの鍵だ。間違いない。ポケットに入れた。周囲を確認するが現場を見ている者もいない。すぐに豊田は三階へと進んだ。その付近にコインロッカーを見た覚えがあった。エスカレーターは使わない。犬が乗れるとも思えなかった。

拾った鍵は、三階の駅ビルとの連結口にあるロッカーのものだった。鍵の形はぴったりだったし、何よりも今自分の持っている「38」番については鍵がささっていなかった。

躊躇《ちゅうちょ》はなかった。罪悪感もない。中から大金が出てくるなどと期待しているわけでもなかった。

鬱々とした毎日を送る豊田は、知らず知らずのうちに気軽な刺激を求めていたのだろう。拾った鍵で扉を開けて楽しむような、無責任でお手軽な気分転換が必要だった。

コインロッカーの中に、どこかの経営者の鞄《かばん》が入っていて、中を開ければ広告デザインの求職記事が詰まっている可能性だってあるじゃないか。豊田はそんなことを考える。そうだ、可能性は、起こりうるという意味ではゼロではない。

「今日の面接結果だってそうだ」歩きながら豊田は、犬に話しかけている。「誰だって絶対だと思ったんだ。今日の会社で、私が採用されると誰もが思っていた。不採用の可能性なんてゼロだと信じていた。職安の担当者はもちろん、面接官だってきっと同じ気持ちだったはずだ」

老犬は興味を示さないが、話し相手が隣にいるという事実だけでも、豊田は救われた気分になる。

「38」番ロッカーは延長料金のマークが表示されていた。三日を過ぎた場合、別の場所に保管すると書かれているところが大半だったが、その一帯のロッカーコーナーに注意書きはない。

その時点で豊田ははじめて思い悩んだ。拾った鍵で勝手にドアを開けることには何のためらいもなかったが、無職の自分が、わざわざなけなしの財布から金を出してまで他人のコインロッカーを開く意味があるのだろうか、と逡巡《しゅんじゅん》したのだ。

犬を見下ろす。目が合った。「これは試されているのかもしれないな」と喋りかけていた。延長料金程度のことで諦《あきら》めてしまう者は、何も手に入れられない。「そう思わないか？」

老犬が首を振ったように、肯《うなず》いたように、見えた。豊田は胸が弾んだ。何年もの間、他人の同意を得たことなどなかったからだろう。

決心し、財布から千円札を取り出すと、売店まで歩き、百円硬貨に両替をしてもらう。

コインロッカーを開けるときにちらりと良心が痛んだが、豊田はそれを気にかけなかった。出てきたのは、普通の包装紙だった。紙を開くと、中にビニール袋があり、さらに小さな包みが入っている。大きさの割には重い。その時点で怪しんでみるべきだった。

豊田はさほど注意も払わずに、鼻歌を混じらせながら袋を開け、紙を取り除いてみた。期待していたのは、ビニール袋の中に整理券が入っていて、極秘の募集要項でも出てくることだったのかもしれない。

けれど期待はあっさりと、予想もしない方向へ裏切られた。よく悲鳴を上げなかったものだ、と後になって感心する。

拳銃《けんじゅう》だった。包装紙の中から出てきたのは、無愛想な拳銃だったのだ。

意識するよりも先に汗が出た。人差し指で数回突ついてみる。小さいビニール袋のほうに弾が何十個か入っていた。

立ち尽くしていたのは短い間だった。足元の犬が歩き出し、豊田も続いた。呆然《ぼうぜん》としていた。拳銃が自分の手にある。

現実感がふっと消えていた。ビニール袋を大事に抱えながら、夢心地で階段を降りていく。これは一体、何が起きているのだろう、と混乱している頭で必死に考えた。テレビや映画でしか見たことがない。ベトナム戦争の映画で捕虜となった男たちがこめかみに当てて、ロシアンルーレットに使っていた場面が頭に浮かんだ。拳銃なんていうものは、自分の人生に縁のないもののはずだった。

何十分か、そのままぼんやりとしていた。ただ、気を落ち着かせるのに一時間はからなかった。人は、「恋愛ごと」と、「生死」に関すること以外であれば、どんなに意外なことに直面しても、その程度の時間で、現実を受け止められるのかもしれない。

伊達政宗《だてまさむね》の像の脇《わき》の出口へ向かう。

駅員が駆け寄ってきた。慌《あわ》てて、ビニール袋を鞄の中に押し込む。見つかったのだ、とどぎまぎした。犬を連れた陰気な男が、拳銃を握り締めて歩いているのだから、目立ったのかもしれない。無職の中年男性の言葉はどれほど信用されるだろうか、と心配になる。鍵を拾っただけなんです、と言ったところで誰が信じてくれようか。鍵を開ければ就職先が中に詰まっている気がしてならなかったのです、と正直に告白をしても信じてもらえないだろう。言い訳が頭の中で浮かんでは消える。

「犬なんですが、できれば綱につなぐか、駅の構内に入れないで下さい」駅員は何か嫌なことでもあったのか、目を充血させて豊田に言った。

豊田は顔を赤くして下を向くと、いそいそとそのまま外に出た。老犬がついてくる。

犬と拳銃を味方に無職の人間に何が行えるのだろうか、と呆れた。職が無いのに、犬と拳銃はある。何なのだ、これは。

2

黒澤は駅前の銀行に向かって歩いていた。手に入れたばかりの二十万円は、内ポケットに入っていて、その時点ではすでに、「盗んだ金」ではなくて、「技術に伴う収入」だった。

大学の敷地を通る。現役学生用の講義棟はなく、部外者でも自由に出入りができた。横切ってアーケード通りへ向かう。そこで声をかけられた。もしもし、と落ち着いてはいるが、か細い声がする。

見ると、老夫婦が立っていた。真っ白い髪に眼鏡をかけた、細長い顔をした男性と、背が低く丸顔の女性だ。「仙台駅へ行く近道はどう行けばいいですか？」と老婦が言った。

これが肩に刺青《いれずみ》をした茶色い髪の青二才だったり、頬に傷を持つ男などであったら黒澤も警戒をしたに違いない。

道順を説明していると、すっと男が建物の裏手に歩いていった。てっきり惚《ぼ》けているのだと勘違いした。老婦が、「おじいさん、どこにいくんですか」と声をかけて後を追ったので、黒澤も後を追った。どうやらこの辺りが落ち度だった。

人通りのない裏庭まで追いかけていったところで、突然、男が回れ右をして、黒澤と向き合った。しまった、と思った時には遅かった。老婦がそれに並んだ。老人の手には愛想もない拳銃が一丁あって、「金を出せ」と来た。

老人の声は震えてもいなかった。平穏そのものだった。

黒澤は空を見上げた。笑い出しそうになるのを堪《こら》える。昼間に老夫婦が自分の前に立ち塞《ふさ》がり、「金を出せ」と拳銃を突き出しているのだ。これを滑稽《こっけい》と言わず、諧謔《かいぎゃく》と言わず、何と言おうか。

二人とも腰は曲がっていないが七十代半ばという様子で、拳銃を持つより、杖《つえ》をつかんでいる方がよほど似合っていた。

黒澤は潔《いさぎよ》く両手を挙げた。「金はやるよ。と言っても期待しないでくれ。むしろ、同情して逆に足してやりたくなるくらいの寂しい財布だ」

老婦が口を開いた。「いいですから財布を出して」

だろうか。


「言うことを聞いて下さい」とこれは老人が言った。台詞《せりふ》の分担でも決まっているのだろうか。

黒澤は尻《しり》ポケットに手を入れて、財布を取り出す。二人の様子を窺《うかが》っていた。老人は痩《や》せぎすだが、両手でしっかりと拳銃を持って構えていた。蟹股《がにまた》で腰を落としている。不恰好《ぶかっこう》ではあったが重心は低く、安定している構え方だった。老婦はじっと黒澤の手の動きを見ている。黒澤が財布を地面に投げるとそれを拾い、中身を確認している。照れ隠しに頭を掻《か》くと、「動かないでください」と老人に言われた。

「参考までに聞きたいんだが、老後は金に困るものなのか？　こんな強盗をせずにはいられないほど、年金ってのは足しにならないのか」

「お金にはさほど困っていないんですよ」銃口は、黒澤を狙《ねら》っている。「余って困るほどじゃないですが、それでも、どうにか二人で食ってくらいは何とかね、なるものです」

「拳銃だって買えるようだしな」

「あんた本当に何もないわね」老婦が財布を覗《のぞ》きおわって、そう言った。「千円札が二枚、後はレシートが数枚入っているだけだよ」感心している風でもあった。

「爽快《そうかい》なくらいだろう」

「これは何だい？」老婦が財布から引っ張り出した紙を見せた。朝に拾った海外の言葉が書かれた紙切れだった。「外国のお守りじゃないかな。俺にも分からないんだ。数字が書いてあるからくじかもしれない。何ならそれを持っていってくれ」

「いらないよ、こんな変てこりんなもの」老夫婦はお互いに顔を見合わせている。黒澤の価値を値踏みするようでもあった。

「で、手を降ろしていいかい？」

「あんた、あまり拳銃を怖がらないねえ。言っておくが本物ですよ」老人が言う。

「たぶん、そうだろうな。でも、撃つのは人間だ」

「どういうことですか？」

「じいさんは俺を撃たないだろう？　拳銃は怖いが、それを持っているあんたは怖くない」

「この人、こう見えても肝は据わっているんだよ」老婦は言いながらも可笑《おか》しそうに笑みを漏らした。

「度胸だとかそういう問題でもなくてね。ようするにお人柄だよ」

金に困っているのか、ともう一度訊《たず》ねると彼らはまた顔を見合った。今まで転機や草だった。
困難にぶつかった時、二人で何百回もそうやって相談をしてきた、そういう慣れた仕
「お金ではなくてね、人生の充実なわけですよ」
「人生の充実ですか」黒澤もトーンを合わせる。
「気がつけばもうこの年ですよ。こいつと一緒に五十年以上暮らして来て、あっとい
う間のことでした」
　黒澤は黙って先を促した。
「つい先月です。ふと気づいたんですよ。遅かれ早かれ私らもお迎えが来てね、人生
は終わってしまうんだから、最後に何かイベントがあってもいいんじゃないかって」
「それで急性の強盗になってみたわけかい」
「私らはね、我慢の人だったんですよ。何事にも遠慮して、苦情も言わず。割を食う
ことはあっても、得をすることはあまりない。そういう生活を送ってきたんですよ」
眼鏡をかけた老人は優しい口調だった。皺《しわ》が弱々しく動く。「でもね、このまま私ら
がね、大人しく消えていっても誰も誉《ほ》めちゃくれないですよ。人生が延長されるわけ
でもないし。褒美《ほうび》が出るわけでもない。それなら、むしろ今まで絶対に考えもしなか
ったことでもやらかしたほうが思い出になるんじゃないかって思ったわけですよ」

「思い出」黒澤は吹き出した。

「こんなんじゃなくても良かったんだけれど」老婦が付け加える。「たまたまね、たまたま、この鉄砲が手に入ったんで、強盗をはじめようかと、この人と相談して決めたのさ」

「馬鹿馬鹿《ばかばか》しいものでしてね、今まで私らは邪魔扱いされて、いてもいないのと同じようにあしらわれていたのが、こんな鉄砲一つあるだけで相手の応対が変わってくるんですよ。『ジジイどけよ』なんて足蹴《あしげ》にしていたのが、急にしゅんとなって縮こまってしまうんです」

「それが愉快なのか?」

「痛快である時もあれば、寂しい時もありますよ」老人の溜《た》め息《いき》は演出ではなく本心のようだった。

黒澤は改めてその強盗を見る。二人の姿を交互に眺めた。静かに両手を下ろしたが、彼らは特に何も言ってこなかった。

「でもね」と老人は苦い顔をする。「私らみたいな年寄りが、若い人達と対等に話し合うのにはね、鉄砲があってようやく五分五分ってところなんですよ。変な話ですがね、そんなものなんです。年寄りが自己主張するのは難しいんですよ。今まで私らはね、我慢ばかりしてきたんですが、これはやっぱり異常です」

「あんた、怖がらないね」老婦が歯を見せる。

「感心しているんだ。老人が銃を持って街に出ていることに。強盗とはね」肩をすくめる。「ただ、本職の強盗もいる。無茶をすると危ないから気をつけたほうがいい」

「アドバイスですか」

「いや、老婆心《ろうばしん》さ」

「大丈夫ですよ。私らの目的はあくまでも」そこで老人は言葉を切って、また相棒である妻の顔を見た。同時に、「人生の充実」と黒澤も言ってみせた。三人の声が重なったのはささやかながら快感だった。

「どんなことになろうと、それはそれで人生の充実ですよ」

「ついさっきもね、ほら」老婦が思い出したかのように言った。老人を見上げて可笑しそうに、「面白いことがあったわ」

「ああ、あれか」と老人も欠けた歯を見せた。「ほんのついさっきですよ、あんたの前に脅してみた男がね。妙だったんだ。妙なものを運んでいて」

「妙なもの？」

「バラバラになった人の身体《からだ》」と老夫婦が声を合わせた。

「まさか」黒澤は眉間《みけん》に皺を寄せた。

「マネキンかねえ、あれは」と老婦が言う。「カートの付いた大きなバッグみたいなのを持った、真っ赤な帽子を被《かぶ》った男でね、その人自体が何だか生きてるんだか死んでるんだか分からない感じだったね」

「真っ赤な帽子？」

「帽子の先をこうやってぎゅっと折り曲げて、深く被っていましたよ。若いんだか中年なんだか分からない風で。意外に年を食ってるのかもしれないですね。私らがね、拳銃を出して脅すと、驚いたのか、そのバッグを倒してしまったんだ。しかも、バッグの布が開いて、中から人の手やら足が飛び出してきたんです」

「マネキンよねえ、あれは」

「最近はあれが流行《はや》っているじゃないですか。バラバラ殺人というのが」

「その犯人を見たってわけか？」黒澤は感心するようにうなずいた。「しかも、あんたたちはそのバラバラ殺人の犯人を、拳銃で襲ったわけか」

「あれはきっとこの世の人じゃないね。帽子を被った死人だよ。青白い顔してね。何をやってもうまくいかない中年男ってのはあんな感じだろうね」老婦はそう言った。

「バッグに入っていたのは、本当に人の死体だったのか？」

「さあ。あわてて拾って押し込んで、バッグを引いて走って逃げていっちゃったからねえ。あたしらも追うわけにはいかないし。あの男、幽霊みたいだったよ。『マンションからまた飛び降りるんだ』とか言ってさ。そんなもの追っていったらあたしらもあっちへ連れて行かれちまうからね」

「警察に届けるわけにもいかないですし」老人は拳銃を揺すった。

黒澤はしばらく、二人の顔を観察した。嘘《うそ》を吐《つ》いている顔ではなかったが、支離滅裂な話をはじめるのは老人の特技ではないか、と自分に言い聞かせる。

男に、「金を出せ」と拳銃を突きつけたら、バッグの中のバラバラの右腕が財布を取り出して、「割り勘で良いですか？」と言った。老人たちはそんな軽口すら叩《たた》いた。

黒澤は自分のジャケットの内ポケットに手を入れると、素早く封筒を取り出して老婦に向かって差し出した。老夫婦の正面に投げる。

こりゃ何だい？　老婦が足元の封筒を、どちらかと言えば軽蔑《けいべつ》する目で見た。

「金を出せと言っただろ。本当は隠しておくつもりだったが、気が変わった」

老婦が封筒を拾う。皺の多い指で封筒口を開けた。「大金じゃないか」

「たかだか二十万円だ」

「受け取れないねえ」と老婦が言う。

黒澤が、「強盗のくせに」と笑うと老人が、「たしかに」と顔を崩す。「老人のくせに」とさらに冗談めかして言うと老人は、「いかにも」とまた笑った。

黒澤はそのまま立ち去った。

一度だけ、キャンパスを出るところで立ち止まり、振り返ってみた。老夫婦が反対方向へ歩いていくのが見えた。細い身体と低い身体が静かに遠ざかっていく。

黒澤は街へと向かった。前かがみにゆっくりと歩きながら、頭を掻く。「あっちは強盗でこっちは空き巣じゃないか」と呟《つぶや》いてみた。空き巣と強盗、空き巣と強盗、と十回も唱えてから、「向うは年金でこっちは無収入じゃないか」と言ってみた。「向うは国民健康保険で、俺は全額負担」と独りごちてから、「二十万もあげることはなかったか」と言った。少なくとも全部あげることはなかった。

携帯電話が鳴ったのは、アーケードを歩いているところだった。ナンバーは表示されない。歩きながら耳に当ててみる。相手が喋《しゃべ》るのを待った。

「黒澤か」

「あんたか。あんたのところの若いやつにさっき会ったが」

「タダシだろ」

「アイザック・ニュートン氏だな」

「何だ？」

「何でもない。で、親分直々に何の用事だ」

「タダシからさっき連絡があった。嘆いていたよ。黒澤さんはつれないってな。まあ、俺だって期待してたわけじゃないが、やっぱり組む気はねえのか」

「泥棒は個人プレーのゲームだ。試合に出るのはいつだって独りだろ」

「今度はそこそこ大掛かりなんだ。いつもみてえに、酒屋強盗だとかコンビニ強盗じゃないんだ」

どうせ銀行や公的な機関のどこかだろう。見当がつく。

「やめておけ」

「忠告ありがとよ。まあ、今日の今日で実行するんじゃない。近いうちだけどな。どうだ噛《か》まねえか？」

黒澤の顔は、自分でも知らないうちに歪《ゆが》んでいた。後先を考えず、ろくな調査や検討もせずに仕事を起こそうとする者に未来はない。「オリエンテーリングを知っているか？」と思わず言っている。

「地図とか見て、目標の目印を探してくやつだろ。俺だってな、それくらい知ってる。

年寄りだって馬鹿にしてるのか」

「年は関係ない。ようするに、『未来』はそういうものなんだよ。探し出すものなんだ。『未来』は闇雲《やみくも》に歩いていってもやってこない。頭を使って見つけ出さなくてはいけないんだ。あんたもよく考えたほうがいい」

「俺が考えてないと思ってんのか」

「その先を考えるんだ。あんただけじゃない。政治家だって、子供だって、みんな考えてはいないんだ。思いついて終わりだ。激昂《げっこう》して終わり、諦《あきら》めて終わり、叫んで終わり、叱《しか》って終わり、お茶を濁して終わりだ。その次に考えなくてはいけないことを考えないんだ。テレビばっかり観《み》ることに慣れて、思考停止だ。感じることはあっても考えない」

「俺は考えている」

「それなら俺は何も言わない。ただ、あんたとは組まない。あんたは嫌いじゃないが、一緒に仕事はしない。どうしてか分かるか」

「嫌いだからか？」男が苦笑しているのが分かる。

「考えたからだ」黒澤はそう言った。しばらく間があってから、相手はまた声を出した。「黒澤。俺はおまえを買ってるんだ」十歳は年上の男は、黒澤にとって同情すべき上司に近かった。「おまえは腕は立派だし、学もある。同業者の中ではおまえがどうして空き巣なんてやってるのか不思議で、もっぱら話題の種だ」

「あまり実りのない種だな」

「俺はおまえと一緒に仕事がしたいだけなんだ」

相手の声が急に老いた。携帯電話を耳から離して、目の前に向けてみる。「悪いが、俺はあくまでも独りでやる」もう一度受話器を耳に当ててからそう言った。「一緒には何もしない」

「そうか」男は心底残念そうな声を出してから、「おまえは一般家庭の空き巣専門だよな。まったくそっちのほうが質《たち》が悪いだろうが。どうだ？」

「あんたもまずは小さな仕事からやり直したほうがいい。基本とウォーミングアップはどんな仕事にも必要だ」

「誰に向かって口を利《き》いているんだ」

「いいから。情報ならやる」黒澤はそう言ってから、自分が狙《ねら》っているマンションや一軒家の情報を数件、口に出した。「俺が狙っている場所だよ。下調べも終わっている。良かったらあんたに譲ってもいい。大きな仕事をする前に考え直してみてくれ」

「そんな情報をどうして俺に話す？」

黒澤は、自分でも分からない、と答えてから、「あんたのところの若い男に危なっかしい仕事をさせたくなくてな。日本の損失だ」

「俺は、おまえに仕事を譲ってもらうほど落ちてはいねえんだよ」

「まあ、仕事の内容と日にちが決まったら念のため連絡してくれ。俺は参加はしないが、忠告はできる」

「俺に忠告がいると思うか？」十歳年上の泥棒グループの管理職は、根拠のない自信を急に漲《みなぎ》らせると、しっかりとそう言った。

「忠告に耳を貸せという忠告がまず必要だよ」

黒澤は携帯電話を切って、ポケットに戻した。

ふと自分が銀行へ向かおうとしていることに気がついた。預金すべきお金は、先ほど忽然《こつぜん》と現われた強盗に奪われたではないか、と足を止める。

あの二十万の入った封筒を渡したことについてはさほど後悔していなかった。老夫婦の追及が厳しくないのをいいことに、あのまま封筒のことを言い出さず帰ってしまうほうが気分は悪かったはずだ。自分の頭がさも切れて、老夫婦を出し抜いた気になるなんて最低だった。

また美学か、と口元が歪む。それにしても仕事をこなしたにもかかわらず手元に収入がないのは、切歯《せっし》扼腕《やくわん》とはいかずとも座り心地が良くなかった。

財布を取り出して、中を覗《のぞ》いた。朝に拾った紙切れが出てくる。読めない外国語が並んでいる。もしかしたらこいつは、「幸運を呼ぶお守り」ではなくて、むしろその逆のたぐいのものかもしれないな、と思った。捨てようかとも思うが、手に入れたものを簡単に手放す気にもなれない。

夜になったらもう一仕事行うべきではないか、黒澤はそう考えはじめる。すでに下見をしてある何軒かの家やマンションを頭に浮かべた。

河原崎たちは山の中腹に座っていた。塚本は両手を頭の後ろで組み、そのまま寝そべっている。

河原崎はしばし、ぼんやりとしていた。膝《ひざ》を抱える格好で、登ってきた道を見下ろしながら、頭の整理をつけようと試みた。塚本が喋っていることの意味は分かった。難しいことではないのかもしれない。

「三年前、父が死んだんです」河原崎は自分の口を衝《つ》いてそんな言葉が出たことに驚いた。塚本は黙って耳を傾けてくれている。

「飛び降り自殺でした。目の前から父親が消えて、僕はひどく落ち込んだんです」実際のところ、どうして父の自殺が、あれほど自分に衝撃を与えたのか分からなかった。「手を広げてビルの十七階から飛び降りるという、間の抜けたやり方で父は、僕たちを見捨てて逃げていったんです。彼は、僕たちのことなど忘れていたのかもしれません。うちは自殺の家系なんですよ」

バッティングセンターで喚《わめ》いていた父親の姿が、河原崎の頭に浮かんだ。あの時父親が何を言っていたのか思い出せない。

「父のさらに父親、僕の祖父も飛び降り自殺だったらしいです。末期癌《がん》を悲観しての自殺だったと聞きました。みんな飛ぶんです」河原崎は自嘲《じちょう》気味に俯《うつむ》いた。「ようするにうちの家は、中途半端《ちゅうとはんぱ》に生きて、途中で逃げ出すためにビルから飛び降りていく血筋なんですよ。バトンを持っていない僕は、自分がどういう理由で生きていくべきなのか不意に分からなくなってしまったんです」

「バトン？」

「リレーってありますよね。運動会とかの。で、生きるということがリレーだとすれば、僕の家はそれがまともにできてないんですよ。次のランナーにバトンを渡す前にコースを逸《そ》れてしまうんです。みんなそうなんです。仕方がないから次のランナーは、バトンを受けてもいないのに走りはじめるしかない。かろうじて走っているつもりの僕も、遅かれ早かれ、きっと道を外れるんです。絶対にバトンを渡せないと決まっているリレーに意味はないじゃないですか」

塚本が、「そうかあ」と言った。

「その頃、テレビであの方を見ました」

「高橋さんかい？」

あの時のことははっきりと覚えていた。仙台で連続して起きた殺人事件。警察は手がかり一つ発見することができず、次々と被害者が増えるのを傍観しているだけのようだった。「あの事件は僕の人生と同じだと思っていたんです。テレビで見ながら勝手にそう感じていました。誰も事件を止められず、被害を食い止めることもできず、ただ、雲行きが悪くなっていく。その中を生きて行く。先行きの見えない暗雲立ちこめる空気が、あの頃の仙台の街には流れていて、同時にそれは僕の中にあったものと似通ってました」

「そこに高橋さんが現われた」

「ええ」よく覚えている。雲に覆《おお》われた空に、さっと晴れ間が見えた瞬間だった。

「僕はたまたまテレビで、ニュース速報に気がついたんです。はじめは何を意味しているのか分からなかった。でも、じっとそれを見ているうちに、鼓動が早くなって」

『仙台ビジネスホテル連続殺人事件の容疑者、逮捕』

流れていく一文字一文字が、河原崎の頭を殴ってくるようだった。自分の心臓が揺り動かされる感覚があった。何かが変わる予感がした。

「その日の晩のテレビには、すでにあの方のことが報道されていました。民間の人が事件を解決したのだと、どのチャンネルをまわしても興奮したアナウンサーが喋っていましたよ」

あの時のマスコミの熱と言ったらなかった、と河原崎が続けると、塚本もしかめ面《つら》でうなずいた。「高橋さんもね、あの騒ぎには困っていたな。予想以上だったんだろう。そうだ、唯一《ゆいいつ》、高橋さんが残したコメントを知ってる？」

「覚えています」忘れるわけがない。

「高橋」の喋る姿は何度か放送された。事件解決後、数週間経《た》ったころだった。「事件をよくぞ解決してくれた、と言われることがあります。でも、実はあんなことを解決するのはさほど難しくないんです。もっと困難で大切なことは別にあります。本当に大切なことは、もっと地味で退屈な生活の中にあるんです。私は彼らを救いたい」

「『彼ら』とはどなたのことですか？」アナウンサーは慌《あわ》てて訊《たず》ねた。

「『彼ら』とは誰のことなのかは、その彼ら自身はきっと分かっています」

あの言葉に河原崎は救われた。自分こそ、その「彼ら」の一人であるとすぐに分かった。この人は自分を救済してくれるのだと感激した。「塚本さんにとっては神とはあの方のことじゃないんですか？」その質問を口にするのに勇気が必要だった。

「高橋さんか」塚本は顔をしかめた。苦しそうな表情だった。芝居がかってもいた。たっぷりと悩む間があってから、「以前はそうだったんだよな」

「今は、違うんですか？」

「あの人は天才だが神ではない」きっぱりと塚本は言った。「さっきの宝くじ、見ただろう？」

勢いよく、「はい」と答えた。「あ、あれは本当なんですか？」

「本当だよ。本当に当たってる。口にするのが憚《はばか》られるくらいの大金だよ。うちの幹部たちは、俺も含めて大騒ぎだった」

「ただ？」話の流れから想像して、河原崎はそう続きを促してみた。

「あの人はこの当選金を、俗っぽいことに使おうとしているんだ」

「俗っぽい？」

「とにかく俗っぽいんだ」塚本がその時だけ苛立《いらだ》って、早口になった。自分自身の欠点を隠すかのようだ。「だから、俺たちがその宝くじを預かっている」

河原崎には、その当選くじが本物であることが信じられない。さっき手元にあった紙はただの縒《よ》れた紙切れにしか見えなかった。紙切れ一枚で人は幸せになったり、ビルからジャンプしたりするものなのか。

「天才は運にも恵まれている。あの人は天才だ。ただし神ではない」

「俗っぽい、ですか」

「テレビに出て、あれこれ喋ることがないだけまだマシだけれどね。それにしても最近は、俺たちに何一つ喋ってくれない」

確かに講演があるものの、「高橋」からのメッセージが減っていることには、気が付いていた。

「高橋さんがテレビに出たらどうする？」塚本は言った。

「テレビですか」河原崎はその場面を想像してみる。「ひどく俗っぽい気がします」

塚本も無言で顔をしかめた。

河原崎はいつのまにか後ろへ倒れていて、気がつくと地面に横たわり、山の斜面から空を見上げていた。目がかすんだ。塚本の顔が見えた。自分を見下ろしている。真上から覗き込んでくる塚本の顔が、自分の空にかぶさっていた。

「内臓だよ」

「え？」慌てて河原崎は起き上がった。「な、何ですか？」

「神について考えてね、俺は俺なりに分かったんだ。内臓の定義を知っているかい？一つに、『自分でコントロールできない』ことが挙げられる。例えば、右腕を上げるのはやろうと意識すればできる。頭が痒《かゆ》ければその場で掻《か》ける。ただ、内臓は無理だ。胃や腸は蠕動《ぜんどう》運動を繰り返して、こうしている今も食ったパンを下へ下へと送り続けている。でも、それを意識してやっているかというと、そりゃ無理だ。心臓の筋肉を何秒かおきに動かし、その間に腸のことを気にしつつ、目の前のデスクワークもこなす。そんな状態になったら、脳では把握できなくなってパンクだろうな」

「確かにそうですね」河原崎は自分の頭で心臓を動かしてみようと努力してみるが、無理だとすぐに分かる。おおよそそんなことになってしまったら、寝ている間にうっかり呼吸が止まっていたなんていうことにもなりかねない。

「で、考えてみるとだ、この関係は人間と神の関係と似ているんだな」

「何と何がです？」

「俺と胃だよ」と言って塚本は自分の腹のあたりをさすりながら、「俺は自分の意志で勝手に生きている。死ぬなんて考えたこともないし、誰かに生かされているとも思ったことがない。ただ、そんなことは胃がまともに動かなくなったら途端にアウトだ。そうだろ？　俺が必死に口に入れた食事が何一つ消化されず、止まってしまったら、俺の生活も止まってしまうだろうな。ただ、胃をコントロールすることはできない。俺は暴飲暴食を避けて、よく噛《か》み」そこで彼は愉快そうに歯を見せてから、「そうして、胃の状態にたえず気を配っていなくてはいけない。痛みはないか、血便は出ていないか、ガスが溜《た》まっていないか。ようするに今の場合、胃は、俺の人生を担《にな》っているわけだ。で、俺が胃に対してできることは何かと言うと」

「何ですか？」

「声に耳を傾けて、最善を尽くし、祈ること」

河原崎は、自分の周囲の霧が晴れるのが分かる。「声に耳を傾けて、最善を尽くし、祈ること」と復唱する。

「俺は胃を直接見られない。せいぜい、胃が発する警告やしるしがどこかにないかと気を配ることしかできない。後は祈ることだ。内臓ってのは基本的には、俺が死ぬまで一緒のはずだ。いつも見えない場所で、そばにいて、一緒に死んでいく。神様と近いだろ？　俺が悪さをすれば神は怒り、俺に災害を与えてくる。時には大災害かもしれない。それに、人はそれぞれ胃を持っている。そこも神様と似ている。誰もが自分の神こそが本物だと信じている。相手の神は偽物《にせもの》だとね。ただ、誰の胃も結局は同じものであるように、みんなの信じている神様はせんじつめれば、同じものを指しているのかもしれない」

似ていますね、河原崎は小さく肯《うなず》いていた。無意識に自分の腹を撫《な》でる。

「高橋」の顔を思い出そうとするが、うまくいかない。眩《まぶ》しい光が反射するようで「高橋」の姿全体がかき消された。河原崎は自分の鼓動が早くなるのを感じた。

塚本が口を開く。喋《しゃべ》り方は緩やかで心地よかった。「高橋さんが神であるなら、俺たちと高橋さんとの関係は、俺たちと内臓の関係と同じということになる」

「そうですね」

「胃と俺たちは一心同体だ。どちらかが死んだら、どちらかも死ぬ。つまり、もし高橋さんが本当に神であるなら」

河原崎は、塚本の言おうとしていることが予測できた。「あるなら?」

「本当に神かどうかは殺してみれば分かる」

不謹慎だとか、畏《おそ》れ多いだとかそういった感情を除けば、河原崎はその言葉を非常に魅力的なものに感じた。神であるか否《いな》かは殺してみれば明らか。塚本の考えは乱暴ではあったが、分かりやすく、惹《ひ》かれた。高揚を感じた。

「神は死なない。それにもし神が死ぬようなことがあれば、俺たち自身が消える」

まるで神を試すかのような言い方だった。そして、畏れを感じながらも河原崎は、自分も同じ思いを抱いていることに、気づいた。神を試してみたい。

二人はそのまま、無言で何十分も座り込んでいた。地面は冷たく、脇《わき》を抜けていく風も冷たかったが、それは、興奮してぼうっとしている自分を冷ますためのものだと河原崎は解釈した。

「君は絵を描くだろ」

え、と河原崎は相手の顔を見返した。

「君は絵を描く。これはとても幸運なことだ。俺は、高橋さんが神であるかを証明するために解体をする。ただ、どうせなら君にそれを描き残してもらいたい。そうだろう？　天才の身体《からだ》を証拠として残したいと思わないか。河原崎くん、君は写生をすることはできる？」

「描くことならば」正確には、描くことだけは、だ。

「解体した神の部品を、君はそのまま描くんだ」

「え？」

「十六世紀に作られた解剖学書がある。人体の構造を克明に描写したやつで、『ファブリカ』という本だ。ヴェサリウスという人による公開解剖の絵で、これが四百年も前のものとは思えないほど精密なんだ。君が、高橋さんの身体を絵に残すことはそれとは比べものにならないくらい重要だ」

「僕が、ですか」

「ヴェサリウスは当時二十八歳くらいのはずだ。君はそれよりもずっと若い。君がその絵を残す。その資料は貴重な財産になるはずだ。人を救うかもしれない」

人を救う、という台詞《せりふ》に河原崎はまた、高揚を覚える。

「俺たちは神に囲まれている。自然こそが俺たちの上のレベルの存在なんだ。だから、もし神を名指しするとすれば、それは、『地震』だとか、『大木』だとか、『雷雨』や、『洪水』なのかもしれない。だからさ、先の見えない暗い道を歩いている俺たちを救ってくれるのは、壇上で演説を繰り返す男なんかではなくて、案外」

「案外？」

「ビルから手を広げて飛び降りた、君の父親のような男かもしれないぜ」

膝《ひざ》を抱える手に力が入った。その言葉が頭に響いた。

「君の父親の死はもしかしたら、突発的な自然現象に近かったのかもしれないな」

河原崎は、父を思い出した。彼は妙な男だった。動物園に毎日通いつめていたこともあった。深夜の動物園に忍び込み、「あそこには夜になると男が眠っているんだ。園内にな。おい、聞いてるか？　その男はよ、動物園のエンジンを担っているんだよ。夜でもそこにいる。で、周りの動物たちの活気を維持しているわけだ。いないと動物園は元気がない」などと意味不明なことを言ってはしゃいでいた。あの頃から、彼はおかしかったのかもしれない。

彼は、息子の河原崎から見ても変人だったが、確かにあの変人ぶりは、異様に長い雨季のような、自然界の違和感に近かった。

塚本は結局、河原崎の自宅まで車で送ってくれた。車内ではさほど会話を交さなかったが、それでも分かり合えた気分だった。もやもやとした自分の身体の垢《あか》という垢を、すべて削り取った爽快感《そうかいかん》さえあった。

車から降りた河原崎は、塚本に挨拶《あいさつ》をしようと運転席側まで回り込む。窓を降ろした塚本はその時、涙を浮かべていた。「いや、これは」と彼は必死に弁明をはじめた。心底困ったようで、顔を拭《ぬぐ》っていた。彼自身も零《こぼ》れる涙を止められない様子だった。

「俺だって、あの高橋さんを殺したくないんだ。頭では分かっていてもな。いや、違うな、きっと信じていた人に裏切られた気分だから泣いてるんだな」

「ああ」と河原崎は呻《うめ》いてしまう。

「夕方六時に大学病院の駐車場で待っているよ」と最後には笑顔で言った。「神かどうかを証明しよう」

河原崎は頭が重かった。熱があるのかもしれない。壇上に上がる、「高橋」の姿を思い描こうとしたが、失敗する。思い出せない。今別れたばかりの塚本の姿だけが、頭にはある。去って行くオープンカーだけが、唯一《ゆいいつ》確かなものに見えた。


「わたしの言ったとおりじゃない」助手席で京子は勝ち誇った声を出した。運転しながら青山が、「彼女は結局、離婚には応じなかった」と苦々しく言ったからだ。「あなたは何て言ったわけ？」

「『離婚しよう』って」

「あの女はまずこう言ったんじゃない？　『相手は誰なの』」

どうして分かるんだ？　青山が驚いた顔をした。

「ああいう女は自分の敵を知りたがるのよ。自分の立場とか、ポジションが気になって仕方がないんだって」

「そうか」と青山は緊張した顔を見せた。天皇杯の決勝でペナルティキックをはずしたあの時よりも緊張しているかもしれない。「彼女はうんとは言わなかった。頑として拒否したよ」

「なら決まりね」京子は下唇を突き出した。元から決まっていたことだった。「やるしかないわ」

「やる？」

「セックスじゃないわよ。分かってるわよね。やるっていうのは」

「ああ、分かってるさ」神妙にうなずく。

「家に着いたらあの女を殺して」と京子はわざと軽々しく言って、「で、車のトランクにあの女を乗せて、埋めに行くわよ」

「ああ」

「泉ヶ岳の裏のほうに、人目につかない林がいくらでもあるわ」

こういうものはシンプルに考えればいい。人を殺して、埋める。死体が出てこなければ良い。それだけだ。下手に小細工する必要はどこにもない。

幸いなことに、あの女の両親はすでに亡《な》くなっているらしく、親しい親戚《しんせき》もいない。

近所付き合いも良くない。いや、好都合とはこのことを言うのだ、と京子はつくづく感じた。ようするに青山が黙っていれば、あの女が消えたことすら誰も気がつかないはずだ。そもそも存在していたこと自体を誰も証明できないだろう。滑稽《こっけい》だ。

京子は、青山と一緒に暮らす。もしかしたら、とほくそ笑む。もしかしたら、そのままうまく行けば、あの女の分の年金だって手に入れられるのではないか、と思えた。

「計画なんて大まかでいいのよ。細かいスケジュールは、逆に行動を縛っちゃうの。わたしの診療所に来る人たちはね、大抵そういう人たちよ。几帳面《きちょうめん》で、真面目《まじめ》で、自分の立てた目標で苦しくなってるわけ」

青山は複雑な顔をした。彼自身がもとはと言えば、京子の診療所に通っていたのだから、当然だろう。優勝のかかったペナルティキックを外した彼は、軽い鬱《うつ》病に罹《かか》った。プロサッカー選手としてはデリケートすぎるのだ、と周りは言ったが、青山はそのこと自体を認めたがらなかった。

「あ、そうだ、京子に言われた通り、駅に寄ってきた」青山が言う。

「コインロッカー見てきてくれた？」

電話で青山に頼んでいたのだ。なくしたコインロッカーの鍵《かぎ》が、誰かに使われてはいないか気にかかっていた。

「閉まったままだったよ。38番だろう？　延長料金の表示が出ていたし」

「そう、なら良いけど」

「で、あのロッカーがどうかしたの？　京子が使っているなら、早く中身を取り出したほうがいい」

何も詳細を聞かされていない青山が訊《たず》ねてくるが、京子は取り合わない。青山は不機嫌な顔をするが、別に怒りはしなかった。

「こういう話、聞いたことある？」しばらくして青山が話を変えた。

「何よ」

「死んだ人間が生き返る話」

「馬鹿《ばか》じゃないの」京子は顔をしかめた。青山はどちらかと言えば、そういった非科学的な話が好きだったが、どうしてそんなことを言い出すのかが分からない。

「最近、街で話題らしいんだ。死体がね、放っておくとバラバラになる。バラバラになったまま身体が動くらしいんだ」

「バラバラのまま動き出すわけ？」それはさぞかし滑稽な光景に違いない。京子は尻《しっ》尾《ぽ》を切られたトカゲを思い浮かべた。

「そう。で、それが次第にくっつくんだ」

「くっつくの？」馬鹿にした口調で京子は言う。「磁石になってるのね」

青山はむきになる。「千切れていたはずの身体がくっつくんだ」

「それがどうかした？」

「いや、昨日街を歩いていたら、信号待ちで女子高生が喋っていたんだ。そういう怪談を喋りまわっている人がいるらしい」

「陳腐な怪談ね。そんなのあれよ、今、街でバラバラ殺人事件が話題でしょ。それに便乗してできた下らない怪談話よ。子供だまし。で、それが今のあたしたちに関係しているわけ？」

「何が関係するかなんて分からないぜ」

はじめはブレーキ音だった。アスファルトをタイヤが滑った。ずいぶん長い間タイヤが鳴っている気がした。助手席の京子の身体が勢いよく浮いた。

そして、どん、と衝突音がした。なすすべもない。バンパーが潰《つぶ》れる感触があった。シートベルトが肩に食い込む。浮いた身体はバウンドして、座席に跳ね返った。

あっという間のことだった。頭の中が揺れる。突然の痛みと驚きに、怒りが瞬時に湧《わ》いた。気を失うほどではなかったが、京子は言葉も出なかった。

しばらくしてから、ようやく運転席の青山の様子が気になる。

見ると青山は、ハンドルにもたれていた。どこかに打ちつけてしまったのか、苦しげに顎を押えている。「やっちまった」顔色が蒼《あお》ざめていた。

日が陰っていたのは間違いなかった。街から西道路を抜けて、国道四十八号をひたすらまっすぐに行く予定だったのが、京子がトイレに寄りたいと言ったため愛子《あやし》地区に寄っていた。右折して裏道へ入ると、周囲はかなり暗かった。

何たる災難だ、と京子は苛立《いらだ》つ。

青山は、やっちまった、ともう一度言うと、シートベルトを外して、飛び出した。

京子も続いて降りた。足を外に踏み出すと、嫌な予感が身体中にまとわりついた。

暗い道路だ。一方通行だが、それにしても狭い。

すぐに周囲を窺《うかが》う。右側はどこかの菓子メーカーの倉庫らしく、フェンスが立てられていた。左側にはスナックと喫茶店が繋《つな》がった店舗が並んでいる。ずいぶん前に店はつぶれたらしく、窓ガラスは割れ、入口のドアはひん曲がっていた。

京子は自分の首を回転させ、伸びをした。ぶつけた右手に打ち身の痕《あと》はあったが、それ以外の痛みはない。

ここが暗く狭い裏道なのは不幸中の幸いではないか、と思いはじめていた。わたしは運に恵まれている、と。

　青山は完全に自分を失っていた。大声で泣き叫ぶことはなかったが、それは正気だからというよりも、頭が混乱しているからだろう。

　赤いセダンの向こう側に立っている青山はゆっくりと、恐る恐る、前方を確認しにいく。

　京子にはすでに分かっていた。あれが何の衝撃なのかは想像がついた。どん、と腹に響く音がまだ身体に残っている。轢《ひ》いたのだ。

　周りに人のいる気配はなかった。

　青山がしゃがみ込んでから、ようやく顔を上げると、「京子、人だ」と震えながら言った。

「落ち着いて」京子は、青山のいるところまで歩いていく。頭が忙しく回転していた。考えるの、考えるのよ。自分自身に発破をかける。

　暗い中でも、死んでいるのは分かった。若い男だ。青山と同年代なのかもしれない。セダンの前に倒れていた。骨が折れているのか、妙な姿勢だ。

　死体を見慣れているわけではなかったが、京子は怯《おび》えてはいない。現実感がなかった。生真面目な兵隊の人形が体をよじって倒れているだけに見える。

青山が必死に深呼吸をしている。今まで空気を吸うのを忘れていたのか、肩を揺らし、大きく息をしている。あの失敗したペナルティキックをもう一度蹴《け》る羽目になったら、きっと今と似た顔になるに違いなかった。「どうしよう」

「声を落として」と京子は言ったが、青山は動転しているせいか、「やっちまった」とまだ大きな声を出している。

この男はどうしてこう頭が働かないのだろう、と呆《あき》れるしかなかった。人通りもなく暗いこの道は、ひっそりと物事を進めるには好都合の場所ではないか。

「本当に死んでいるのか、京子が確かめてくれよ。俺は素人《しろうと》だし、京子は医者だろう？　さっきから京子は何一つやってないじゃないか」

その言い方にむっとした。自分の顔が引《ひ》き攣《つ》るのが分かる。青山は口を尖《とが》らせて、不平を言う子供のようだった。

「わたしは精神科医よ。轢《れき》死《し》体《たい》が精神異常と関係すると思う？　『車に轢かれて鬱なんです』なんて患者が来るわけ？」

「俺だって無関係だ」

「そう？　サッカー選手のほうがよっぽど交通事故と縁があるんじゃないの？」

「そんなわけないだろう」

「現に、今、現役のディフェンダーであるあなたが、人を轢いたわ」

悪びれもせず京子はそう言った。青山は言い返してもこなかった。震えながら、

「今はオフシーズンだ」と理由にもなっていないようなことを口にする。

厄介なことに尿意がまたやってきた。「また」と舌打ちまじりに呟《つぶや》く。

青山は怯えながらも、もう一度しゃがみ込み、決心したのか、死体に手で触れようとしている。

「トイレないかしら」

「こんな時に？」

「行きたいのよ。いいじゃない」歯を食いしばり、青山を睨《にら》みつける。

「ちょ、ちょっと待ってくれよ。今はこの状態をどうにかしなくちゃ駄目だろう？トイレは少し我慢しろよ」

京子は癇癪《かんしゃく》を起こしそうになるのを我慢する。尿意を堪《こら》え膀胱炎《ぼうこうえん》が悪化し、腎臓《じんぞう》まで悪くしてしまったらどうしてくれるのか、と怒鳴りたいのを飲み込む。苛立ちから右足が震える。立ったまま貧乏揺すりをする。

「冷たい。京子、これ本当に死んでいる」

青山はしゃがみ込んだまま、倒れた死体の顎の辺りを触っていた。瞼《まぶた》は閉じている。いくら轢死体と言っても、そう簡単に体が冷たくなるとは考えにくかった。京子は苦笑する。おそらく青山は、冬の風で冷えた肌の温度を、死体のそれと勘違いしているのだろう。微笑《ほほえ》ましいと言うよりは、無知に腹が立った。この図体《ずうたい》ばかりが大きい若者はわたしなしではまともに生きていけないのではないか、と京子は呆れる。まったく、わたしがいなければ人身事故の一つにも対応できないじゃないか。

「あまり触らないで」京子は刺すように、青山に指示した。べたべたと死体をいじるのは利口な策ではなかった。清潔とも思えない。それから、「ちょっとこっちへ来て」と青山を呼んだ。「どうすべきかを整理しましょう」

豊田はアーケード街を歩いていた。犬があちこちを歩きまわるのではないかと心配だったが、老犬は厳しい躾《しつけ》でも受けていたのか、豊田から離れることもなかった。若い頃に軍隊で訓練を受けた老人が、記憶力は落ちても行進の作法を忘れないのと似ているのかもしれない。

大き目のペットショップがあり、そこで散歩用の綱を買った。「青色ってのはいいだろ」裏通りの電柱のところで、首輪に綱を付けてやった。身体《からだ》が薄汚れているのに比べて、綱と首輪は新品同然でアンバランスだった。

犬を連れたまま通りを抜け、十五分も歩きつづけた。歩道橋を渡ると公園に出る。幅の広い階段を斜めに進んだ。せかせかと下を走り抜けていく車の行列は、別世界のものにしか見えない。公園は、管理がされているのかいないのか分からない、広い敷地にあった。桜の季節になれば提灯《ちょうちん》がぶら下がり、夏には花火を眺める人で埋め尽くされる場所だったが、冬の寒々しい昼間には人通りも少なく、子供が数人でフリスビーを投げ合っているだけだった。

公園内に入っていくとベンチを見つけて座った。犬は足元で丸くなる。

「あれ、そそられないか?」と宙を行き交うフリスビーを指差してみたが、老犬は興味を示さなかった。

疲れていた。目を瞑《つむ》ってみる。

今朝、不採用の通知をくれた会社をもう一度思い出してみる。給料は退職時の六割以下で、賞与はない。管理職でもデザイナー職でもなく、雑務の仕事だけだった。目一杯妥協したと言っていい。高望みは諦《あきら》めて、いい加減落ち着こうと手を打ったつもりだった。それでも不採用だ。二人の募集に対して、三十名の応募があったと言う。どこかで採用の報《しら》せを受けた二人がいるのだろう。あのレベルの会社でも雇ってくれないとなると、自分の前には壁しかないのではないか、と思われた。

「無能力！」

どこからかそんな声が聞こえて、豊田はうなだれていた顔を上げた。誰もいない。フリスビーを投げる少年たちの歓声を聞き間違えただけだった。

またうなだれる。目を瞑る。

「落ちこぼれ！」

自分の中で声がしているのだと気がつく。

身を取り囲むのは不安だけだった。自分はこの先どうなるのだろう。惨《みじ》めだった。自分が唯一《ゆいいつ》の拠《よ》り所のようにして握っている綱の先には、老犬が一匹繋がっているだけだった。心細さを実感し、知らぬうちに目に涙が溜《た》まっていた。

「働きたいんです」声が出てしまう。この不安感を取り除く方法は、働き口を探し出し、生活を安定させること以外にはなかった。自分の身体を抱える。不安で震えそうだった。不安で凍死したら新聞に載るだろうか、と自嘲《じちよう》気味に考える。

じっと座っていると、今度は苛立ってくる。不安感は、空腹と同様、人を苛立たせるのか。どうすればいい、と自分自身に問いかける。就職活動を続けるにしても、今日のところが駄目であれば、もはや他に機会はない気がした。

絶望だ。目の前にあるのは絶望の岩壁だ。いや、本当に絶望か？　豊田は必死に自分を落ち着かせようとした。

「働きたいんです」

もう一度言ってみてから、持っていた鞄《かばん》を開けた。ウォークマンを取り出して、耳にイアフォンを詰める。慌てて再生し、ビートルズの曲に耳を傾けた。「HERE COMES THE SUN」を聴く。「It's All Right」と心の中で歌う。繰り返す。「大丈夫だ、大丈夫だ」

老犬がきょとんとした顔で豊田を見上げていたが、馬鹿《ばか》にして立ち去る様子はない。

良い言葉じゃないか、しみじみと豊田は感じた。「日は昇る。It's All Right。大丈夫」若い頃は音楽など聞かなかった。むしろ軽蔑《けいべつ》すらしていた。しょせんは甲虫《かぶとむし》の歌だ、と聴きもしなかったビートルズに、中年を過ぎてから勇気づけられるとは予想外のことだった。二度聴いたところでイアフォンを耳から抜いた。プレイヤーのスイッチを切って、ベンチから立ち上がる。

それを思い立ったのは地下道から出たところで、すれ違うように階段を降りて来た女子学生を見かけた直後だった。

高い踵《かかと》の音が頭を刺激したのか、不意に思いついたのだ。何がきっかけになるのか分かったものではない。若い女性が落としていった靴音で、豊田は突如として強盗を決心した。

強盗しかない。豊田の頭に閃《ひらめ》いたのはまさにそれだ。

拳銃《けんじゅう》だ。

私には拳銃があるじゃないか。これを利用しない手はない。もう一度、確認する。自分の名前を読み上げるように呟いた。「私には拳銃がある」

たまたまロッカーの鍵《かぎ》を拾い、たまたまそのロッカーの場所を見つけ出し、たまたま拳銃を見つけ出しただけかもしれない。けれど、大体が人の幸運とは、「たまたま」訪れるものだ。

この拳銃は、私を救うために現われた。僥倖《ぎょうこう》だ。干《ひ》からびた田に、気紛《きまぐ》れで降り注ぐ雨と同じではないか。あのコインロッカーの鍵が落ちていたのは必然だ。そうだ、と気がつく。そうだ、再就職試験四十連敗とは、雨乞《あまご》いと同等の立派な儀式と呼んでも良いのではないか。

あの男を銃で撃とう。真っ先に考えたのはそれだった。舟木だ。自分に解雇を言い渡した、あの眼鏡の上司を拳銃で撃つのだ。

不思議なことに、そう決めると、心が安らいでいくのが分かった。この何ヶ月も味わったこともない穏やかさが身体中を包んだ。あの上司を射殺する。悪くないアイデイアだ。

けれど、すぐに冷静な自分が戻ってくる。やるべきことを見失ってはいけない。豊田は深呼吸をして、もう一度考える。「働きたいんです」と呟く。自分は職が欲しいのではなかったか？　つまりは賃金が欲しかった。

あの男を射殺したところで、何も解決しない。

まずは賃金を稼ぐべきだ。どうしてそんな簡単なことに、今まで思い至らなかったのか。職を与えてもらえないのであれば、職を作り出せば良いのだ。

失業者が、「私は失業を職としております」と名刺を配った時点で、彼は失業者ではなくなるのではないか。いや、そうだ、強盗を職業にすれば良い。豊田は興奮しながら考えた。

狙《ねら》うのであれば郵便局だ。小さな郵便局でいい。さほど悩まずに頭に浮かんだ。

拳銃を持って局員を脅しつければ、金などすぐに寄越してくるに違いない。郵便貯金は三百兆円ほどあると聞いたことがある。それほどの大金ならば自分が少々いただいても影響はないはずだ。砂丘からひと掬《すく》いの砂を壜《びん》に入れて持ち帰るのと同じだ。

老犬に声をかける。「仕事だよ。仕事だ。日は昇るんだ」

犬は返事をしないが、まっすぐに歩く姿は反対しているようにも見えなかった。

郵便局を目の前にしても、豊田の気持ちにためらいはなかった。自分がさほど震えていないことに驚いていた。罪悪感や自分のやろうとしていることの無謀さを感じるよりも、拳銃のしまい場所のほうがよほど気になった。

背広のスラックスのポケットに拳銃を入れたものの、それでは走った拍子に落ちてしまうのではないかと不安になる。そう言えば映画の中で、警官役の男がベルトのところに拳銃を挿し込んでいたじゃないか、とやってみるが、すると今度は、暴発でもしたら自分の股間《こかん》はどうなってしまうのか、と怖くなった。

血だらけでささくれ立った自分の性器を思い浮かべ、ぞっとしないと感じて、拳銃を背中側に挟みなおした。かなり深く挿し込んだため、腰周りは窮屈になる。

弾は一発だけ入れた。本物かどうかを分からせることができればそれで良かった。

老犬は、郵便局の正面にある街灯の柱に綱で結びつけた。置いていかれるのを感じて老犬が鳴きだしそうだったが、「大丈夫だ」と声をかけると心なしか納得した顔をして黙った。

向かいの百円ショップで、安っぽいサングラスと医療用マスクを買う。サングラスをかけ、拳銃を握った。ウォークマンのイアフォンを慌《あわ》ただしく耳に入れて、ビートルズを一度だけ聴く。深呼吸を三度やる。スイッチを切ると同時に郵便局へ踏み込んでいく。

「手を挙げろ」郵便局の自動ドアが開いた途端に、マスクを顎《あご》の下にずらして、叫んだ。豊田は拳銃を正面に向けて、腰を低く落とした。

静まり返っていた。自分の耳が緊張のあまり故障したのかと思うほど、音が聞こえなかった。郵便局の中は水を打ったように静かだった。

何が奇妙なのかしばらくして気がついた。客がいないのだ。

自分の心臓の鼓動だけがうるさい。

カウンターに銃口を向けた。

一歩足を踏み出したところで、制服を着た男が三人いるのが目に入った。顎のマスクで口を隠す。

豊田は浮き足立つのを抑えながら、「落ち着け。落ち着けば大丈夫だ」と自分を宥《なだ》めながら、制服姿の男たちの顔を順に見ていく。

中年の男が二人と、若い男が一人。三人とも口をぽかんと開けていた。

どういうわけか吐き気を感じた。理由はすぐに分かった。距離を開けて複数の人間と顔を見合わせていると、忌々《いまいま》しい就職面接を思い出してくるのだ。選ぶ側と選ばれる側だ。

気づくと、拳銃を撃っていた。いつ撃鉄を上げたのか、いつ引き金に指をかけたのかも覚えていない。四十連敗という現実を撃ち抜いてしまいたかった。

天井に向かって発射するつもりが、手元が狂った。正面を直撃し、貯金を促す垂れ幕に穴が開いた。

「本物だ」豊田は叫んだ。マスクで声がこもってしまった。マスクをずらし、もう一度大声を出す。「撃つぞ」

豊田が想像していたのは、郵便局員たちが、蛇を見つけた蛙《かえる》のように怯《おび》えた顔で、両手を挙げて退く姿であった。もしくはそうでなかったら、豊田に対して恐れずに立ち向かってくるのではないかとも覚悟した。

けれど、カウンター内に立つ男たちの行動はどちらでもなかった。

まず、もっとも若く見えた男が、「警察？」と言った。他の二人はじっと豊田のことを見ている。確かに、「手を挙げろ」とは警察や刑事の台詞《せりふ》にも聞こえた。

若い男は、他の二人の同僚と向かい合った。自分たちの制服をじっと眺めている。そうして次の瞬間、彼はカウンターの裏口へ向かって走り出し、豊田が咄嗟《とっさ》のことに啞然《あぜん》としている間に、裏口のドアから姿を消した。

他の二人も同じだった。明らかに彼らは、今逃げた男の上司に見えたが、部下の逃亡を嘆くことも叱咤《しった》することもなく、後を追って走り出した。

えっ、と声を上げてしまったのは豊田のほうだ。

郵便局員の職場放棄ではないか、と拳銃を構えたまま、混乱した。

突然の強盗に対して、全国の郵便局ではそういう指導がされているのだろうか。強盗が現われた場合には、隙《すき》を見て一目散に逃げ出しなさい。そんな対応があるだろうか。まさに目の前の出来事はそうだった。

一斉に職場から逃げ出した。大人しくするとか、強盗犯に逆らわないとか、そういう次元ではなかった。

予想だにしない展開に、豊田はそのままの姿勢で立ち尽くす。「何なんだ」ようやく拳銃を持っていた手を降ろす。

面接官がいなくなった面接会場に、一人で取り残されたようだ。

ゆっくりとカウンターに近づいていく。

両手を突いて、尻《しり》を乗せた。窓口カウンターの向こう側へ降りる。客側のエリアではなく、郵便局員の、すなわち職を有している者たちの敷地に立った。

女性の局員が一人くらいいてもよかったのではないか、と妙なことが気になる。男の郵便局員は拍子抜けするほど腰抜け揃《ぞろ》いで、自分が拳銃を構えた途端に職場放棄をして逃げ出してしまった。

カウンターの内側には、札束が無造作に置かれていた。はじめから豊田がやってくるのを知っていて待っていたかのようだった。

金額としてはたかが知れているが、くくられた一万円札が三つ積まれている。三百万。それがどれほどの金額で、今の自分のやったことに比べて多いのか少ないのか、割に合うのか合わないのか、分からない。

顔を上げると、防犯カメラがあった。慌てて顔を下げる。そうしてから、マスクとサングラスをしたままの顔をゆっくりと傾けて、もう一度ちらと目をやる。

その時はさほど不安はなかった。失業者のまま倒れていくよりは、無計画な強盗でも実行し、防犯カメラに映った顔で警察に捕まったほうがましに思えた。

金をポケットに入れる。

再び窓口カウンターを乗り越えて、出口へ向かう。動揺していたせいか、早足だった。それがいけなかったのかもしれない。気がついた時には足が絡《から》まって、そのまま転んでいた。肩が床にぶつかる。

途端に正気に戻った。転んだ途端、抑え込んでいた臆病《おくびょう》が顔を現わした。自分は何てことをしているんだ、と急激に恐ろしくなる。

必死に立ち上がろうとするが、膝《ひざ》が震えて、うまく立ち上がれない。

床にはポケットに詰めたはずの札束が転がっている。気がつけばサングラスも飛んでいた。

どうにか起き上がり、金を拾おうとしたが、その時に入り口に人影が見えた。

学生らしい男が、キャッシュディスペンサーを使用している。いつからいたのだろうか。男は機械から通帳を引き抜くと、マスクを付けた豊田に一瞥《いちべつ》をくれたが、郵便局の中での強盗劇には気がついていないようだった。

金は諦《あきら》めることにした。もう間に合わない、と判断した。とにかく逃げなくてはいけない。外に出るとまずマスクを取った。

街灯へ急いで駆け寄り、老犬の綱を取る。

犬を連れているのは案外、カモフラージュになるかもしれない、と焦《あせ》る頭で考えた。犬の散歩をしている男が、郵便局に押し入った男だとは思うまい。

「やったぞ。やったが、肝心かなめのところで転んだ」震える声で豊田は、老犬に報告する。「笑うだろ」

ようやく郵便局の見えない通りへ入り込んだ。豊田は静かに溜《た》め息《いき》を吐《つ》き、勇気を出して実行したこの出来事は履歴書に書けないものかな、と考えてみる。書けないよ、と答えるかのように、老犬が吠《ほ》えた。

a life

時速1374キロで日は沈みはじめ、物語はようやく動き出す

3

日の暮れた外を見ていた志奈子は、戸田の顔に目をやった。フォークとナイフを持っていた手の動きを止める。店にかかっている時計は、夜の六時を過ぎていた。

「何だ、どうかしたか？」戸田は興味のない声を出した。皿の上の鴨《かも》肉から顔を上げようともしない。

「戸田さんがどうしてわたしを引き抜いたのか、疑問だったので」

訊《たず》ねずにはいられなかった。無言のままコース料理を食べる気まずいテーブルに、さらに重い話題を載せたわけだ。

戸田はフォークで刺した肉を口に含み、しつこいくらいに噛《か》みくだくと、膝《ひざ》の上のナプキンで口の周りを拭《ぬぐ》った。「聞いてどうする？」

「いえ、ただ、無名のわたしに目をかけていただいて、何が何だか分からなかったんです。戸田さんが相手にするのは、もっと名の知れた画家さんだと聞いていたので」

「そうだな。私は無名の人間に興味などない」悪びれもせずに、むしろ胸を張った。「無名の新人に水をやり、肥料を与え、面倒な手をかけて、花を咲かせるほど気長でも物好きでもない」

志奈子は暗い気持ちでそれを聞いていた。戸田にとっては、画家の才能や絵の魅力に興味などないに違いなかった。情熱だけで画家を育てる小さな画商を見下ろし、彼らが育てた画家たちがようやく蕾《つぼみ》になるのを見つけると、それを上からさっと摘み取っていく。

「うちに佐々岡というのがいただろ？　あいつはまさにそういう無駄なことが好きだったんだ。物好きというんだな、ああいうのを。新人画家に目をかけ、苦労して育てようとする」

志奈子は、佐々岡にはじめて声をかけられた時のことを思い出した。友人の貸し画廊で開いた、小さな個展をたまたま観《み》にきた彼は、「いい絵だね。その気があれば私のところに電話をしてください」と名刺をくれた。

あの時受け取った、あの名刺ほど嬉《うれ》しいものはなかった。

「結局、佐々岡は、私を裏切って独立しようとした。そうして負けたわけだ」

「裏切るつもりはなかったんじゃないですか」志奈子はぼそぼそと答える。「佐々岡さんは、自分で責任を持って、画家を育てたかっただけなんですよ」

あの時、戸田は徹底的な行動に出た。佐々岡が親しくしていた画家全《すべ》てに連絡を取り、必要な場合にはわざわざ出向いて、説得を試みた。契約料の上乗せを露骨に持ち出し、それでも納得しない画家たちには、「業界は狭い。今後はうまくやっていけないだろうな」と脅してみせ、全員を抑え込んだ。

志奈子は金でなびいたわけではなかった。どちらかと言えば、「あんたの絵はきっと世界に通用する」などという陳腐この上ない言葉に乗せられたのだ。

最後の最後、志奈子に電話をかけてきた佐々岡の声は震えていた。「君も、戸田さんのところに引っ張られたのかい」と言った。「ええ」と答えると、彼は取り乱しそうになるのを必死に堪《こら》えながら、「そうか」と呟《つぶや》いた。そうか、そうか、と。

志奈子は謝ってはいたが、自分のステップアップのためには舞台を選ばなくてはいけないのだ、と半ば納得していた。これは必要な手続きなのだ、と。

ただ、電話の切り際《ぎわ》、彼が、「君の絵はこれからもっと良くなる」と言ったのが心に残っている。

「あの男は今どうしているのか、知っているか？」と戸田が言う。

さあ、と志奈子は首を振る。知るわけがなかった。

戸田は愉快そうにフォークで鴨を刺すだけだった。

レストランのドアは、志奈子の正面にあった。店員が力強く引かない限り、なかなか開かない重い扉だった。それが急に開いた、と思うと同時に、奇声が上がった。

中年の男が突然店内に入ってきた。濃い緑色のジャケットでネクタイはない。泥の付いたスニーカーは踵《かかと》も潰《つぶ》れていた。品格で判断すれば、店に相応《ふさわ》しくないのは一目《いちもく》瞭然《りょうぜん》だった。髭《ひげ》の剃《そ》りあとが目立つ。目のふちが赤い男だ。四十代の前半だろう。

「あ」と志奈子が声を出したのは、男が志奈子たちのテーブルに迫ってきたからだった。

戸田の背中を見つけて男は、突進してきた。走って向かってくるわけではないが、正常ではない迫り方だった。

戸田は店内が騒然としはじめたのを気にも留めず、皿の上の料理を楽しんでいる。

男の手元に刃物が見えた。

悲鳴が上がる。志奈子は自分の上げた悲鳴だとも気がつかなかった。口を両手で押え、その場で立ち上がっていた。椅子《いす》が倒れる。

周りのテーブルでも悲鳴が起きた。慌《あわ》てて転ぶ客が何人かいる。

ウェイターたちが顔を蒼《あお》くしていた。刃物を持った男が何ごとかを叫んだ。戸田が刺されたのかと思った。志奈子はその場に座り込んでしまった。怖くて、なかなか立ち上がれない。戸田の背中が刺されて血だらけになっているのを想像した。それこそ鴨にかかったオレンジソースのように、たっぷりと血が流れている気がして恐かった。

身体《からだ》を起こすと、予想もしなかった情景があった。

戸田は顔色ひとつ変えず、むしろ愉快げな表情すら見せて、ワイングラスに口をつけていた。立ち上がった志奈子を見ると、目を細め、「見てみろ」と自分の後ろを指差した。

戸田の背後で、刃物を持った男が呻《うめ》き声を上げながら、もがいている。二人の背広姿の男たちに取り押さえられ、しっかりと床に押しつけられているのだ。

取り押さえている二人の男たちは、先ほどまで隣のテーブルで食事をしていた。

こういう事態に慣れているような、動作だった。

見透かしたように戸田が口を開く。勝ち誇っていた。「金で買えないものはない。そう言っただろう？　安全だって買える」またワインを口に含む。飲んでから、「後ろの男たちはこういう時のために雇っている」

「い、いつから」

「さあな。ずっといたんだろ。私には興味がない。安全さえ確保してくれればそれでいい。そういう契約だ」

また、男たちを見る。背広のせいか筋骨隆々の体格には見えなかったが、無表情に男を押さえている姿は、専門家と言われたほうが納得がいく。あまりに手際が良すぎた。

戸田は背後で行われていることに無関心だった。ポーズとも見えない。心底、興味がないのだろう。志奈子はその姿に現実味も感じられず、目が眩《くら》んで、椅子に座った。

周りのテーブルはまだ騒然としている。視線が志奈子たちに、集まっていた。

黙って料理を楽しめないのか、と戸田が苦々しい顔をした。

暴漢は二人の男に抱きかかえられて、外へ連れ出されていく。顔が見えた。弱々しい顔だ。学力が高いとは見えなかったが、その分、悪い企《たくら》みを抱き、人を陥《おとし》れて利を得ようとする男にも見えない。

「戸田」と男が叫んだ。引《ひ》き摺《ず》られながら、刃物を取り上げられた男は、「おまえ、家内に何しやがったんだ」とドアから締め出される直前にそう言った。

戸田の顔は今度は無表情ではなかった。微笑《ほほえ》んで口元をナプキンで雑に拭《ふ》く。鴨の肉が美味《うま》くて笑ったのか、男の言葉に笑ったのか、分かりづらかった。

「今の男、なるほど、声で分かった」と満足げに肯《うなず》く。

「あれは誰ですか？」

「どこかの芸能事務所の社長だよ。さほど大きくない、景気の良い時に、勢いだけで生まれた事務所だ。金で困っているらしい。一ヶ月も前に私のところに来た」

「資金援助を申し出に？」

「頼みにな。みんなそうだよ。頭を下げて、どういうわけか、金を出さないと私の損になるような言い方をする。馬鹿《ばか》げている。私は他人の会社を利用して儲《もう》けるつもりはない。先見と決断、それで道を拓《ひら》いていくだけだ」

「貸さなかったんですね」お金を貸してもらえなかった腹いせに、ナイフを持って襲おうとしたのか。大袈裟《おおげさ》と言えば大袈裟だ、と志奈子には感じられた。

「いや」と戸田はそこで口の端をわずかに上げた。「あの男がな、妙な取り引きを持ち出したんだ。事務所のな、若い女、タレントと言うのか、それを一晩好きにしても良いと持ちかけてきた。女を宛《あて》がうから、金を出せと言うわけだ」

「はあ」志奈子は曖昧《あいまい》に肯く。陳腐で身勝手な戦略だと感じた。

「それでだ、私は、そこで思ったわけだ」戸田はやはり嬉しそうだった。ワイングラスに手をやり、「金で何でも買えるのだから、あの男の大事にしているものでも買ってみるかとな」

「大事なもの？」

「あれは愛妻家らしい。笑わせるがね。調べさせたんだ。あの男は、事務所の女はこき使うくせに、年を食った自分の妻は大事にしているらしくてな、で、金を餌《えさ》に私から提案した。『おまえの妻を一晩、貸せば、資金は出そう』」

志奈子は呆《あき》れてしまった。聞かなくても結果は分かった。悩んだにしろ、あの男はその提案を受けたに違いない。

目先の金策に困るあまり、幾百もの理屈と言い訳を並べ立てて妻と自分を納得させたのだろう。

確か映画にもこんな話があった、と志奈子は思い出す。アメリカの大富豪が、大金と交換に若い夫婦の妻を一晩拘束する話だ。けれど、あの大富豪はスマートなロバート・レッドフォードだった。紳士的に見えた。目の前の、肥えた自尊心を隠そうともしない還暦過ぎの男とは、きっと違う。

「な、何をしたんですか？」喉《のど》が渇いて、志奈子もワインに手を伸ばした。

戸田は、「ああ」と言った。太い眉《まゆげ》毛を上げた。「さっきの男の興奮ぶりを見れば分かるだろう？　せっかく借りた女なのだから、思いつく限りのことをさせてもらったよ。夕飯を食わないうちから裸にして、薬を与え、彼女が生まれてこの方味わったこともないセックスを繰り返した」

平然とした言い方だった。しばらく声が出ない。少ししてから、「戸田さんが、ですか？」と訊《き》けた。

「私にそんな元気があるか？　雇えばそんな仕事をする男はいくらでもいる。最初は参加し、後は鑑賞していた。一晩は短い。あっという間だ」

志奈子は目に涙が浮かんだ。どういうわけか悔しさが滲《にじ》み出てきた。

戸田は愉快げに、「ひどいか？」と言った。

「え、ええ、まあ」

「ただ、それを実際に私がやったかどうかは別だ。あの男は、私がやったと思い込んでいるが」

「え？」

「私が、あの男の妻を拘束して、今言ったことをしたかどうかは分からない。ただ、あの男がそう思ったのは確かだ。あの女は何も覚えていない。ただ、そうされたかもしれない、と思っている。起きたら裸でベッドの上だったからな」

「どういうことです？　戸田さんは何をしたんです？」そうして何をしなかったのか。「妻は何をされたのか。何をしたのか。あの男は妄想やら想像やらで悩んだんだろう。人の想像は悪いほう悪いほうへと広がっていく。愉快だろ。妻に聞いても覚えていない。馬鹿な奴《やつ》だ。私はそれを楽しんだだけだ。人の想像力を弄ぶのはそれなりに楽しい」

男は結局、半狂乱となりナイフを持って、戸田を襲おうとした。

「私がここに来るのをどこかで聞いたんだな。そういう意味では情報がどこかから漏れたことになる。それは忌々《いまいま》しい問題だが、まあ、あの男の恥知らずさと言ったらないな。金を借りて、しかも私を襲おうとした。どっちがひどい」

あのロバート・レッドフォードの出ていた映画の結末を忘れてしまっていた。最終的に若い夫婦はハッピーエンドとなったのか。「さっき言ったようなことは、結局はあの男の妄想なのですか？」

「いや、実際に私がそういうことをやった可能性も否定できない」

「どっちなんですか？」

「なぜ、それをおまえに言わなくてはいけない？　私が実際に、人妻を複数の男たちに襲わせたとしてもそれはそれでおまえには関係がないだろう」

「ですが、どっちなんですか？」

「どっちでも大差ない」と戸田はぶっきらぼうに言った。「金で買えないものはない。それだけだ。私は何でも買おうと思えば買えるし、買いたいものは買う。他人の人生や愛情も、想像力や生活の平和すら買える」

次はデザートか、と戸田は、ウェイターに確認をしている。

黒澤は廊下に足音がしたのに気がつかなかった。何という失態だと顔を歪《ゆが》めた。

室内の電気は消えたままで、黒澤は簞笥《たんす》の引き出しを開けているところだった。慣れた手つきで中を探っていると、部屋の蛍光燈《けいこうとう》が突然、点《つ》いた。

「な、何をしている」開けっ放しになっていた部屋のドアのところで声がした。

振り返ると男が立っていた。黒澤と同年代の男で、働き盛りの会社員に見える。鞄《かばん》を脇《わき》に抱え、部屋の入口に突っ立っていた。

廊下の電気が点いた時点で、人が入って来たとどうして気がつかなかったのだろう。黒澤は内心で舌打ちをしていた。プロの泥棒としては恥ずかしい落ち度ではないか。

ゆっくりと立ち上がり、灯りに慣れはじめた目を瞬《しばた》いて、入ってきた男と向かい合う。相手の姿を確認する。見たことのある男だった。多少、芝居がかっていたが曖昧に両手を挙げた。抵抗する意思のないことを示してみせる。

男は、「何をしている。私の家で何をしている」と言った。近づいてこようとはしない。男も動揺しているに違いなかった。ドアを開けて入ってきたら、予期せぬ先客が暗い部屋の中で箪笥をいじっていたのだから、慌てるのも当然かもしれない。

手を挙げながらも黒澤は、男を観察した。顔がにやけてしまう。

それにしても両手を挙げてばかりの日だった。昼間は昼間で、老夫婦の拳銃強盗に遭い、「動くな」と脅された。夜になったらなったで、マンションに入って来た男に見つかり、非難されようとしている。何をやってもうまくいかない日はあるのだな、と感心してしまった。

老夫婦に金を渡してしまい、その埋め合わせをしようとしたのがそもそもまずかったのだろうか。

黒澤は相手の姿を眺めながら、反省をする。いや反省と言うよりは、自分の置かれている状況を上から眺めている感覚だった。

紺のダブルのスーツを着た男は冷静を装《よそお》うとしてはいたが、明らかに慌てていた。

目が泳いでいる。その場から逃げ出したいのだろう、足を落ち着きなく何度も踏みかえていた。黒澤は笑うのを堪《こら》える。

「お、おまえは誰だ」と男が言った。

「泥棒だ」黒澤は手を挙げたまま、不敵さを唇の端に浮かべながら、そう答えた。

男の表情を観察した。顔色の微妙な変化も見逃すものか、と見つめる。「おまえはこの家の主人かい？」知っているくせに黒澤は訊《たず》ねてみせた。

男は、黒澤の堂々とした態度に鼻白んでいる。泥棒のくせに、と感じていたのかもしれなかった。空き巣に入った部屋で、家の主人と鉢合わせする失態を演じたにもかかわらず、何を居直っているのだ、と。

どうしてくれようか、と黒澤は頭を働かせる。

「何を盗《と》った？」男が威厳を見せようと、低い声を出した。

「仕事はこれからだった」

目の前の男について知っている情報を、頭の中で確認する。

「さっさと出て行け」

「警察を呼ばないのか？」黒澤は、相手が警察を呼ばないだろうと高をくくっている。

今なら見逃してやるから、と男はそう言った。

黒澤はゆっくりと両手を下げる。あまり慌ててはいなかった。むしろ、落ち着いているも言って良かった。たまにはこういうことがあっても良い。幸い、相手の男は突然の事態にヒステリックな声を上げて、飛びかかってくるとも見えない。

「話をしないか」と言ってみる。

「何を言い出すんだ」

「泥棒は雑談が好きでね」

男が怯《ひる》んだ。男としては、「立場をわきまえろ」と黒澤を非難するか、さもなければ、今度こそ警察を呼ぶぞ、と電話機を探して脅すべきだった。

無言の間があった。黒澤はそれをにやにや楽しんでいる。

「よし」黒澤は人差し指を立てて、男を正面から見た。「人間観察ゲームと行こう」

男の顔が曇る。

「泥棒にとって一番大事なのは、手先の器用さでね、次が人間観察なんだ。肝心なのは観察力にある。相手を一瞥《いちべつ》しただけで、その素性から性格、今までの人生を想像できるくらいじゃないといけないわけだ」

「それがどうかしたか」男が落ち着かなくなるのが分かる。

「俺が今から、おまえのことを当ててみせるよ。どういう人生を送って来たのか。面白いだろう。余興だ。警察を呼ぶのはそれからだってできる。俺は危害を加えるつもりは毛頭ない。ポリシーなわけでね。ただ、立派な会社員に迷惑をかけたのだから、余興の一つでもやってあげたいんだ」

な、何を言うんだ。また男は吐き捨てたが声は小さかった。

「次男だろ」構わず黒澤はそう言い放つ。「おまえは次男だ。年は三十代半ば、俺とおなじくらいだな。出身は宮城県」

男がまばたきを多くしていた。「それがどうかしたか」と強がりを半分見せながらも言う。「それくらいのことは免許証なり、何らかの証明書を見ればすぐに分かる」

「まだまだこれからだ」黒澤は嬉《うれ》しそうに笑う。「煙草《たばこ》は吸わない。そうだろう？」

「吸わない」男がつまらなさそうにうなずいた。部屋に灰皿がないのだから当然だ、と言わんばかりだった。

「最終学歴は国立大学卒業」

「それもちょっと調べれば分かる」男の顔が少し青くなる。

「文系。経済学部」

「そ、そうだ」

「真面目《まじめ》で講義にはいつも出席して、自分以外の誰もいない講義室でも、丁寧にノートをとっているタイプだ」

「かもしれない」

「風邪などひいて欠席せざるをえない時があると、大慌《おおあわ》てだ。その日の講義がどんな内容だったのか、ノートを手に入れることはできないのか、あちこちを走り回って調べる。完璧《かんぺき》主義と小心者の合併症だな」

男は歯を食いしばっているのか、何も言い返してこない。

黒澤は、黙ったままの男を見ながら笑みを浮かべた。「女との交際も同じだ。ようやくデートに誘った同級生をレンタカーに乗せて、ドライブに出かけるが、それも前日に立てたタイムスケジュール通りにこなさなくては気が済まない。不安でね。集合時間、出発時間、車の中での話題、立ち寄る喫茶店とそのメニュー。全部、自分の計画通りでないと不安で仕方がない」そうしてから何度目かの、「そうだろう?」を口にした。

男の顔は、焦《あせ》りはじめている。

黒澤は話を止《や》めない。「まだまだ、分かるな。胡散臭《うさんくさ》い占いのお婆《ばあ》さんじゃないが、おまえを眺めていると次から次、過去が見えてくる」

「見えるのか?」相手は霊媒師を見る顔になった。

「見えるとも」黒澤は機嫌良く答える。「観光地の山へデートで行ったことがあるだろう？　蔵王《ざおう》か。観光名所を見るつもりだったのが、行ってみると山には霧がかかっていた。十メートル先も見えない始末だ。計画なんてものは、大抵そんなことで潰《つぶ》れちまう。観光も何もあったものじゃない。おまえは大慌てだ。結局、霧の中、山道をぐるぐると迷って気がついた時には知らない場所に出ている。おかげで、助手席の彼女は車酔いに参ってしまう。山道を行ったり来たりしたんだからな。吐き気を催して最低の気分になる。レンタカーを汚してはいけないと気を遣ったんだろうな、突然、車のドアから飛び出した。カーブの車道へ転がった。ごとごとと彼女が転がり出たんだ」可笑《おか》しくて黒澤は声を立てて笑った。「いや、笑っちゃいけないか。まあ、幸いおまえの運転する車はスピードを落としていた。女は飛び降りたが、擦り傷と捻挫《ねんざ》くらいで済んだ。ただ、その時はパニック状態だったろうな。おまえの計画表には、『彼女が車から飛び出した場合』なんていう項目は載っていない」

「な、何を」男が吃《ども》った。

「てんで的外れか」

「何で知っている？」

「分かるもんだよ。人を観察すればそれくらいの過去は分かる。卒業式のことだって分かるさ」

「卒業式？」

「大学の卒業式だ。おまえは卒業式に参加していない。そうだろう？」

男は眉間《みけん》に皺《しわ》を作った。

「していないはずだ。その日はスタンリー・キューブリックの、『２００１年宇宙の旅』を観ていた」

相手が内心で悲鳴を上げるのが、聞こえるようだった。

黒澤は続ける。「リバイバル上映の最終日だ。仙台の小さな劇場であの映画を一日中、観ていた。『２００１年宇宙の旅』をな。おまえはその映画を以前に見ているにもかかわらず、また劇場に足を運んだわけだ。あの映画に、キューブリック本人が出演しているのを確認しに行った。そうだろう？」

「あ、あれは」咄嗟《とっさ》に男は反論するが、はっと口を押さえた。「どうしてそれを知っているんだ」

「おまえは同級生の男からそう聞いたんだ。『あのキューブリックがちょい役でこっそり出ている』とな」黒澤は可笑しくて仕方がなかった。「いつキューブリックが画面に出てくるのか見逃すまいと、おまえはまばたきすら我慢して観ていたわけだ。さぞかし有意義だったろうな。一日中、映画館であの退屈な映画を観ていた。で、卒業式は欠席だ」

男は返事をするのを躊躇《ちゅうちょ》している。このまま目の前の空き巣を喋《しゃべ》らせておいて良いものか考えていたのかもしれない。

「おまえ、友人と賭《か》けをしなかったか？　二十一世紀になったら、人間はあの映画のように木星へ旅行しているのかどうか」

男の表情がそこでようやく変わった。怯える目に怪訝《けげん》さが浮かび、目を細めると、改めて照準を合わせるように黒澤の顔を凝視した。

黒澤は優しい顔になって、男をじっと見つめた。「おまえは『二十一世紀になったら、人は宇宙に旅行しているだろう』なんてすっかりその気になっていた。だから俺は言ってやったんだ。『あんなキューブリックの映画を観たら、宇宙なんて退屈で眠いだけだって気がつく。行く気も失《う》せる。宇宙船の中で延々とジョギングしてるんだ。あれほど眠くなる映画はない』ってな」

「あ」男はようやく声を上げた。

とっくの昔に封印した記憶を、あらためて引っ張り出している顔になった。「黒澤？」としばらくしてから言った。「黒澤なのか？」

男の顔が自然に綻《ほころ》んだ。強《こわ》ばったまま決して緩まないように見えた男の表情に、何十年ぶりかに笑顔が浮かぶようだった。

黒澤はそれを喜んだ。「久しぶりだな。佐々岡」と男の名を呼ぶ。

予期しない再会に、男は口を開けて驚いていた。駆け寄って抱き合うこともなければ、握手を交すこともなかった。ただ、向かい合って照れくさそうに笑っていた。三十過ぎの男たちが再会を喜ぶのに苦笑いは相応《ふさわ》しかった。

佐々岡がしばらくしてから口を開いた。「キューブリックはおろか、映画などすっかり忘れていた。ところで、あれは嘘《うそ》だったのか？　キューブリックは映画には出ていなかったのか？」

「昔のことはもういいじゃないか」と黒澤は言った。


河原崎はすっかり暗くなった道を西へ向かってひたすら歩いた。

一人きりの自宅で膝《ひざ》を抱えていることもできず、家を飛び出していた。落ち着かなかったのだ。

国道四十八号の細い歩道を黙々と進む。くねくねと曲がる道を、まるで先の見えない自分の人生のようだと感じながら、進んでいた。緩やかに下っていくところなどはさらに似ていた。

自分が向かっている先がどこであるのか、そこで気がついた。葛岡《くずおか》の霊園、父の墓だ。

大きなカーブがつづいた。曲がりきる前で、唐突に向こう側から車がやってきたりすると、そのたびにぞっとした。

住宅地を通り抜ける。

目の前を黒い猫が通り過ぎた。鈴の音が鳴った。首輪に付いているのかもしれない。真っ黒の猫は立ち止まると一瞬、河原崎と目があった。「ミケ！」と走ってきた女の子が呼んでいた。黒猫にミケという名前もあるまい、と思った。

黒猫はしなやかに車道を駆けていった。きょろきょろとあたりを見回して走る猫は、誰かを捜しているようにも見えた。まるで自分の命を救ってくれた恩人の姿を、必死に見つけようとしているようだ、と河原崎は思う。

四十分は歩いていたのではないだろうか。次第に道は直線になり、民家が減り、単調になった。右手の山道に上がっていくと、そこが霊園だ。

三年前に行われた父の葬儀は、いたって小規模だった。まさに儀式的に行われた。死に方が死に方だっただけに、大勢に顔を見てもらうわけにはいかない、と母はそればかりを気にしていた。

河原崎は、十七階から飛び降りて潰れてしまった顔を、よくぞあそこまで復元できるものだと化粧屋の技術に驚いたが、それでも母は父の姿を見られることを嫌がった。あれは父ではない、とまで言った。

覚悟していたよりも墓が荒れていなくて、河原崎はほっとした。泥がこびりつき、周りの砂利には雑草がいくらか生えてはいたが、父に申し訳ないと罪悪感を感じるほどではない。周囲を見ればその程度の墓はあちこちに見えた。花を挿す。霊園の入口の花屋で一束五百円で売っていたものだ。そもそも父は花が好きだったのだろうか。

墓石を前にして、しばらく突っ立っていた。黒光りした固そうな石には父の面影などなかったが、それでもじっと向き合う。

「何か話せよ」声がした。

正確には、声がした、と感じただけだった。驚いて周囲を見る。はっきりとした声ではなかったが、嗄《しわが》れた声が響いた。誰もいない。もう一度、左右を確認する。一歩下がり、墓石を眺めてみた。ぼんやりと父の姿が浮かび上がっているように見えた。まばたきを繰り返す。頭が混乱している。無意識では父と会話がしたいのかもしれない。

「父さんかい？」と訊《たず》ねてみる。河原崎は話をすることにした。幻聴ならむしろ幸いだ。「最近こういう話を聞いたよ。災害が起きた時、例えば大地震だとか竜巻だとかね、そういう時に親が落ち着いていると、子供はトラウマにはならないらしいんだ。反対に、親がパニックになって大騒ぎすると、助かったとしても子供には精神的な傷が残るらしい」

「何が言いたい？」父の声はそう言った。くすくすと笑っているようにも聞こえた。

「親がしっかりしてれば子は元気だってことだよ」

「俺が逃げ出して死んじまったから、責めてるのか？」

「まあ、そうだよ」

「おまえは小さな子供じゃねえだろうが」

自分の臆病《おくびょう》を隠すために、身近な者の前では乱暴な口調になる、まさに生前の父の喋り方そのものだった。

河原崎は黙った。溜《た》め息《いき》も吐《つ》いた。父とこんな話がしたくてやってきたのだろうか。

「宗教に逃げるんだよ」と声は言った。断定する言い方だった。「おまえみたいな奴《やつ》は大抵、宗教に逃げ込むんだ」

「そんなことはない」河原崎は若干、むきになって答える。

「おまえはあの、『高橋』なんていう男を崇《あが》めているんだろう？　ろくに知らない男のことをだ。ほらみろ、宗教へ逃げてるじゃねえか」

ぎくりとした。

確かに自分は、「高橋」のことを知らなかった。ろくに正体も分からない他人に心酔していたのか？　盲目的に崇めようとしていたのか？　何も知らないのに？　それは夭逝《ようせい》したシンガーソングライターの熱狂的なファンや、教祖様のもとに群がる新興宗教の信者と同じではないか。「宗教じゃない」自分自身の疑念を払うように言う。

「何を言うんだ」声は笑っていた。「おまえこそが、妙な宗教にうつつを抜かす、正真正銘の間抜けな信者の見本じゃねえか」

河原崎は小声で反論をした。「違う」と。宗教団体とはまるで違うのだ、と河原崎は上擦った声になる。周辺の人間たちは、マスコミのコメンテーターを含め、皆が皆、口をそろえて、「高橋」のことを、「教祖」と言い、講演に集まる河原崎たちを、「新興宗教」と呼んだ。表立って反論したことはないが、河原崎はいつもそれに違和感を感じていた。「信者」と呼ばれることにはさほど抵抗はなかった。「信じる者」であるのは間違いがなかったからだ。けれど、新興宗教とは違う。あんなものと一緒にしないでくれ、とつねづね不満に感じていた。

「ただの人間を神様だとか言ってる時点で、れっきとしたカルトだろうが」

「父さんの言い方だと人は、神様なんて信じてはいけないようだ」

笑い声がした。「俺は見たぜ」

「何を？」

得意げに聞こえた。「十七階から飛び降りた時だ。あの地面に落ちていく瞬間、どんどんアスファルトが近づいてくるんだ。自転車置き場の錆《さ》びた屋根だとか、ごみ捨て場に集まる烏《からす》の嘴《くちばし》だとか、はっきりと見えた。で、その時に目の前をよぎったんだ。何がよぎったか、分かるか？」

「だから何がだよ」

「蚊だよ」

「カ？」

「あの、足が長いアメンボみてえのがいるだろ？　あれが目の前をすうっと通っていったんだ」

「それが神様だとでも言うのかい」河原崎は馬鹿馬鹿《ばかばか》しくて声を荒らげた。

「俺には分かったんだよ」

「どうして蚊が神様なんだよ？」

「死ぬ前に見た。その瞬間、俺には分かったんだよ。あれこそが神で、他のは全部嘘っぱちだってな。おまえが今、信じているのは全部嘘だ」

「僕が何を信じているって言うんだ」

「言い方を変えてもいい。おまえが今、疑っているものも全部嘘だ」

「蚊とは関係がないだろう」

「蚊ってのは普通、樹液やら血液を吸うんだろう？『ちゅう』ってな。『ちゅう』って言えばキスと同じだろうが。神様の役割ってのは本来、あらゆる人間にキスしてやることじゃねえのか」

河原崎は何も言い返さなかった。その、半ば狂人の屁理屈《へりくつ》とも言えるこじつけは確かに生きている時の父のやり方と似ていた。

「蚊なんて、人がいつも無造作に両手で潰《つぶ》しているだろうが。神様も意外にそんなもんなんだ。近くにいる。人はそのありがたみにも気がつかず、平気でぱちんぱちん、叩《たた》いて殺しちまっている。神をな。それでも奴らは怒りはしない。神様だからだよ。

潰される瞬間、『またか』なんて笑ってしまうくらいだろうよ。俺たちが日常的に殺しちまっているもの、そういうものに限って神様だったりするんだ」

河原崎には父の声が現実のものに聞こえた。今でもあの赤いキャップ帽を被《かぶ》り、どこかをうろついているのではないかとさえ思えた。

「何が言いたいんだい？」

「『目を開けろ』」

目を開けたら、国道四十八号に戻っていた。

時間も経《た》っていた。霊園での出来事は現実だったのかどうか分からなかった。父と会話をしたのだろうか。霊園自体に到着したのかどうかも疑わしい。

霊園まで行かず、四十八号を適当なところでUターンしてきただけじゃないか、とも感じられた。ぼうっとしながら河原崎は国道を引き返す。

いつの間にか決心をしていた。

足は大学病院へ向かっていて、気がつけば駐車場を探していた。敷地内をうろつき、車の出てくる方向を探す。銀のオープンカーを探すのはさほど大変ではなかった。

塚本は、河原崎の顔を見つけると、腕時計に目をやった。そうしてから笑顔になった。

「やります」と河原崎は言った。

塚本が深刻な顔でうなずいた。「さあ、乗れよ」と助手席のドアを指差す。

「高橋さんは死んだ」エンジンをかけるどさくさに紛れ込ますように、塚本が言った。「けれど、俺たちはこうして生きている」顔を歪《ゆが》めて、苦しそうだった。「神が死んでも俺たちは死なない。どういう意味か分かるよな。証明は終わった」

自分でも驚くほど、河原崎は、塚本のその台詞《せりふ》に取り乱さなかった。唾《つば》をゆっくり慎重に飲み込んだだけだった。

「きっと蚊ですよ」と呟《つぶや》いた。車が加速して、声は掻《か》き消された。

「何か言ったか？」

「いえ」

河原崎はもう腹を決めていた。父の言うことが無茶苦茶であるのか、正しいのか、それは、「神様」である「高橋」を解体してみれば分かるのだ。

気を落ち着かせるために助手席で目を瞑《つむ》る。どこに行くんだろう、と思った。何が起きるんだろう、と胸に手をやった。

「さあ、着いたよ」

それは父の声かとはじめは思った。どれくらいの間、車に乗っていたのかも分からない。一瞬のうちに移動してしまった気もした。

連れて行かれたのはマンションだった。エレベーターを降りると、マンションの隣が、林であることが分かる。塚本が鍵《かぎ》を開けるのを待つ間、河原崎は自分の心臓が強く鳴っているのを、遠くで鳴る警鐘のように感じていた。

「入ってくれ」と塚本が言った。玄関で靴を脱ぎ、中へ入る。まず真っ先に気がついたのは、部屋の中から音が聞こえてくることだった。ピアノだ。玄関からリビングに続く廊下が、異様に長く感じられた。

正面に、リビングへのドアがあり、手前に開けると、塚本は無言のまま部屋の奥へと入っていく。二十畳近い広さの部屋だった。奥はキッチンと繫《つな》がっている。

部屋の隅にテレビとステレオが置かれているだけで、殺風景だった。リモコンが転がっている。透明のビニールシートが部屋に敷かれていた。河原崎の靴下はそのビニールを踏んでいる。そうしてその中央にそれがあった。裸の男が姿勢良く天井を見つめて、横になっている。

河原崎は、塚本と向かい合って立った。二人の真ん中に色白の死体が横たわっている。神が死んで倒れている。河原崎はそう思った。

「名探偵」「神」「天才」などと陳腐な言葉をどれだけ並べても決して色褪《いろあ》せない、美しい人が、裸の死体となって寝ている。

しばらくの間、動けない。

「神を解体する」塚本が言った。

「整理するわよ」喋《しゃべ》りながらも、下腹部には相変わらずの尿意があって、京子は落ち着かない。「あなたは車で人を轢《ひ》いた。これは間違いないわね。死体は男で、ちょうど目の前のそこにある」

「ああ」青山は神妙に顎《あご》を引いた。「何だか若い男だ。三十代も前半かもしれない。働き盛りだ」

「選択肢はいくつかあるわ。一つ目、このまま死体を放って、わたしたちは先へ進む。で、あなたの妻を殺す。二つ目、警察に駆け込む。今なら殺人を犯したわけでもないから、正直に出頭すれば救いはあるわね、きっと。ここの道は幅も狭いし、暗いし、あ、でもどうしてこんなことになったのよ？　あなた、前を向いて運転してなかったの？　この男が歩いているのに気がつかなかった？」

「分からなかった。いや、前はずっと見ていたはずだ。確かに考えごとはしていたけれど、歩行者に気がつかないほどじゃなかったはずだ。もしかしたら、あの男が飛び込んできたのかもしれない。そうだ、ああ、それは考えられる。車に飛び込んできた。俺の車はただのとばっちりで撥《は》ねた」

都合の良い解釈には聞こえたが、京子もその可能性は否定できなかった。

「自殺かもしくは事故、確かにそうね。ありえるわ」

「俺は無罪だ」

「無罪とは言えないにしても」青山の単純さに呆《あき》れながら、「彼にだってかなりの過失はあるはずよ。きっと警察に届け出てもひどいことにはならないわ」

しばらく彼は考えていた。ようやく口を開くと、「もし仮に俺が警察に出頭したら」

「きっと罪は軽いわ」

「いや、そうじゃなくて」珍しく彼は声を荒らげた。「もし、そんなことになったら俺はチームを馘《くび》になるんだろうか？」

そこでようやく、青山の気にかけていることが何なのか分かった。罪の軽重や過失の割合や相手の家族などよりも、とにかく自分がサッカーを続けることができるのかどうか、それが唯一《ゆいいつ》の気がかりなのだろう。青山はようやく来季の契約が決まりかけているところだった。

悩んでいる青山を、京子は楽しんでいた。身体《からだ》は頑丈でありながら、子供じみて、臆病で、無知な人間が、京子には可愛《かわい》らしかった。筋肉を備えた無知をなじり、自分の思うがままに従わせることが最高の快楽だった。

「当然でしょうね」京子は軽々しく答えた。「きっとマスコミはあなたを喜んで取り上げるわ。二部リーグと言っても、サッカー選手が人身事故を起こせば、小さな記事には持ってこいよ。そうなったら、あなたのチームはまず間違いなく契約を切るわ。清々《すがすが》しいくらいきっぱりと切るでしょうね」

「やっぱりそうか」

「可能性としては高いわ」

「どうしたらいい？」

京子の中では答えが出ていた。実際、あの衝撃が起きて、身体がシートベルトに引っ張られた時から、腹は決まっていた。

「そんなの決まってるじゃない。隠すのよ。事故があったことも死体も」

「本気か？」青山はとうとうその言葉を耳にしてしまった、とおののくようだった。

「あなたもそう思っていたでしょうに」

「俺は」

「言っておくけど、さっきからあなたの口から、轢かれた、『彼』に対する謝罪や心配の言葉は一度も出てないわよ。『どうしよう』と、『サッカー』のことだけ」

「それは」

「『彼』にも親がいるだろうし、兄弟もいるかもしれない。結婚している可能性もあるし、子供はまだ小さいかもしれない。それをあなたの不注意で台無しにしてしまったのよ。分かってる？　自分のしたことの重大さを。奥さんはきっと慣れない仕事で稼ぎはじめなくてはいけないだろうし、子供は、父親とは永久に会えないのよ」わざとなじる言い方をした。

青山はやっと罪の意識を感じることができたのだろうか、潰れたバンパーを手で触りながら、苦しそうに顔をしかめた。本当に単純な子だわ、と吹き出しそうになるのを堪《こら》える。

「どうすればいいんだろう？」

「どうもこうもないわ。あなたは何人かの人間の幸せをあっという間に潰しちゃったのよ」

「じ、自首しよう！」青山が声を上げた。回りに聞こえるのではないか、と京子は慌《あわ》てた。「馬鹿なことを言わないで。わたしは、あなたが自分のことばっかり気にしているから言ってみただけよ」

「京子はどうしたいんだ？」

「よく考えてみてよ。あなたが自首したとするでしょ。メリットは何？　誰が幸せになるの」

「そりゃあ、遺族が」

「遺族が何よ？　喜ぶとでも言うわけ？　お父さんが、旦那《だんな》が、轢き殺されたと分かって喝采《かっさい》するとでも思うの？　あなたという加害者を見つけて憎みはするでしょうけど、感謝はしない」

「だったらどうすればいい」青山は明らかに混乱していた。「このまま死体を置いて逃げても、それこそ誰も幸せになんてならない。そうだろ？　轢いた犯人も分からないんだから、怒りのやり場すらない」

「事故が起きたことにする。でも、轢いたのはあなたじゃない。これはどう？」

「どういうこと」

「あなたが自首することはないわ。そのかわり、その彼には、この車に乗って海にでも突っ込んでもらうのよ」

「え？」

「いい？」と京子は念を押した。「わたしたちはあなたの奥さんを始末する予定なのよ。ということは、あの男とあなたの奥さんを心中に見せかけることもできるはずよ。そうでしょう？　二人をその赤い車に乗せて、海へ落とす。二人は不倫関係にあったことにすればいいじゃない。溺死体《できしたい》はそうそう簡単には浮かんでこないんだから、出てきた時には死因がクルマと激突したものかどうかなんて分からなくなるわ」

青山は口をぽかんと開けていた。

「もう一度言うわよ。あなたの奥様と心中したように見せかけるの」

京子は頭の中で自分の立てた即興の計画を何度かなぞってみた。悪くなかった。

「そ、そんな都合良くいくかよ」

「大丈夫よ。この死体はどうせ車とぶつかった痕《あと》しかないんだから。そんなの海に落ちる時にできたかどうかなんて区別つかないって」

「でも、さっきの京子の言い方を借りれば、そんなことをして誰が幸せになるんだ？」

京子は目を輝かせる。「ほぼみんなよ。いい？　あなたとわたしは轢き逃げの罪から解放される。幸せよね。それから、あの死体の遺族もそう。彼は無意味に轢き殺されたのではなくて、女と心中をしたことになるのよ。かりに妻がいれば不倫していたことになる」

「実際は違う」

「違うけれど、そう仕立て上げるんだから。妻からすればこれは裏切り行為よ。自分を裏切って別の女と心中をした。こんな夫に未練はある？　ないわよね。突然のことに対する驚きで、多少は悲しむかもしれない。でも、すぐに吹っ切れるわ。そうでしょ？　見知らぬ女と死んだ男にずるずると悲しみを引《ひ》き摺《ず》る義理はないわ」

青山は目をきょろきょろとさせながら、黙っている。

「どうせ死んでしまったものは生き返らないのだから、せいぜい、生きている人間が残りの人生を少しでも前向きに生きていけるようにするのが正しいんじゃない？　しかも、あなたの奥さんの死体も一緒に処分できるわよ」

「でも、あの人はたまったもんじゃない。轢かれた上に、見知らぬ女との心中の濡《ぬ》れ衣《ぎぬ》までかぶらされる」

「死んだ男の幸せまで考えはじめたら、キリがないわ」

青山は反論しかけるが、言葉が出てこないようだった。

「わたしたちは幸せにならなくちゃ。分かる?」

青山は渋々といった表情で首を垂れた。

「決まったら、さっさと行きましょう。トランクに彼を詰めて」

「トランクに?」青山が困った顔をする。

「荷物はトランクに入れるものでしょ。その轢かれた男は飛んだ『お荷物』よ。あなた前に自慢していたじゃない、この車はトランクが大きいって。好都合でしょ。それとも後部シートに寝かせておく気?」

尿意を我慢しながら、京子は早口で喋った。「行くわよ」と急《せ》かす。

青山はしぶしぶ承服した。腰をかがめて死体と道路の間に手を入れると、一気に持ち上げた。「アルコール臭い」

「酔っ払ってたのね」

トランクに死体を入れるのは、ずいぶん大変な作業だった。そのままでは入りきらないからだ。もちろん京子は手を貸さない。肉体労働は男のやる仕事に決まっている。

青山はいったん死体を道路に落とし、両足を強引に折り曲げた。「骨が折れて体がぐらぐらしている」と呟《つぶや》いている。「京子は怖くないのか?」

「何が?」

「死体だよ。まったく平気そうだ。やっぱり精神科医だからかな」

「関係ないわよ」京子は素っ気なく答える。死体を見て震え上がったり、膝《ひざ》を折って座り込んでしまう弱々しい女は大嫌いだった。血を見て貧血を起こすようなのはどちらかと言えば男の役割ではないか。そういう意味では、青山の抱える死体を見て平静を保っている自分自身には満足していた。

青山は何度か死体の向きを変えて、トランクに入れた。「ごめん」とトランクの中に向かって言うのが聞こえた。

「何を謝ってるのよ」

「わ、悪いと思って」青山はトランクの蓋《ふた》を静かに閉めてからそう言った。

「死体に？　馬鹿《ばか》じゃないの」

京子はすぐに助手席に戻った。運転席に戻って来た青山の顔は蒼《あお》ざめていた。「死体にはじめて触ったよ。あんな感じなんだな」

「自信になるわよ。プロのサッカー選手は多いでしょうけど、死体を処理した選手はきっとあなた一人よ」

車はゆっくりと走っていた。途中で、トランクから音が聞こえた気がした。京子は不審そうに眉《まゆ》を傾けて後ろを見る。「音がしなかった?」

「音?」

「もしかして死んでいなかったのかしら。車を止めて、確認してみる?」

「いや、あれは明らかに死んでいたよ。こう言っては何だけれど、正真正銘、死んでいた」青山はトランクを開けてもう一度死体を見ることがよほど嫌なのか、妙に力強く答えた。ハンドルが言葉の勢いに合わせて、左右に振られる。

そこで突然、急ブレーキがかかった。ヒステリックな音が鳴って、車がつんのめって止まった。

シートベルトが身体に食い込むのを感じながら京子は、「まさか」と驚いた。ほんの十分ほど前に経験したばかりのあの忌々《いまいま》しい事故がまた繰り返されたのではないか、と思ったのだ。

けれど、バンパーやボンネットに何かがぶつかる音や衝撃はない。

「どうしたのよ」京子は、隣の青山を睨《にら》む。彼はサイドミラーをじっと眺めて、舌打ちをしていた。

「どうしたのよ」さらに棘《とげ》を加えて責めると、ようやく青山も気がついた顔で、「いや、しまった。死体を落とした」と言った。

京子はその言葉にすぐには反応できなかった。意味が分からなかった。青山が黙ったまま、左手をギアにのせ、慌ただしくバックに切り替える。なかなかうまく入らなかったのか、クラッチをがちゃがちゃと何度か踏み直していた。

車をバックさせる。

後ろから走ってくる車のライトはまったくなく、追突されることもない。車はそのまま数十メートルほど後進して止まった。

「死体が落ちた」

「どういうことよ」

「トランクが開いたんだ」

京子が慌てて振り返ると、確かにトランクが開いている。

「どうしてよ。きちんと閉めなかったんじゃないの」

「いや、俺は閉めたよ。京子も聞いただろ。思い切り閉めたからひどい音が鳴った」

「そんなことないわよ。あなた、撫《な》でるように閉めただけだったじゃないの」見ていたわけではなかったが京子は言い切る。

「飛び跳ねて落ちただけだから、死体はすぐそこにある」

「なら、早く拾いなさいよ。車が来たら面倒でしょう」

「とっくに面倒だよ」青山はそう言ってドアのロックをはずし、外に出ようとしたが、そこで振り返り、「そうだ」

「どうしたのよ」

「次に来た車にその死体を轢《ひ》かせたらどうだろう」青山は目を輝かした。名案じゃないか、と付け足して言った。

「次に来る車に？」

「そうだよ、上り車線でも下り車線でもいいから、死体を横倒しにしておくんだ。別の車が来て轢いてしまえば、後はそっちの責任だろ。轢いてしまえば誰が最初に轢いたかなんて分からない」

どうやら青山は何があっても死体を捨てて、逃げ出したいらしい。「壁の二度塗りと同じだ。知らない奴《やつ》に上から轢いてもらえば、俺たちが轢いたことなんてばれない」

「ばれるわよ。調べるところで調べれば、二度塗りだろうが三度塗りだろうが、ばれるわよ」呆《あき》れて京子は短く答えた。けれどその青山の単純さが羨《うらや》ましかったのも事実だった。「それに次に来る車が、倒れている人影に気がついて止まったらどうするのよ。そのまま通報されたら、余計に危ないわよ。みんながみんな、あなたみたいに不注意なわけじゃない」

「それなら、車が来たタイミングを見計らって死体を突き飛ばすんだ。そうすれば避けられない」

「それまでわたしたちはどこかで隠れているの？　無理よ。不自然だわ。あなた、そんなんだから指示の出せないディフェンダーと言われてしまうのよ」

「なら、どうしろって言うんだ」青山が口を尖《とが》らせた。

京子はすうっと息を吸い込むと、「今すぐに外に出て、死体を担《かつ》いでトランクに入れ直し、今度こそは完璧《かんぺき》にトランクを閉じて、その後で運転席に戻ってきて、わたしに向かって、『お待たせ』と頭を下げて、この車を発進させる」と一息で言った。「あなたのやるべきことはそれ」

反論する言葉が浮かばずに、唇を強く閉じる青山の顔は可愛《かわい》らしかった。彼は結局、何も言い返さず、ドアを開けると外に出た。

京子は助手席から降りない。姿勢を変えて、サイドミラーに目をやる。暗かったが、青山のがっしりとした身体《からだ》がわずかに見えた。アスファルトにしゃがみ込みそれを勢いよく抱え上げている。しばらくすると、トランクに物が置かれる音が鳴った。車体も揺れる。トランクの閉まる音がした。

「今度はきちんと閉めた？」

「さっきも閉めていたんだ。それにしても冷たかった。死んだら、人はあんな風になるのか？」

「そんな簡単に冷たくなるわけがないじゃない」と京子は無知を笑い飛ばす。

青山はしばらく考え込んでから、突然、エンジンをかけ直して、車を発進させた。後ろから車がやってきているのがライトで分かった。間一髪だった、と京子は胸を撫で下ろす。あと少しタイミングがずれていたら死体を見られていたかもしれない。

閉めたはずのトランクから死体が零《こぼ》れ落ちる出来事も、二度続くとさすがに不可解だった。

二度目はさらに二十分ほど経《た》ったころだった。まったく同じシーンを繰り返しているようだった。急ブレーキ、タイヤの悲鳴、前のめりになる車体、食い込むシートベルト、同じ手順でまったく同じ出来事が繰り返された。

サイドミラーに目をやる。数十メートル後ろに死体が落ちている。

青山を罵《ののし》ろうと京子が顔を向ける。青山は複雑な顔をしていた。顔が青白くはなっていたが、怯《おび》えているよりも、苦しげに歪《ゆが》めているようだった。ペナルティエリア内で相手選手を倒した時の顔だ。ハンドルに額を押しつけている。

京子はすぐに振り向いて、トランクがまた開いてしまっているのを確認する。「壊れてるんじゃないの」

答えもせずに青山は車をバックさせる。荒っぽくアクセルを踏んだ。急停車すると、青山はすぐにドアを開けて外に出た。

トランクに死体を入れる音がして、車体が揺れる。青山が運転席に戻ってくる。

「どういうこと？」

「どうやらまた死体が飛び出したんだ」

「トランクが壊れているのよ。調べてみてよ」

「トランクは壊れてないよ」

「なら、どうして二度も飛び出したのよ」

青山のハンドルを握る手に力が入っている。苛立《いらだ》っているのがありありと見えた。妻を殺しにいくだけでも神経質になっているのに、見知らぬ青年を轢き殺してしまい、その死体が隠しても隠しても外に出てくる、という状況は確かにパニックを起こしても仕方がないのかもしれない。

「そう言えば後ろから車、来ていなかった？　さっきライトが見えたわ。死体が落ちたところ見られちゃったんじゃない？」

青山はそれには答えなかった。その代り、しばらくしてから、「もしかしたら、死体が自分で飛び出したんだ」とついにそんなことを口にした。

「わたしがそういう話大嫌いなのを知ってるでしょ」

ふとミラーに目をやるとまた後ろからやってくる車のライトが見えた。どこからか唐突に、浮かび上がったようにしか見えない。「後ろから車が来てるわよ」

青山が無言のままうなずいた。バックミラーと前を注意深く交互に眺めている。その時、対向車線からも一台、トラックがやってきてすれ違った。

「あ」と青山が不意に声を上げた。

「どうしたの」この期《ご》におよんで何が起きたのか、と聞き返す。

「いや、今のライトで後ろの車の運転手が見えたんだけどさ」困ったように青山は頰を掻《か》いていた。

「知ってる人だったわけ？」

「いや、ぜんぜん。ただ、帽子を被《かぶ》っているのが見えたんだ。赤い帽子。京子は知らないか」

そう言って青山は、ブラジル代表ミッドフィルダーの選手の名前を口にした。「あれ、彼のトレードマークのキャップだよ。あの赤い帽子はすごく流行《はや》ったんだ。手に入りにくくて」

　トラックがもう一台通り過ぎる。京子も後ろを振り返る。「あ、わたしにも見えた。赤い帽子、鍔《つば》の部分が折れ曲がっていたけど」

「ああやって被るのが流行していたんだ。赤い帽子を折って深く被る」

「それがどうかしたわけ」後ろの車の運転手が何色のキャップを被っていようと知ったことではない、と京子は腹が立った。「でも、後ろの運転手、青白い顔に見えたわよ。幽霊みたいで気持ち悪いわ」

「幽霊にはあの帽子、もったいない」青山がぼそりと言った。

　失業者に公園のベンチは何て似合うのだろう、と豊田は感じた。しかも、郵便局強盗すらやり遂げられない男にはなおさらだ、と。
　公園には、人はさほどいなかった。数時間前にフリスビーで遊んでいた子供たちの姿もない。寒い風が地面のすれすれを通り抜けて、落ち葉をひらりひらりと持ち上げた。

豊田は半ば呆然《ぼうぜん》としていた。ベンチに腰を降ろしたまま、溜《た》め息《いき》を何度も落とす。郵便局を飛び出して来た直後は、高揚していた。緊張と恐怖と、わずかな達成感で息を荒くしながら、老犬に、「やったぞ。やったぞ」と話し掛けるほどだった。

それがものの十分も経つと「憂鬱《ゆううつ》」がやってきた。じわじわと染《し》み込むようにやってきた。自分の犯した罪を後悔し、犬の首輪に繋《つな》がった綱を持つ手が震えた。そのまま拳銃《けんじゆう》を掲げて、警察に出頭しなくてはいけない、といても立ってもいられなかった。

さらに三十分もすると今度は、警察などどうでも良くなった。一人きりで拳銃をつかみ、果敢に郵便局に入っていった自分が誇らしく思えた。誰彼かまわず、とりわけ職業安定所の担当者に、報告したい気分に駆られ、自分でもやればできるのだ、と叫びたいくらいだった。

躁鬱《そううつ》を繰り返し、気分の高まりと極度の不安を交互に感じ、豊田は落ち着かない気分のままベンチに座っていた。

あれは何だったのだろうか。足元で丸くなる老犬に目をやりながら、豊田は考える。郵便局に押し入って、拳銃を突きつけたのは良かったが、忽然《こつぜん》と郵便局員たちは逃げてしまった。職場放棄だ。あの局員たちの腰抜けぶりと言ったら、奇妙なくらいだった。幻想的だと言っても良い。あれは本当に現実にあったことなのだろうか、と疑いたくもなった。

豊田が、「手を挙げろ」と叫んだ瞬間、波がさっと引くように、一斉に局員たちが逃げ出した。そんなことがありえるのだろうか。一人ではない、三人が三人とも同時に逃げ出したのだ。あの無責任さと臆病《おくびょう》さからすれば、自分を雇ったほうがよほど役に立つと思われた。

そこに、パトカーの音が聞こえた。サイレンを鳴らし、街中を数台が走りぬけていく。暗くなった景色に赤いサイレン灯が回転していた。

自分が起こした強盗、それもかなり中途半端《ちゅうとはんぱ》な強盗が、パトカーを呼んだとは思えなかった。別の事件でも起きているのかもしれない。パトカーが向かっていくのは、郵便局とは別の方向に見えた。

私は郵便局を襲うことすらできないのか?

あの三百万円のひとつかみを置いてきた自分を悔いる。胸の中の暗雲が、もくもくと広がりはじめ、途端に不安になった。

失業者の憂鬱が、豊田の身体の中に充満しはじめる。また、溜め息が出た。零れた溜め息がさらに自分の能力のなさを実感させる。吐いた息が地面に積もるのであれば、豊田の身体はとっくに埋まっている。窒息死だ。

「おっさん、おっさん」と言われた。

目の前に男が立っていた。暗くてはじめは分からなかったが、十代としか見えない。背丈は豊田よりも高いが、顔中のニキビが目立つ。「金を貸してくれよ」当然のように相手は言った。

これは、中年会社員を狙《ねら》った若者たちの遊び半分の、「狩り」ではないか、とすぐに察する。

後ろに気配があって、振りかえると別の若者が二人、にやにやとしながら近寄ってきた。一人はガムをくっちゃくっちゃと噛《か》んでいる金髪で、黒の野球帽を被ったもう一人は、唾《つば》を地面に吐き捨てた。豊田は咄嗟《とっさ》に足元の老犬を見下ろす。犬は何が起きたかも分からず、座ったままだった。

「おっさん、金持ってるよね」ニキビ面《づら》が言った。

「日本を支えるサラリーマンなんだから」帽子の男が近づいてくる。

若者に脅されていることよりも、その言葉に傷ついた。失業者としての不安から、胸が痛くなる。

いや、今の自分は違う。豊田は自分の背中に押し込んである、「それ」を思い出す。文字どおりの武器が今、自分の手元にはあるではないか。

「わ、悪かったね。サラリーマンじゃないんだ」意識するよりも先に、そんなことを口走っていた。両手を背後に回すと、ベルトに挟まっている拳銃を握って、それをそのまま帽子の男に向けた。働きもせず、楽な恐喝で金を得ようとする若者に、失業者の痛みが分かってたまるか、と怒りが湧《わ》き、冷静さを失っていた。

若者たちの動きがその瞬間、止まった。

豊田は震える右手で拳銃を目の前の男の鼻先に向ける。頭に血が集まってくる。老犬は足元で、豊田が三人の若者たちに囲まれているのを見上げていた。豊田の顔を見て、銃口を眺め、野球帽の若者に一瞥《いちべつ》をくれて、鼻をぴんと上げた。

「失業者を馬鹿《ばか》にするんじゃない」と豊田は口に出した。

若者たちははじめのうち怯《ひる》んでいた。うろたえながら退いていた。けれどそれが豊田の、「失業者」の言葉が合図だったかのように急に動き出した。「何だ、失業者なら恐れるに足りないじゃないか」と安心したかのようだ。

後ろにまわったニキビ面の男が、豊田を羽交い締めにした。

がっしりと背後からつかまれ、その隙《すき》に野球帽の男が豊田の右手につかみかかった。

手が妙な角度に捻《ねじ》られる。「あ」と気づいた時には拳銃がもぎ取られている。

あっけないくらいの形勢逆転だった。

ガムを嚙んでいたはずの金髪が、間髪入れずに豊田の腹を殴った。痛さに身をひねる。

「おやじが何でこんなの持ってるんだよ」拳銃を奪った野球帽の男は、興奮しているのか、引《ひ》き攣《つ》った笑みを見せた。ニキビ面が背中から離れる。

羽交い締めから解放されたが、そのままバランスを失って、後ろに倒れた。

けらけらと笑う三人の若者に囲まれている。一人が拳銃を豊田に向けていた。

「おっさん、おっさん、金を出せよ」銃口を向けた男が、唾を飲み込んでから言った。

隣のニキビ面がさらににやけた。「何でこんなの持ってるんだよ。俺たちがもらっちまうよ」

「ちょ、ちょっと、待って」豊田は左手を前に突き出す。「待ってくれ」

「撃ってみてえな」野球帽の男が言った。それは豊田への脅し文句と言うよりは、歪んだ欲望に興奮する独り言のようだった。「撃っちゃえ、撃っちゃえ」と無責任で無機質な声がした。ガムを嚙んでいた男が囃《はや》し立てたのだ。

や、やめろ、と豊田は尻《しり》で地面を擦りながら後退した。情けないことに震えている。

失業者のまま射殺されるのを考えるとぞっとしなかった。ガムを噛むついでに殺されていくのは恐ろしかった。

そしてその時、思ってもいないことが起きた。
脇《わき》にいた老犬が突然、唸《うな》り声を上げ、拳銃を構えている野球帽の男の足首に噛みついたのだ。

全員が、急なことに動けなかった。

噛まれた若者が声を上げた。「こいつ」噛まれた足を振るが、犬は放そうとしない。他の二人が老犬を蹴《け》ろうとするが、それもうまくいかない。豊田は呆然としながら足に噛みついている老犬を見た。頭を殴られた気がした。あの老犬は自分を守ってくれているのか。

年老いて、体格差からしても、勝ち目がないのに飛びかかった。即席の飼い主に対する忠誠心なのか、群を作って暮らしていた大昔からの暗黙のルールなのか、単に老犬特有の痴呆《ちほう》の一種なのか、とにかく老犬は果敢に敵に噛みついた。

勇猛果敢。その言葉が頭に浮かぶと同時に、豊田は自分自身の情けなさに恥ずかしさを覚えた。自分を叱《しか》りつける声が鳴った。

老犬が敵に立ち向かおうとしている時に、おまえは何を座り込んで震えているのだ、と豊田は自分自身を鼓舞する。震える足を手でつかみ、強く握る。この役立たず！　怒鳴る自らの声がした。慌《あわ》てて立ち上がろうとする。このままでは年老いた犬から、「負け犬め」と罵《のの し》られても言い訳すらできないではないか。

躊躇《ためら》っているうちに、犬の悲鳴が聞こえた。

野球帽の男が、嚙みついていた老犬を足から引《ひ》き剝《は》がしたのだ。

それからの展開は早かった。フィルムのコマ落としをした映像を見ているようだった。ガムの男が、老犬を背中から抱えていた。「早く撃っちまえ。まずこの犬を撃ってみろよ」

犬はさほど暴れていなかった。覚悟を決めたのか、体力がないだけなのか、抱えられるがままに、向けられた銃口を見つめている。

豊田は慌てて立ち上がる。砂利で滑る足を踏みしめながら、不格好に立とうとする。

あの犬が遊び半分に殺されてしまっていいのか。豊田の頭の中に問いかけが響いた。いいわけがない。けれど身体《からだ》が動かない。恐怖が足に絡《から》まって一歩も踏み出せない。

「おい、犬を早く置けよ。撃つから」野球帽の男が言った。

犬を抱えていた金髪が言葉にしたがった。地面に戻された犬はそこに座り込んだ。

よおし、と若者の声がした。どこであろうと、ゲームセンターにいると勘違いをしているのだ。

豊田は立ち上がった。逃げろ。そう叫んだ。いや、豊田は叫んだつもりだったが、実際に声が出ていたかどうかは怪しかった。

野球帽を被った男が片目を瞑《つむ》り、狙いを定めて撃鉄を上げた。

銃口はしっかりと犬を狙っている。

「逃げろ」豊田は今度こそ確実に、声を上げた。

老犬は動かない。それどころか呑気《のんき》な顔で銃口を見つめた。この呆《ぼ》け犬が。豊田は絶望的な気分になった。

他の二人は銃弾が外れて自分たちに当たるのを恐れてか、数歩後ろに下がっている。

引き金を引くのが見えた。かちりと音がする。

恐れていた銃声はなかった。え、と思った後で豊田は思い出す。弾が入っていなかったのだ。たった一発だけ押し込んだ弾は郵便局で撃ってしまった。すっかり忘れていた。

野球帽の男は弾切れに気がつかず、首を傾《かし》げていた。

犬だけだった。老犬だけが落ち着き払っていて、座り込んだまま、豊田の顔を見た。

「だと思ったんだよ」とむしろはじめから弾の入っていないことを知っていた面持ちだった。

ようやくそこで、豊田の身体は動いた。遅かったが手遅れにはならなかった。

野球帽の若者に飛びかかった。拳銃をつかんだまま突っ立っていた男に、真横から体当たりをする。

弾の出ない拳銃を不思議そうに眺めていた男がそのまま倒れた。豊田は馬乗りになった。下にいる若者の顔を殴りつける。地面に寝転がった男は抵抗して身体を揺するが、構わずに上から殴った。頬か顎《あご》か分からなかったが、とにかく殴った。拳《こぶし》が痛いと気がついたのは、かなり経《た》ってからだ。

「何すんだ。このおやじ」他の二人は一体何が起きたのか分からなかったのか、しばらく漫然と立っていたが、豊田が仲間を殴りつづけているのを見ると、慌てて走り寄ってきた。

豊田の動きは素早かった。地面に転がっている拳銃をつかんだ。背広のポケットに手を突っ込んで、弾を二つ取り出す。慣れない手つきながらも必死に弾を詰めた。震える手に力を入れる。

撃鉄を上げる。上出来だ。間一髪間に合った。

まさに飛び掛かってこようとした、ニキビ面の若者に銃口を向けた。「う、撃つぞ」とやっとのことで言う。効果はあった。ニキビ面と金髪の二人は顔を見合わせると、怯《おび》えた目で頷《うなず》き合って、そのまま背中を見せて逃げていった。

豊田が馬乗りになっている、野球帽の若者一人だけが残った。殴りつけたせいで顔が赤く腫《は》れかかっているが、反省している様子もない。萎縮《いしゅく》した様子もなく、ただ不満気に豊田を見上げていた。

若者の肉体自体が不満ででき上がっているようだ。

拳銃を持ったまま豊田は立ち上がる。

「おやじ。何やったのか分かってるのかよ」砂利をつかみながら起き上がろうとする若者は、悪びれもせずそう言った。「殴りやがって」

豊田は肩で息をしていた。足元に老犬が寄ってくる。ちょこんと座った。

「馬鹿じゃねえの。そんなオモチャ持っちゃってよ。おやじのくせによ」

落ちている帽子を拾い、付いた砂を払いながら、若者は上半身だけを持ち上げた。

豊田は拳銃《けんじゅう》を若者に向けた。もうどうにでもなれ。この情けない自分の人生を劇的に変えるには、少々荒っぽいことでも起こさないといけないのかもしれない、と考え、それで拳銃を構えていた。

「撃てねえくせに、馬鹿じゃねえの？　リストラおやじ」歯のない口を開けて若者が言った。

その言葉を聞き終わった時には、豊田は引き金を引いていた。短いが銃声が響いた。撃った自分自身が驚いた。若者の悲鳴が聞こえる。右足の太股《ふともも》に弾が当たった。若者はまともな日本語にならない呻《うめ》き声を出していた。

豊田は驚いて拳銃を見つめる。若者が喚《わめ》いている。豊田は唾を飲み込む。「撃ってしまった」

どうすべきだろうか、どうすべきだろうか。喚きつづける若者の声も耳に入らなかった。

豊田はその場から立ち去ろうと足を踏み出したが、犬の姿が目に入り、はっとした。老犬は夕日の方向を眺めていた。顔を上げ、平然と日が沈むのを見ていた。足が止まる。犬の横顔を見た瞬間、胸の中の不安の塊がふっと軽くなった。焦《あせ》りや恐怖、不安や後悔で霧が充満していた頭の中が急に晴れた。若者の叫ぶ声も遠くに消えている。

犬の姿に見惚《みと》れてしまった。

薄汚くて老いた犬は、すべてを受け止めているかのような顔をしていた。

学生時代に読んだ小説の一節が頭に甦《よみがえ》った。主人公が白痴の女性に言う台詞《せりふ》だ。

『怖《おそ》れるな。そして、俺から離れるな』

目の前の老犬は言葉こそ発しないが、まさに同じことを豊田に言っているように見えた。仕事を辞めさせられたくらいで落ち着きを失い、みっともないくらいにうろたえている自分に比べて、この犬は何と堂々としているのだろうか。

拳銃にも怯まず、生きることを怖れず、老犬は勇敢に、悠然と構えている。

犬の顔をぎゅっと抱き寄せる。「おまえはえらいよ」

この親爺《おやじ》は何を言っているのだ、と老犬はそう言いたげでもあった。

4

どこかで銃声が鳴った気がした。黒澤は立ったままで窓に目をやる。車のバックファイアーの音にも聞こえた。

「どうした？」佐々岡が言った。

「いや」と黒澤は言葉を濁す。車の音のことなど、十数年ぶりに再会した友人とすべき話でもないだろう。

佐々岡が動揺しているのが見て取れた。まさかこの部屋に同級生がいるとは予想もしなかったに違いない。黒澤は笑いそうになるのを堪《こら》えた。泥棒稼業《かぎょう》をつづけているとこんなこともあるのか、と愉快だった。

二人は立ったまま、長方形のリビングテーブルを挟んで、向かい合っている。

「座っていいか？」黒澤は背後のソファを指差した。

「あ、ああ」と佐々岡がうなずく。

黒澤はソファに腰を降ろした。「おまえは座らないのか？」と言って笑った。相手の動作が何から何までぎこちない。

「いつ以来だろうか？」

「卒業式だろう？」黒澤は即答をする。「正確に言えば、その前日か。おまえは卒業式には来なかった」

「君が、キューブリックが映画に出ているなんて言うからだ」

「キューブリックもとうとう死んでしまったしな」あのニュースを知った時にはおまえのことを思い出したのだ、とは言わなかった。

「最近は映画も観《み》ない。そうか、最近のキューブリックはそんなに駄目か」

「おいおい」黒澤は訝《いぶか》しそうに言った。「『死んだ』というのは比喩《ひゆ》じゃないぜ。本当に死んだ」

「嘘《うそ》だろう？」

黒澤は相手の表情が真剣であることに驚いた。「おまえ、ニュースも観ないのか？何年も前の話だ」

「仕事が忙しくて、そういうのは興味もなかった」

「おまえの人生はそれでいいのか？」黒澤は真顔で尋ねた。

佐々岡が笑みを零《こぼ》した。「確か、学生時代も君はよくそう言った」佐々岡は苦笑いをした。「でも、スタンリー・キューブリックは本当に死んだのかい？」

「キューブリック本人が嘘をついているのかもしれないけどな」

「死んだっていう嘘を？」

「二十一世紀になったらどうなるか、想像してうんざりしたんじゃないか？ どこに隠れようとマスコミが彼を探し出しただろうからな。そうして『2001年になりましたが、どんな感慨がありますか』なんて、曖昧《あいまい》で下らないインタビューを大量にされたに違いないんだ。それが嫌で自分が死んだことにした」

「本当か？」

「俺の思いつきだ」

「あの人の映画は、今観てもきっと色褪《いろあ》せないだろうな」

「キューブリックの映画はきっと二十一世紀の今も、まず間違いなく退屈だ」

「彼は、『退屈は最大の罪だ』と言ったことがあるらしい」佐々岡が表情を崩した。

それを聞いて黒澤も歯を見せる。「自分の映画を棚に上げてるんだな、そりゃ」

「こう言うのはずうずうしいかもしれないが、せっかくだし、飲み物をくれないか？酒とは言わない。何か飲み物を」

黒澤はソファに座ったまま、両手の平を相手に向けた。

佐々岡が急激に疲れた顔になった。「ああ、そうだな」と言って、立ち上がった。

黒澤はその姿をじっと眺めている。久しぶりに再会した学生時代の友人は、変わらない生真面目《きまじめ》さを窺《うかが》わせていた。融通さの欠片《かけら》もない。嚙《か》み締めた口からも笑いが零れそうになる。「おまえは何の仕事をしているんだ？」

佐々岡はリビングの真ん中でうろうろしていた。「画商という商売を知っているかい？」

「絵を売ったりするやつか」

「そうだね、そんな感じだ」

「よくドラマに出てくるのを見る。サスペンスドラマに。海外の有名画家の絵を売りさばいてな、大抵、悪そうな顔をしている」

佐々岡は笑って、「私の勤めていた画廊はとても大きかった。日本一と言ってもいい規模でね。ああ、そうだな、確かにみんな悪そうな顔をしていた」

黒澤は、佐々岡が大学卒業後に就職した会社を覚えていた。超の付く一流というわけではなかったが、それなりに名の知れた一部上場の企業だった。今の今まで、佐々岡はそこに勤めているものだと思っていた。

どういう経緯で美術界で働くことになったのか分からなかったが、わざわざ聞くことでもない気がした。泥棒などせずにまともに生きていれば、転機や岐路はごろごろと転がっているのかもしれない。

「画廊って仙台でやっているのか？」

「いや、東京だよ。画廊というのはなぜか銀座に集まる職種でね」

「都会は人を駄目にする」黒澤は真顔で言った。「で、どうして仙台で暮らしているんだ？」

「妻がこっちで働いているんだ。それでしばらくこっちにいる」

「ここはカミさんのマンションというわけか？」黒澤が訊《たず》ねると、佐々岡は照れたように言葉を濁して下を向いた。そうして話題を変えるように、「黒澤は本当に泥棒なのか」

「それより早く飲み物をいただければ嬉《うれ》しいのですが、ご主人」黒澤は茶化すように言った。「俺はおまえとは違うからな。人生の本筋から外れてしまった」

「人生に本筋があるのだろうか」

「あるさ」

「どうして泥棒になんか、なったんだ」

「さあな」

「君が卒業間際《まぎわ》に言った言葉を思い出したよ」佐々岡は声を高くして、言った。「『オリジナルな生き方なんてできるわけがない』私にそう言った」

「そうだったか？」

「世の中にはルートばかりが溢《あふ》れている、とね。そう言ったよ。人生という道には、標識と地図ばかりがあるのだ、と。道をはずれるための道まである。森に入っても標識は立っている。自分を見詰め直すために旅に出るのであれば、そのための本だってある。浮浪者になるためのルートだって用意されている」

「俺はそんな偉そうなことを言ったか」黒澤は頭を掻《か》いた。

「その言葉で私は、ひどく納得して就職していった気がする。あの時、私は普通の企業に就職することに疑問を持っていた。『こんな人生でいいのか』とね。それが君の言葉で楽になった。結局、どこへ行っても同じなんだ、と気分が楽になった」

「今の俺も一言アドバイスしてやれるぜ」

「何だ？」

「『つべこべ言ってないで、さっさと飲み物を持ってきやがれ』」

佐々岡はそれを聞いて、声を上げて笑った。笑い方自体を思い出しているようだった。佐々岡の動きはおかしかった。左右を見渡して、歩き出すのを躊躇《ちゅうちょ》している。右に足を踏み出したが、すぐに立ち止まり、左へ向き直る。

「ちょっと待て」黒澤は人差し指を立てる。「様子が変だぞ。おまえ、働き過ぎで記憶障害にでもなったのかもしれないな」

「記憶障害？」不安そうな顔で佐々岡は立ったままだった。

「記憶ってのは、側頭葉だとか海馬だとか脳に記録されている。記録して、保存して、読み出す。おまえは働き過ぎで、普段の記憶の読み出しに失敗しているんだ」

「どういうことだ」

「おまえ、自分の部屋のこと忘れちまってるんだろう？」

佐々岡は困惑を隠そうともせず、少年のように顔を赤くした。「ど、どういう」

「飲み物を持ってくるにしても、キッチンがどこにあるのかも分からない。ソファにどう座るべきなのかも分からない。自分の部屋だっていうのに、どうしたんだ、その落ち着きのなさは」

「いつも家のことは妻がやるから」そう答える彼の声は、消え入りそうだった。

「結婚したのはいつだ」

「五年前」

「どうせうまくいってないんだろう？」

「すごいな」佐々岡はまた驚いた顔をした。「どうして分かるんだ」

「当てずっぽうだ」申し訳なさそうに黒澤は手を上げる。「これは誰に言っても大抵、当たる」

「妻とは、ある賞のパーティーで別の画商に紹介されて、知り合った」

「若い女だろ。おまえみたいな真面目な男はだ、生きているだけで毎日毎日必死だから、ちょっと若い女を見ると感動してしまうんだよ。炭坑から出てきたばかりの男が日の光にうっとりするようなものだ」

佐々岡は自嘲《じちょう》気味に笑う。

「おまえは東京で、カミさんは仙台ってことは別居しているようなものだな」

「そういうわけでもない」佐々岡は首を振った。「私は仕事であちこち出張に行っているから、もとから家にいることは少なかった。妻は妻で仕事を持っているし、お互い自立しているんだ」

「それが夫婦か？」

「私の定義によれば」

「俺の前で、『定義』という言葉を二度と使うなよ」と黒澤は言った。二人で声を合わせて笑った。それは学生のころに、黒澤がしばしば口にした言葉だったからだ。

「それでだ」と黒澤は改めて佐々岡の姿を見る。「おまえの奥様は今日は帰ってこないのか？　俺がここにいても問題はないのか」

「君は、私の友人だ。泥棒などではない。それに妻はここには来ない」

しどろもどろになりながら説明をする友人の姿を眺めながら黒澤は、懐かしさを感じていた。何年経《た》とうと人の本質は変わらない。佐々岡は昔と変わらず嘘を隠すのが下手だ、と思った。

「君の人生はどうなんだい？　本当に泥棒などをして生活をしているのかい？」

「そうだな。泥棒をして暮らしている。それ以外にまともに働いたことはない」

「充実しているのかい？」

人生の充実ですよ、と言った老夫婦の強盗を思い出した。「ろくな生き方ではない。人様の家に上がり込み、部屋を荒し、金を奪って行く。自分では何一つ賃金を稼がずに、人の大切な金を奪っていく。最低だ」黒澤は肩をすくめた。

佐々岡は黙っている。何と声をかけるべきか悩んでいるのかもしれなかった。

「俺は昔から、逃げてばかりだよ」黒澤は笑う。「それにもう、抵抗するのはやめた」

「抵抗？」

「人生に抵抗するのはやめた。世の中には大きな流れがあって、それに逆らっても結局のところ押し流されてしまうものなんだ。巨大な力で生かされていることを理解すれば怖いものなどない。逃げることも必要ない。俺たちは自分の意志と選択で生きていると思っていても、実際は『生かされている』んだ。そうだろう？」

「それは君が学生時代に嫌っていた、『宗教』じゃないのかい」

「違うよ。人生は道じゃないと、そう思うことにしただけだ」

「道じゃない？」

「海だよ」黒澤は肩をすくめる。「ルートも標識もない、茫洋《ぼうよう》たる大海原だ。俺たちはそこで、でかい魚にでもつかまって、大きな流れに身を任せている」

「私たちは魚に生かされているわけかい」

「魚や海に」

「変な宗教だ」

黒澤は笑った。「宗教だとかカルトだとか、そういう形だけのいかがわしいやつってのはどうも苦手だ。最近もあれがあるだろう？　殺人事件を解決したとかいう奴《やつ》を崇《あが》めてる連中だ」

「何だい、それは」佐々岡にはとぼけている様子はなかった。

「おまえはつくづく世間から離れていたんだな。何年か前に、仙台で起きた殺人事件を解決した一般人がいるんだよ」

「仙台に？」

「ああ。で、それをだな、シャーロック・ホームズじゃないが、そういうのと重ね合せてだ、必要以上に崇めている奴らが集会を開いている」

「今でも？」

「ああ、今だってそうだよ。立派な新興宗教だ。『名探偵殿バンザイ』だな」

「それは、でも大変だ」佐々岡が考えた末に言った。

「どうしてだ？」

「名探偵は事件を解決しつづけなくてはいけない」

それはもっともだな、と黒澤はうなずいた。

「俺が言いたいのは、宗教とはまったく別のことなんだ。もっと単純なことだ。いいか、俺たち人間は、もとはと言えばアメーバーとか、単細胞の生き物だったんだろう？　それが、気の遠くなる年月をかけてゆっくりと進化した」

「キューブリックの映画に出て来たモノリスを思い出すよ」

「俺たちは今やこれほど複雑な生き物になった。感情を持って、記憶を操作する。嘘《うそ》を吐《つ》いて、人を出しぬいたり、名誉を欲したりする。ジャズも演奏する」

「それがどうしたんだ」

「それだけで充分、凄《すご》いことだろ。宗教を持ち出す前に、生きていること自体に驚いて、拍手をすればいい」

「君は面白いことを言う」

二人はしばらく、黙っていた。黒澤はその静かな間を楽しんだ。

少ししてから、佐々岡が口を開く。「そう言えば、私の画廊にも変わった青年が出入りしていた。額屋のバイトで、よくうちに来ていたんだ。経歴が怪しくてね、昔はシステムエンジニアをやっていたと言うが、警察にお世話になったという噂《うわさ》もあった。額屋の主人が気に入って、雇ったらしい。若くて頭も切れた。喋《しゃべ》ってみると理路整然としていてね、額を持って走り回っているのはちょっと似合わなかったな。で、その彼が、時々、『カカシ』の話をしてくれたんだ」

「カカシ？」

「喋るカカシの話だ。彼はそれに会ったと言うんだ」

黒澤は愉快そうにくっくっと声を洩《も》らし、「比喩《ひゆ》か」と言った。

「たぶん比喩だろうね。その喋るカカシはすべてを見通して、いつも皆を見守っている、と彼は言うんだ。で、私は納得したんだよ。喋るカカシでなくても、何か安心できる存在が自分を見ていてくれるのなら、おそらくこれほどまでに不安になることはないんじゃないかとね。『未来は神様のレシピで決まる』と彼はよく言うんだ。たぶん彼の言う『神様』は、普遍的な何かを指すんだろうな」

「『神様のレシピ』か。変な言葉だな」

「運命と言うよりはよほどいいと思わないかい。そうだな、もしかすると、君がさっき言った、魚と同じ意味合いかもしれない。私たちはレシピのままに、魚の泳ぐままに、だ」佐々岡はそう言うと頰を緩めた。そうしてキッチンの方向に顔をふらふらと動かした。「飲み物を持ってこなくてはな」

黒澤は、佐々岡をじっと眺めた。「俺たちが今日ここで再会したのも、『神様のレシピ』に書いてあることなのかもしれないな」

「そうだな」

「もうやめにするか」黒澤は呟《つぶや》いて、ソファから立ち上がった。そして友人と向かい合うと、「おまえの家の住所と電話番号を言ってみろよ」と穏やかに訊ねた。

相手が言葉に詰まる。「覚えていない」とぼそぼそと答えた。

「ここがどこなのか思い出せないわけか」と黒澤は言って、さらに、「それなら、あれを覚えているか？ 学生のころ、高級レストランに行ったおまえに俺が何と言ったか」

佐々岡は顔を明るくした。「『俺のやるのを真似《まね》して食べろ』と君は言った。で、君は真っ先に、食後のコーヒー用の小さなスプーンで、ライスを食べはじめたんだ」

「そうだったか？」黒澤は白を切る。

「おかげで私はあれ以来、簡単に人の真似をしないようになった」

「人から学ぶべきことも多い」黒澤は両手を軽く上げた。「たぶん、今日はその日だ」

「え？」

「もうとぼけるのもやめよう。おまえだってこの後、どうするつもりなんだ」

佐々岡は心なしか顔を赤くして、発するべき言葉を探している。

「俺はこう見えても、それなりに経験を積んだ泥棒なんだ。仕事に入る前には一通り下調べを行う。家の主人は誰なのか。どこに勤めているのか。家族はいるのか。犬がいるのか。いつ家が留守になるか」黒澤はそう言って一度、言葉を止めると、「ここはおまえの家じゃない」と続けた。

佐々岡は照れ臭そうに俯《うつむ》いた。それは学生のころから変わらない仕草だった。

「おまえが来た時にすぐ見当がついた」

「はじめから分かっていたのか」

「画廊だ、画商だ、と言うわりにはこの家には絵一つ飾っていないじゃないか」

「ああ」と佐々岡は縮こまる。

「ここはおまえの家じゃない。おまえはこの家に泥棒に入ったんだ。そうだろ？」

本当に愉快だ、と黒澤は天井を見た。

神が死んでしまった、と河原崎は愕然《がくぜん》としていた。世界の終わりよりも先に、神が死んでしまうなんて、閉店のシャッターが閉まる前に店員がいなくなってしまうのと同じだ、と思った。足が震えている。恐怖なのか、興奮しているのか把握できない。

静かなピアノの音がステレオから流れている。

「この音楽は？」と河原崎は、塚本に訊《たず》ねた。

「キース・ジャレットのソロコンサートのやつだよ」

静かな室内に淡々と流れるピアノのメロディは確かに美しかった。「綺麗《きれい》なだけの音楽なんてのは胡散臭《うさんくさ》いから気をつけろ」と父がよく苦い顔をしていたのを思い出した。

ピアノが鳴り響く部屋は奇妙な雰囲気だった。真っ白の壁があり、フローリングの床いっぱいに透明のシートが敷かれ、テレビがぽつんと置かれている。そうして中央に裸の男が仰向けになっていた。神々《こうごう》しい、とはまさにこのことだ。河原崎は感動すらしていた。

河原崎は、集会の際の壇上にいる「高橋」を見ることがあるだけで、顔をよく覚えているわけではなかったが、それでもその顔は、「高橋」のものに見えた。

現実味がない。急に視界に靄《もや》がかかった。「意外に小柄なんですね」思っていた以上に、身体《からだ》が小さく見えた。

「いつものように壇上に立っているわけでもない。威光が消えてしまうと小さく見えるのかもしれないな」

「でも、美しいです」河原崎は近づいてみる。シートが動く音がした。靴下がシートで滑りやすい。横から死体を見下ろした。窓のほうに頭を向けている。「どうやって？」と河原崎は、塚本を見ずに訊ねた。どうやってこの方を殺したのですか。

「安楽死と同じやり方だよ」

「アンラクシ？」河原崎の頭に、墜落した父親の姿が浮かんだ。安楽になるために死ぬことはあっても、安楽に死ぬ方法など世の中にあるのだろうか。

塚本は事務的な口調で、睡眠導入剤をカップに混ぜただとか、筋弛《きんし》緩剤《かんざい》の注射がどうとか言ったが、河原崎には理解できなかった。「睡眠導入剤のハルシオンが全国の薬局から何万錠も盗まれてね」とも言う。

「ようするに薬で死んでしまったんですね」そう言って部屋の中央で仰向けになる男を見下ろした。色白で美しく、陰毛すら卑猥《ひわい》さや汚さを感じさせない、と思った。

「神が薬で死ぬかい？」塚本が横から言った。「これは神の死体じゃない。神が死ぬわけがないんだから」塚本の声は心なしか力がない。「やっぱり違ったんだ」と言った。「神ではなかったんだ」彼は、筋弛緩剤を打っても、「高橋」が死なないことを期待していたのだろうか。

「では、何だったんです？　この、今、ここに横たわっているこの方は」

あの鞄《かばん》を取ってきてくれ、と塚本は指をさした。部屋の隅、窓際《まどぎわ》のカーテンの下に革製の鞄が置かれていた。茶色で厚みがある。河原崎はビニールシートを踏みながら進み、それを持ち上げた。見かけよりも重くはなかったが、音がした。金属ががちゃがちゃとぶつかる音だった。

開けてみろ、と言うので河原崎はそれに従った。膝《ひざ》をビニールに突いて、鞄を置くと開いてみた。「道具だ」

工具と言っても良かった。小さな鋸《のこぎり》がまず目に入る。鋏《はさみ》やカッターもある。医師が使うメスの類《たぐい》が十本ほど並んで挿し込まれていて、それにタオルが数枚、入っている。

「こ、これ」河原崎が不安な顔で振り返ると塚本は、「俺はこう見えても医師を目指したこともあるんだ」と言った。

河原崎は、自分たちがこれから行うことの実感がようやく湧《わ》いてきた。解体する。塚本はそう言った。膝の下のビニールをもう一度見る。死体でも血は出るに違いない。解体とはそういうもののはずだった。手元のメスを見る。欧風レストランで出るナイフとはサイズも違う。

「もう一つ、その横にスケッチブックがある」

確かにカーテンに隠れて、スケッチブックが置かれていた。背にリングが付いている。表紙を開けても何も描かれていない。新品だった。

自分の役割を思い出す。塚本と顔が合った。

「君はそれに描くんだ」

鞄とスケッチブックを持って、河原崎はもといたところまで戻ってくる。

「天才がいかに天才であったかを残すために、君はそこでスケッチをしてくれ」

「塚本さんは」

「俺は、君のスケッチが進むのにしたがって解体を進めていく。まずは解体前の姿を描いてみるか」

河原崎は自分が唾《つば》を飲み込む音に驚いた。神を解体する現場にいることを実感する。きっとこの方は死んでいない、解体しても死ぬわけがない、河原崎は依然としてそう考えていた。頭が麻痺《まひ》しているようだった。

腰を降ろした。息を吐く。自分の持って来たバッグの中から鉛筆を取り出した。

じっと死体を見つめる。

意識しないうちに手が動き出した。白の画用紙に鉛筆を走らせる。河原崎は、死体の全身が入る具合に構図を決め、デッサンをはじめた。罪の意識はなかった。不気味なほど落ち着いていた。ピアノの甘いメロディだけが河原崎の耳に入ってくる。

一度、集中すると部屋の空間はすでに自分と死体しか存在しないかのようだった。

横たわる「彼」とスケッチブックを交互に見つめるだけだった。白い紙に黒い線を擦《こす》りつけていく。

無駄な線は今のところ一つもない。いい兆《きざ》しだった。調子が悪いと、何回も線を引き直し、ただ黒いだけの絵となってしまう。デッサンは少ない線で描けるほど良いのだと河原崎は経験上、知っていた。デッサンも人生もやり直しは少ないほうが良い。

「おまえ、画家になれよ、画家に」父が、河原崎によく言ったのを思い出した。

河原崎は小学生のころから、絵が得意だった。絵を観《み》るのも好きだった。教科書に載っていた「烏《からす》のむれ飛ぶ麦畠《むぎばたけ》」を目にした日は、興奮して眠れなかったくらいだ。寝つけずに父の寝室へ教科書を持ったまま行くと、彼は、「おお。これはゴッホだ」と嬉《うれ》しそうな声を上げ、これを凄いと感じるなんて凄いぞ、と喜んだ。

すべての色ってのは赤と青と黄から作られているんだ、だから信号は守れよ、と訳知り顔で言うこともあった。

画家になれよ、とたびたび言った。それは、「自分のようになるな」と河原崎に言い聞かせているようで我慢ならなかった。自分の冴《さ》えない人生を、子供に挽回《ばんかい》させるようなことは止《や》めてほしかったのだ。

「おまえは、自分に絵の才能があることを知っているのか」と父はよく怒りとも嘆きともつかない声でそう言ったが、河原崎はあくまでも自分自身のために絵を描くだけだった。ガラスに止まる虫の姿、水面に映る自分の顔、目にとまるものを片端からデッサンし、日常の風景を描く。それだけだった。それだけで幸福だった。美術系の大学を受験することもなかった。父を喜ばすことがあってはならない、とそんな強迫観念がいつだってあった。

「あれを知っているかい？」

塚本の声で現実に引き戻された。手を動かしながら、塚本を見た。「な、何ですか？」

「名探偵についてだよ。世間は、高橋さんのことを殺人事件の犯人を言い当てた英雄だと言うだろ」

「高橋」という名前が塚本の口から聞こえただけで心臓が跳ねた。河原崎にとっては口にするのも畏《おそ》れ多い。

「実際は違うのですか？」

「いや、それはまったくその通りだよ。『次は仙台パークホテルの三階ですね』と言ったあの言葉は現実だ。高橋さんは天才だった。ずばり犯人の次の行動を当ててみせた。だけど、それはあの時だけじゃないんだ」

「え？」

「例えば、あの数年前に市長が殺された事件があっただろう？」

河原崎はすぐに思い出して、うなずく。当時、父がその事件に興奮していたのを覚えているからだ。現職の市長が突然、行方不明になり、公衆トイレで死体となって発見された。

「あの時も、高橋さんは天才を見せた」

「ほ、本当ですか？　あの犯人も言い当てたんですか」そんな報道はなかったはずだ。

「いや、犯人を名指しすることはなかった。それはビジネスホテルの事件の時も同じだ。高橋さんは犯人を名指しできるわけじゃない。簡単に言ってしまえば、法則やルールを見極めることができるだけなんだ」

「法則？」

「天才が発見するのはいつも法則だ。高橋さんは知っていた。『世の中はこのようにできている』『人はこのようにできている』とね。事件のことも同じだ。犯人や犯罪の法則を見極めることができる」

そうしてから塚本は、「高橋」が真相を言い当てた事件の例をいくつか挙げた。

横浜で起きた映画館の爆破未遂事件というのもあった。河原崎の記憶にもある事件だ。爆弾の仕掛けられた座席の位置にルールがあったのだ、と塚本は説明をした。

「ただ、高橋さんは表立って発言はしなかった。自分で法則を読み取れば、それでおしまいなんだ。なのに、どういうわけか、あのビジネスホテルの事件の時にはじめて大っぴらに言った」そうして表舞台に出たのだ、と塚本は言った。

きっと、「高橋」は自分のような者のために表に出てきたのだ、と河原崎は信じていた。そうに決まっている、と。

あのビジネスホテルの事件がなければ、「高橋」のことなど知らぬまま河原崎は生きていたことになる。考えただけでもぞっとした。それは雨を凌《しの》ぐ屋根が五十メートル先にあるのも知らず、嵐《あらし》に裸を曝《さら》しているのと同じではないか。裸のまま嵐を行く者たち、つまり自分たちのために、わざわざ、「高橋」は姿を現わしたに違いない。

「高橋さんには法則が見えている」塚本がもう一度繰り返した。「二次元の世界で、一人だけ三次元の世界が見えるのと似ている。上から見下ろしているんだから、丸見えだ。ナスカの地上絵を上から眺めるのと同じでね。高橋さんは次元の違うところにいる。人の悲しみや辛《つら》さの理屈も分かる」

「ただ、それはもう過去の話なんですよね。塚本さんが言うように、今のあの方は変わってしまった。優しさを失った」

「そ、そうだ」塚本は声を荒らげた。慌《あわ》てていた。勢いよく死体を指差す。「そうだとも。高橋さんは変わっちまった。優しさが消えた。全《すべ》てを見透かしているにも関わらず、誰も救おうとしない。翌日が台風になるのを知っている気象学者が、遠足の準備をする子供を嘲笑《あざわら》っているのと同じだ」

「今、仙台で起きているバラバラ殺人事件、あれはどうなんでしょうか？」

「昼間も君は、それを言っていたな。新聞やテレビもね、毎日のように高橋さんのところへ押し寄せてきた」塚本が顔をしかめた。

仙台市で起きたバラバラ殺人事件は、マスコミを煽《あお》り、マスコミが市民を煽っていた。話題を大きくすることに関して優秀な彼らは、仙台で起きたバラバラ殺人について、「高橋」のコメントを取ろうと躍起だったのだ。

「『おまえは名探偵なのだろう？　早く犯人を名指ししろ』とそんな勢いだ。あいつらにとってみれば高橋さんも、ＵＦＯに連れて行かれた男も大差ない」

仰向けになった死体に目をやる。正直なところ、バラバラ殺人事件の犯人を、「高橋」が名指ししてくれないだろうか、と河原崎もひそかに期待していた。信者の誰もがそうだったに違いない。群がるマスコミの人間たちを蹴散《けち》らして欲しかった。言葉もないくらいに彼らを圧倒し、いかに優れているのかを彼自身の力で証明して欲しかったのだ。

名探偵は、事件を解決しつづけなければならない。

「でも、もう口を開くこともないのですね」河原崎は目の前の死体をじっと見る。喪失感はまだなかった。顔の産毛《うぶげ》も見えた。身体《からだ》全体は毛深くなく、それが神々しく見える理由なのかもしれなかった。

「まあ、生きていたところでどうなったかは分からない。高橋さんは、普通の人間になってしまったって感じだな。俺も実は高橋さんにね、あのバラバラ殺人事件のことについて水を向けたことがあったんだ」

「ほ、本当ですか」

「大した返事は貰《もら》えなかったよ。『そんなものは放っておきなさい』とね。取りつく島もない。このごろの高橋さんにできることは、くじを当てることくらいだった」

塚本は自分の背広のポケットに手を入れて、昼間と同じように宝くじを取り出した。河原崎にちらと見せる。

「数字を六つ選択して、それが全部一致していれば当選金がもらえるってやつだ」

「それ、あの方が当てたのですね」

「あの人は法則が見える。人生の法則が見えるんだ。こんな数字の羅列の法則程度なら、簡単に見通せるらしい。けれど、今ではこんなことにしか力を発揮していない」

「い、いくらなんです？」

「億を軽く越える」

お、と河原崎は声に出したきり固まってしまった。オクヲカルクコエル。その後の言葉が続かない。

「こんな紙切れがね。まったく馬鹿馬鹿《ばかばか》しいよ」塚本はそう言いながらまた背広にくじをしまった。「紙切れ」と言ったはずのくじを、言葉とは裏腹にとても慎重な手つきで扱っていた。「人生がこんなものに左右されるとなると本当に馬鹿馬鹿しい」と笑った塚本の顔が、一瞬通俗的に見えた。

河原崎は呆然《ぼうぜん》としていた。億を越える額を想像してみた。それだけの金があれば父はビルの十七階から蝶《ちょう》の真似《まね》などしなくても済んだだろうか？

死体を見る。高い鼻が天井を向いている。人生は馬鹿馬鹿しいのでしょうか？　つい質問をしたくなった。死んでいるとは信じられなかった。あなたは僕を救ってくれるはずではなかったのですか。

急に涙が出てきた。

悲しみや罪悪感ではなかった。自分にだけ迎えの船が来なかったような、見捨てられた気持ちになったのだ。どうしてですか？ と訊《たず》ねたくなる。僕が画家を志さなかったからですか？ どこからやり直せば良いのですか？

画用紙に涙が落ちる。鉛筆を持つ手が震えた。塚本はそのことに気がついてはいないようだった。

河原崎はばれない角度で目の縁を袖《そで》で拭《ぬぐ》うと、あらためて死体を見つめた。

何も考えず、デッサンを続けなさい。どこからかそういう声がした。「高橋」の姿を描くことで、自分と、「高橋」との関係がつづく気がした。

「あなたは神なのですか？」

河原崎はそう問いかけるかわりにデッサンをつづける。自分にできることは結局のところ、これだけではないか、と思いはじめていた。

京子はしきりに休憩を主張していた。コンビニエンスストアがあったら停まってよ、と言った。「トイレに行きたいのよ」

青山はハンドルを両手でつかみ、前を向いたまま気のない返事をした。

「聞いてるの？」

いつもであれば片手でハンドルを操作し、シートに寝そべるようにして運転している青山が、滑稽《こっけい》なほど真剣な顔で前を見ていた。教習所に通ったばかりの初心者以下だ、と京子は呆《あき》れる。「情けない」と口に出して言った。

青山はそれでも視線を逸《そ》らさない。これ以上、自分の車のトランクから死体が飛び出すようなことがあってはならない、と慎重な顔をしていた。

「とにかく、いいから、停まって」と京子は苛立《いらだ》った声を上げた。信号や街灯もない細い林道で、とてもではないがコンビニエンスストアがあるとは思えなかった。

京子は尿意を我慢していたが、その我慢していること自体に我慢ならなかった。

腹立たしいといったらない、と荒く息を吐く。

観念したように青山はうなずき、ウィンカーを出した。前方からすれ違う車もない。車が停車すると同時に京子は外に出た。

京子はすぐに林の中に入っていこうとする。青山が運転席から降りてきた。「林で用を足すわけ？」

「大丈夫よ。すぐに済むんだから」京子はそう言って先へと進んだ。道に沿って、クヌギの木が立ち並んでいる。青山は、車のトランク部分を気にかけるように目をやっていた。

「ちょっとついてきてよ。暗くておっかないじゃない」

「トランクが気になるんだ」と青山が言った。「確認してから、すぐに追うから」

その返事が気に食わなかったが、京子はそのまま林の奥へと入っていく。踏み均《なら》された道はないが、生えている草木は足首の辺りまでしか背丈がなく、足が絡《から》まって歩けないなどということはなかった。

なるべくなら姿の隠れる場所を探そう、と京子はしばらく足を進めた。来た道を振り返る。背の高い柵《さく》のように並んだクヌギが邪魔で、停車している車はよく見えなかった。車道のほうをヘッドライトが通り過ぎ、ひやりとする。向こうから林の中は見えないだろうが、それにしても野外をトイレ代わりに使用するのは落ち着かない。

適当に草の生い茂った場所を見つけると、京子は穿《は》いていたスラックスをずらして用を足した。予想していた通り、尿意はあったが出る小便の量は大したことがない。おまけに残尿感もある。いつものこととは言え厄介だった。

スラックスのベルトを締めなおしていると青山がやってきた。「度胸あるなあ」とにやにやしている。

「何がよ？」

「こんな林の中でトイレなんてさ」その時ばかりは、青山は轢《ひ》いた青年のことも、飛び出した死体のことも忘れた、ただの卑猥《ひわい》な男の顔になっていた。

まったく男というのは単純だ、と京子は怒るよりも呆れた。性的なものの誘惑や喜びに、簡単に影響を受ける。診療所にやってくる男性患者についても、突き詰めていけば性的な欲求やその不満から発生していることがよくある。セックスの快楽と言っても煎《せん》じ詰めれば本能の要求にすぎないし、もっと単純に言ってしまえば尿道の痙攣《けいれん》でしかないのに、と京子はいつも首を傾《かし》げたくなった。

まあ、複雑であるよりはよほどマシだ、とも思う。別れることとなった夫のことを考えた。物事を複雑に考えて、いつも鹿爪《しかつめ》らしい顔をしているばかりで、性的なものをなるべくなら遠ざけようとする、あんな男に比べれば、青山のような単純で分かりやすい男のほうがよほど好みだ。「林だろうと、公道だろうと、どこで用を足そうと体内から出るものに変わりはないわ」

「まあね」

「で、あなたの可愛《かわい》い死体はトランクからまた飛び出したわけ？」

青山はその一言で、途端に現実世界に戻ったようだった。「死体は礼儀正しく寝ていた。ただ」じっと考え込むように辺りを見渡してから、「いいかげんこの辺りに埋めないか？」

「何言ってるのよ」

するとそこで、車道のほうで、ごろごろと滑車が転がるような音が聞こえた。京子は、はっとして音の方向を見やる。青山も音に気づいたのか、車道を見つめた。けれど変わった音はそれ以上、なかった。気のせいか、と思う。

「まさにここは打ってつけじゃないか」気を取り直したかのように青山が、口を開いた。「ここは人が通る様子もない。今から穴を掘れば、充分に時間もある。死体を引きずってきたところで他人には見られない」

青山の喋《しゃべ》り方が熱心なのに気がついて、京子は面白くなかった。「死体様をそれほどここに埋めたいのですか」

青山は怒った顔を一瞬見せるがすぐに、「そのほうが良くないか？」と言った。

「いいわけないじゃない。あの死体は、あなたが轢いてしまったあの死体は、あの女と一緒に処分するのよ。心中なり無理心中なり、とにかく車ごと海に突っ込ませるのよ。そういう予定でしょう」

「でも、あの男性と俺の妻は何の関係もない。知り合いでもない」

「これから出会うのよ。死んでから出会うの。ロマンチックね」苛々としながら京子は捲《まく》し立てた。青山と喋れば喋るほど、膀胱炎《ぼうこうえん》が悪化する気分になった。青山の煮え切らなさと残尿感の不快さが似ているせいだ。

「いや、それにしても、あの死体はここに埋めたほうがいい」

「すぐに見つかるわよ、こんなところに隠しても」

「見つかったとしても、彼と俺たちの関係なんて何もない」

「あなたの車が凹んでいる理由はどうするのよ」京子は知らず知らず声が大きくなっていたことに気がついた。周りを気にする。

京子は、青山としばらく無言で向かい合う。

木の枝が折れる音がして、はっとする。「今、音がしなかった?」と青山を見る。

「誰もいるわけないだろう」

黙ったまま京子は、周囲をうかがう。ゆっくりと顔を動かして闇《やみ》に目を凝らすが何も見えない。「戻りましょう。さっさと行きましょう」

青山はもはや、死体を埋めていこうとは言い出さなかった。諦《あきら》め顔になって、車道へと向かう。

車道に出ると、周囲には車のライトのようなものはなかった。暗くて、少し離れると何も見えないような状態ではあったが、一本道で見とおしが良いため、車のヘッドライトがあればすぐに目に入るはずだ。

京子は助手席のドアに手をかけたところで、動作を止めた。「トランクの具合はどう? もう飛び出したりはしないでしょうね」今度、死体が落ちたら、きっとそれがこの車の仕様なのね、と皮肉を口にする。

「大丈夫だ」と青山は言ったが、「と思う」と付け足した。

声を強めて京子は、「いい?」と言った。「これはわたしの問題じゃないの。あなたが轢き殺したわけで、わたしは別に関係はないのよ。しっかりと確認をしなくてはいけないのはあなたなのよ」と京子は言い聞かせるように言う。「あなたが来季もスタジアムでディフェンダーができるかどうかは、あなた自身にかかっているわけ。もっとしっかりして」

「もちろんだよ」青山は怒った目でうなずく。頭上では、雑木林の枝が風で吹かれて何事かを囁《ささや》いているようだった。落葉し、団栗《どんぐり》も落ちた木は、京子たちの頭の上をさするように揺れていた。

「わたしがもう一度、チェックしてあげるわ。トランクがきちんと締まっているか」

京子はそう言った。つかみかけていたドアのノブを放して、トランクへと歩いていく。

「大丈夫だよ。俺がさっき確認した。鍵《かぎ》もかかっている」

「いいから鍵をちょうだい。蓋《ふた》が歪《ゆが》んでいるのかもしれない」

「いいよ、そこまでやってくれなくても」

「いいから」トランクの前に立って、京子は言った。

青山は苦しい顔で、そのまま京子のところまで歩いてきた。「俺はいつだって、京子に呼ばれて後ろをついていくだけだ」

「嫌なの？　いいから、鍵」と手を出した。「貸して」

青山が手を横に振る。「中に入っているのは死体だよ。京子はそういうのは好きじゃないだろう」

「死体が好きな人がいたら教えてほしいわ。吸血鬼だって死体には興味がないのよ」

「京子はちょっと下がっていたほうがいいよ。驚くから」

「驚くって言ったってさっきも見たわよ。わたしが死体を見たくらいで驚くと思う？一番驚いたのは、あなたが車であの若者を撥《は》ね飛ばした、あの瞬間よ」

「だってさっきから死体を嫌そうに見ていた」

「だからあ」とほとほと疲れ果てた声を出した。「驚きはしないけど、好きじゃないのよ。そういうのってあるでしょう?」

青山が不服そうに、口を尖《とが》らせる。「開けるよ」

「さっさと開けてよ」言いながらも京子は一歩退いた。無意識にだが、嫌な予感があった。左右から別の車がやってこないか目をやる。ライトは近くには見えない。

「開けるよ」青山はもう一度同じことを口にしてから、キーをトランクに挿した。慎重に鍵を回した。

トランクが開く。トランクの蓋は開ききったところで小さく揺れた。

暗くて、はじめのうちはよく見えなかった。京子は目を凝らす。

「ん?」と青山が眉間《みけん》に皺《しわ》を寄せて、顔を近づけた。

京子は足を踏み出して、トランクの中に顔を寄せた。

頭上の落葉樹が風ですれて、不気味な音を立てた。

目を開いて、トランクの中を覗《のぞ》き込む。

「あ」京子はあまりのことに、すぐには次の言葉が出て来なかった。

ひいっ、と青山が隣りで息を呑《の》んだ。二人とも口を開けたまま、呼吸困難を起こしたかのように、震えていた。悲鳴も出なかった。

トランクの中には死体が転がっていた。けれど、それは先ほどまで京子が見ていた若者の死体と同じには、到底見えなかった。

トランクの中の死体はバラバラだったのだ。

両腕と両足が交互に並べられていて、胴体がその脇《わき》に置かれている。明らかに切断されている。頭部が見えなかったが、奥にでも転がっているのかもしれない。

さきほどまでは五体満足だった死体が、ほんの数分目を離している間に、バラバラになっていた。京子は車道に座り込んで、アスファルトに尻《しり》をつく。

「大丈夫か、京子」

青山の声が上からする。「だ、大丈夫よ」と強がろうとするがうまくいかない。

わたしはこんなに弱いはずがない。そう思いながらも血の気が引いていくのが分かった。理解できない出来事に混乱したせいかもしれないし、死体の切断面を見たせいかもしれない。吐き気が襲ってきた。

貧血を起こすなんていうのは男のやることよ、と頭の中で叱咤《しった》する自分がいるが身体《からだ》に力が入らなかった。何なのよ、これ。恐怖と吐き気で頭が混乱する中、京子は意識が薄れていきそうになる。

豊田は足早に公園を後にした。いくら、先に罪を犯そうとしたのがあの若者たちとはいえ、拳銃《けんじゅう》を突きつけた男のことを警察に通報しないとも限らなかった。若者は自分のことを棚に上げることに関しては、秀《ひい》でている。棚に上げたきり二度と降ろさないのがあいつらのやり方だ。

拳銃はバッグに戻した。行く当てもなかったがとりあえず、街に戻ることにした。人の集まる場所のほうが安全だと考えたのだ。人通りのない場所を一人で歩いていたりすれば、警察の目にもつきやすいかもしれない。アーケード街に紛れ込むべきだ。

歩道橋を上ろうとして、膝《ひざ》が震えていることに気がつく。力が入らずにかくんと膝が曲がり、その場にしゃがみ込んでしまった。慌《あわ》てて手《て》摺《すり》によりかかるが、支え切れず、階段のところに座る。

手が震えていた。人を撃ったためだろう。恐怖心なのか罪悪感なのか、単なる興奮なのか判別はつかなかった。けれど、自分が拳銃で人を撃ったことは確かだった。自分が今、無職であることと同様にはっきりとしている。

しばらくしてどうにか立ち上がった。深呼吸をする。行き先があるわけでもないのに歩き出す。足を規則的に動かす犬の背中を見ることでどうにか落ち着くことができた。

この犬がいて良かった、と思った。怖《おそ》れるな。その台詞《せりふ》を思い返す。そうだとも、怖れるな。

広瀬通りをまっすぐに歩き、アーケード街を目指した。犬を散歩させる通行人は何人かいて、ほっとした。さほど目立つわけではない。

耳を澄ますが、パトカーのサイレンらしきものはまだ聞こえてこなかった。そう言えば、先ほどの郵便局の事件はどうなったのか。様子を見に行きたい気持ちはあったが、犯人は現場に戻るものだ、と知った顔の刑事に指を向けられる予感がして、尻込みする。近づかないに越したことはあるまい。

左手に小学校が見えた。歩道の脇で立ち止まってみた。犬も立ち止まる。

犬は周囲を警戒する顔つきで、遠くを見渡していた。近づいてくる警察官がいないか、先ほどの若者たちが報復に来ないか、さもなければ無職の男を嘲笑《ちょうしょう》する輩《やから》がどこからか現われたりしないか、老犬は番犬であったころを思い出しているのか、辺りを窺っていた。

「豊田くんじゃないか」そこで突然、声をかけられた。

見れば左手に、同年代の男が立っている。白髪が目立ち、小柄で痩《や》せていた。

「ああ」と豊田は、男の名前を思い出してから、「井口」と呼んだ。

同期入社の男だった。偶然とは面白いものだ、と感心する。自分が退職を求められたあの忌々《いまいま》しい時、上司が名前を出したのが目の前の井口だった。あなたが会社を辞めなければ、別の社員が辞めなくてはいけないんだよ、と上司が重々しく口にしたのが井口のことだったのだ。

彼の前には車椅子《くるまいす》に乗った少年がいた。井口はそれを押している。車椅子に座っているのは、井口の不幸そのものなのか、それともかけがえのない幸福であるのか、豊田には見極められない。

「会社を辞めたんだってね」井口があっさりと言った。

「まいったよ」と平静を装《よそお》った。声が震えないように腹に力を入れる。気を抜くと、すぐにでもバッグに手を突っ込んで、拳銃を取り出しそうだった。誰のせいでこんなに苦労をしていると思っているんだ、と怒鳴り散らしたくもなる。

おまえが平気な顔で車椅子を押している間に、自分がどれほどくたびれたのかを説明してやりたい、と思った。

「それは君の犬なのかい?」井口が、豊田の足元の老犬を指差した。

「拾ったわけでもないのに、ついてくるんだ」

井口はそれを冗談と受け止めるべきなのだろうか、それとも犬の薄汚れた様子からするとあながち嘘《うそ》ではないのかもしれない、と悩んでいるようで中途半端《ちゅうとはんぱ》な笑みを見せただけだった。「この人はな、お父さんと同じ会社で働いていたんだ。同期生だったんだ」井口が車椅子に座った息子にそう説明をしている。「今はどこで働いているんだい?」

豊田はその質問が自分を刺し貫くものに感じた。「まだ決まっていないんだ」と声を小さくして答えた。「今はすっかり老《ふ》け込んだ無職の男だ」恩着せがましい口調になったのは仕方がなかった。

「この不景気は本当にひどいね。私も、再就職先が見つからなくてね、結局、家内の実家にお世話になったんだ。恥ずかしい話だがね。贅沢《ぜいたく》は言えまい。向こうの家業を手伝っているよ」

井口の口調は自嘲《じちょう》気味ではあったが、清々《すがすが》しいものだった。覚悟を決め、前向きに歩いている者の潔《いさぎよ》さがあった。

「え」と豊田は一瞬、言葉に詰まる。「『私も』って、君も会社を辞めたのか？」

「リストラクチャリングだよ」井口はわざとなのか、間延びした英語を口にした。

「ちょっと待ってくれ。私も会社を馘《くび》になった」

「知ってるよ。君だけじゃない。同じ時期に同年代の社員がまとめて切り捨てられた。私だってそうだよ」

「いや、私はあの時、君は馘にならないと聞いていた」まさか、おまえの身代わりになろうとしたなどとは口にできなかった。どうせあの時、上司に刃向かったとしても結局は馘を切られていたはずだ。

「あれがリストラのはじまりだったんだ。君が馘を切られた噂《うわさ》が流れた直後、すぐに私も声をかけられた」

それなら、あれは何だったのだ！　その場で座り込みたくなった。犬が豊田の顔を窺っている。「君は大丈夫だと思っていたんだが」どうにかそう言う。

「いや、駄目だったよ」彼の言い方は自虐《じぎゃく》的ではなかった。

「いつごろ、話が来た？」

「辞めろ、という話かい」と言って井口は記憶を辿《たど》る顔になり、そうしておおよその日付を口にした。それは、豊田が上司にはじめて呼び出されたころとほぼ変わらなかった。ひと月と開いていない。

しゃがんだままの老犬が、豊田に顔を向け、「おまえは騙《だま》されたんだよ」と言っているようだった。「おまえはさほど親しくもない同期のために自ら退社したと思っていただろうが、それはでたらめだったんだ。自己犠牲にうっとりとしていたかもしれないがな、それは飛んだひとりよがりだったんだ。ファンタジーだったんだ」

犬に言われずとも、豊田は分かった。あの眼鏡猿の上司は、豊田をからかっていたのだ。少なくとも騙したのは確かだったが、からかっていたのもほぼ間違いない。

「どうしたんだい、豊田くん」

「いや、君は大丈夫だと思っていたんだ。あいつがそう言っていた気がするんだ」

そうして豊田は元上司の名前を出す。

「ああ、あの人がリストラを率先指揮していたんだな。昇進したらしいよ。まあ、嫌な仕事だからね。偉いよ」

「君は大丈夫だと思っていたんだが」と懲《こ》りずに豊田は同じ言葉を繰り返す。

「世の中に大丈夫なんてことはないんだ」井口の言葉は変わらず、穏やかだった。

「いや、そういうことじゃない」豊田はかろうじてそうとだけ答えた。実際、そういうことではなかった。舟木の顔が目に浮かぶ。目を瞑《つむ》り、その表情を消し去ろうとするがまた浮かんでくる。昇進した、とは信じられなかった。

井口とはそのまま別れた。愚痴を言い合うこともなく、境遇を呪《のろ》う話もしなかった。井口は、自分の働いている妻の実家だ、と言って定食屋のチラシを渡していった。豊田は、「今度行くよ」と返事をした。決して行くことはない、と井口もよく分かっていたのかもしれないが、「待っているよ」と言ってくれた。

車椅子の息子を誇らしげに押していく井口の後ろ姿を眺めながら、豊田は溜《た》め息《いき》を吐《つ》く。何がどうなっているのか分からなかった。

豊田は公衆電話のボックスに入っていた。地下鉄への階段の入口部分に設置されている、大き目の公衆電話だった。久しぶりに入ったボックスは息苦しかった。老犬もどこか顔をしかめているように見える。

犬と一緒に電話ボックスに入っているのが珍しいのだろう、通行人たちの視線が集まってくる。笑うのならば笑えば良い、と豊田は胸を張る。指を差すのならば差せば良いのだ。薄汚い犬と狭い箱に閉じこもっている無職の男などは、滑稽《こっけい》で、嫌悪《けんお》されてしかるべきだと自分でも分かっていた。

カードを挿し込んだ。電話番号を憶《おぼ》えているか不安だったが、実際に電話を前にボタンを押してみると、すぐに思い出した。

誰が出るのか、と不安になりながら受話器を耳に当てる。

コール音は数回しかしなかった。懐《なつ》かしい会社名が向こう側から聞こえた。知らない女性の声だった。偽名を使い、自分の後輩にあたるデザイナーを呼び出した。

相手が電話口に出た。男にしては高い声で、三十代にしては子供のようだった。

四年ほど同じチームで仕事をした後輩で、軽薄な印象もあったが、仕事はきっちりとこなす男だった。彼が入社した時、教育担当となったのが豊田だったのだ。そして彼の能力を評価して、チームに引き抜いた。周囲では入社して二年目の男を、規模の大きなプロジェクトに配置することに消極的だったが、「勉強のために」と豊田が適当な理由を並べ立てた。期待をしていたのだ。結果として彼は、豊田の予想以上の活躍を見せた。次々と斬新《ざんしん》なデザインを作り出し、そのうちのいくつかは顧客に好評だった。

唾《つば》を飲み込んで、自分の名前を明かす。

緊張した。一緒に仕事をしていたころの彼は愛想も良く、豊田を慕っているようでもあった。けれどあれは、同じ仕事場の先輩後輩の関係があってこその、表面的なものだった可能性もある。リストラに遭遇した不幸な中年の男は、すでに先輩ではなく、むしろああなってはいけないのだという悪いお手本のようなものであるのだから、見下し、敬遠し、名前を忘れるのが適切とも思えた。

「豊田さん、どうしたんですか。元気ですか」相手の声は潑剌《はつらつ》としていた。

「あ、ああ、私は元気だよ。君は」

「そんなことを電話してきたんですか？」と相手は笑った。心配していた距離感や息苦しさはなかった。安堵《あんど》する。

「実は、舟木さんのことを聞きたかったんだ」と豊田は、元上司の名前を口にした。

「ああ」彼は辺りを見渡しているのかもしれない、声のトーンが変わった。豊田が、「舟木」の名前を出したことで、彼には電話の用件が想像できたのかもしれない。「言いがかりや苦情だとか、逆恨みはやめたほうがいいですよ」と後輩に宥《なだ》められるのを覚悟していた。

ところが、電話の向こうの彼が言ったのはまったく別の言葉だった。「舟木さん、なんて言わないで呼び捨てにしちゃえばいいじゃないですか」

「ど、どういう意味だ」

「豊田さんが辞めさせられたのはみんな知ってますよ。誰を解雇するのかは舟木が決めてるらしいです。自分にとって都合の悪い人だとか、気に入らない人だとか、そういう基準で」

「お、おい」と豊田は慌てて、「そんなことそっちの電話で言って平気なのか？」と確認した。彼は舟木と呼び捨てにしている。

「平気ですよ」彼は余裕のある声で答えたが、それが周囲に誰もいないからなのか、それとも社内での彼はそんなことを口にしても平気なくらいにしっかりとした立場を築いているのか、さもなければ舟木の悪口が公然と認められているからなのか、分からなかった。

「豊田さんよりよっぽど辞めなければいけないのがごろごろ残ってますよ」

豊田は苦笑した。彼はどういうつもりで言ってくれているのだろうか。慰めているつもりなのか、気休めなのか。

「で、何を聞きたかったんですか？」

「舟木が出世したのは本当かい」

「嫌われる仕事を遂行した者にはご褒美《ほうび》を、ってことじゃないですか。納得いきませんが。あの人は常務らしいですよ」

受話器を握る手に力が入った。「まあ、嫌がられる仕事をしたんだからな」と物分かりのいいことを言ってみせた。歯を食いしばり、絞り出した台詞《せりふ》だった。

「舟木は今はどこにいるんだろう」

「今のところこのビルにいますけどね、近いうちに本社に戻るらしいですよ。仙台の退職者のリストを持って、本社に戻るんですよ」

本社に戻るのか、と噛《か》み締めるように考えた。自分をこれほどまでに苦しめたあの男がのうのうと出世し、栄転するのか、と。「あ、いや、そうか」興奮するのを抑えて答える。相手に自分の本心を見破られてはいけない、と拳《こぶし》をつくって声が上擦らないよう気をつける。

けれど、これはチャンスだ。そうも思った。まだ仙台にいるのだから機会はあった。

「豊田さん、今、どこに勤めてるんですか?」話題を変えようと言うわけでもなかったろうが、彼が何気なく訊《たず》ねてきた。

心臓が痛い。胃が締まる。「あ、まあな」と声を出した。

若干の間があった。頭の回転の早い彼のことだから今の返事だけで、自分が無職であることや現状にまったく満足していないことを勘づいたに違いない。

「豊田さん、今度、飲みに行きましょうか」

「え?」

「久しぶりに会いましょうよ」彼はさほど飲み付き合いの良いほうではなかった。最近の若者の傾向に違《たが》わず、会社の行事で仕方がない時には顔を出すが、同僚と居酒屋でとぐろを巻くことは嫌悪している節があった。

「気を遣わないでくれよ」と豊田は笑いながら答えた。

「俺、豊田さんに教えてもらって、ここまで来ましたから」

「君はもとから才能があったんだ」

「豊田さんの真似《まね》からはじめたんです」彼は冗談めかしてそう言った。豊田は唾を飲み込めなかった。すぐに返事ができない。

老犬が呆れたように見上げていた。「おい、泣いてるぞ」とでも言っているようだった。豊田は左目の縁を手で拭《ぬぐ》った。

そのまま受話器を置く。深呼吸を繰り返す。「ありがとう」と相手に言うのを忘れた。

「あいつを撃つんだ」そう言って豊田は電話ボックスを出た。

復讐《ふくしゅう》だ、と思った。言いがかりと言われようと、逆恨みと言われようと、構わない。職業安定所に通うことに疲れ、不安で震えながら生きている自分や、車椅子《くるまいす》を押している肩を落とした井口のために、復讐を果たさなくてはいけないのだ、と豊田は拳に力を入れた。使命感と言っても良い。

私憤でけっこう、私怨《しえん》でけっこうだ。

公的な理由で行われる戦争や内紛に比べればよほど健全ではないか、とさえ感じた。蟻《あり》や蜂《はち》は自分たちの巣や集団の維持のためには闘うが、自分自身の恨みのために相手を倒すことはない。個人的な理由による復讐は、よほど人間らしいではないか、と豊田は思った。

人間がそんなに偉いのか、ヒューマニズムという言葉が一番嫌いだ、と老犬は言いたげだった。

5

「そうか、分かっていたのか」佐々岡が静かに言った。ほっとした顔にも見えた。

「座れよ。この家の主人のふりをする必要はもうないだろ。俺を騙《だま》す必要もない。おまえだって俺と同じ空き巣なんだ。少しは堂々としたらどうだ」

佐々岡は戸惑いながらも、自分の背後のドアに一瞥《いちべつ》をくれると、ソファに座り、黒澤と向かい合った。「どうして分かったんだ」

「おまえがこの部屋に入って来た時にすぐに分かったさ。おまえの顔と言ったらなかったな」黒澤は笑いを堪《こら》える。

佐々岡が静かに息を吐いた。

「さっきも言ったが、俺はプロの泥棒だ。下調べは念入りにやる。それくらいの手間はかけるんだ。アマチュアとの差をはっきりとさせるためにもな。だから、ここがおまえの家ではないことくらい、当然、分かっていた」

「ここの主人のことは頭に入っているというわけか」

「そうとも」黒澤は愉快げに言う。「ここの家の主人の名前や顔はもとより、今までの半生も味や女の好み、癖や趣味まで頭に入っている」

「私は素人《しろうと》だ」

「そんなふうにおどおどと部屋に入ってきて、満足に仕事ができると思ったのか？落ち着けよ。落ち着けば人間大抵のことはできるんだ。空き巣に入るのなら、その玄関のドアに到着する前に、興奮やら緊張やらを抑えなくてはいけない」黒澤は指を一本、立てた。「それからだ、泥棒に入る時には、家の中に誰もいないかを充分に確認する必要がある。これに神経を傾けない奴《やつ》は、戦場で無闇《むやみ》に銃を乱射して、居場所を知らせてしまう兵士と同じだ。部屋に人の気配があったらすぐさま引き返すんだ」

「正直なところ、自分がこの部屋にどうやって入ってきたのかも憶えていないんだ」

「話を聞こうじゃないか」黒澤はソファに寄りかかり、手を広げる。

佐々岡が不安そうに部屋を見渡して、腕時計の確認をした。

「大丈夫だ。この家の主人はまだ帰ってこない」

佐々岡はきょとんとしていた。「どうして言い切れるんだ」と茶化すよりは驚いた顔だった。

「俺はこの家の主人のことは頭に入っている」黒澤は笑った。「おまえみたいな奴がのこのこと登場してくる可能性は予想できないがな」

力なく佐々岡は笑みを浮かべる。話のきっかけを探そうとしているようだった。

「俺が質問をするから、答えろよ。何から喋《しゃべ》ったらいいのかも、今のおまえには分かるまい」

「質問か、ああ、そうだな。そうしてくれると助かる」

「おまえは金に困っているのか？」

「金、かい？」

「泥棒に入るのにさほど立派な理由はないだろう。大抵は金だ。くだらん理由だが、そういうものだ」

「いや」佐々岡はこの期《ご》に及んで、口ごもる。黒澤の顔をじっと見つめ、深刻な顔になった。皺《しわ》が目立って見えた。

「私は失敗したんだ」しばらくして答えた。

「失敗？　何にだ」

「私は戸田という男の画廊で働いていたんだ」

　黒澤は頭の中でその名前を反芻《はんすう》するようにして、「戸田、戸田画廊か。聞いたことがあるぞ」

「知っていてもおかしくない。有名な人だから。全国にある戸田ビルのオーナーでもあってね。大金持ちだよ」

「『大金持ち』というのは随分子供じみた言い方だな」

「本当に金を持っているんだから、そうとしか言えない」

「で、おまえはそこに勤めていたわけか」

「十年勉強させてもらった。ためになったよ。良い点でも悪い点でもね。あの画廊は凄《すご》いよ。有望そうな画家には片端から唾を付けて、契約を結ぶ。ようするに株と同じ感覚なんだ。仕入れた絵を保管して、値が上がるのを待つ。後は顧客にそれを捌《さば》いて、利益を得る」

「絵画ってのは大体が投資が目的なんだろう。違うのか？」

　佐々岡が悩む顔になった。「私は絵が、絵描きが好きなんだ。自分自身のために絵を描いている画家たちがね。株券に色を付けているつもりなんてさらさらない。野心はあっても一番大切なものを見失わない。そういう画家だよ。洞窟《どうくつ》にこもり、誰に見せるわけでもなく巨人の絵を描いたゴヤのような、そういった画家が私は好きなんだ。本物の画家が描く絵は祈りにも似ている」

「画家が祈るか？」

「たぶん絵というのは、紙に殴りつけた祈りだよ」佐々岡は言った。「十年も勤めていてこう言うのも何だが、私は絵を投資の素材として扱うことにうんざりしたんだ」

「十年も勤めておいて言う台詞じゃないな」黒澤はからかう。

佐々岡も自嘲《じちよう》気味に笑ってから、また熱のこもった声で、「あのピカソにはカーンワイラーという画商がいたんだ。ピカソがまだ若い頃にその才能を認めて契約を結んでね、『ピカソの画商』と呼ばれた。お互いの信頼感で成り立つ、あの二人のような関係を私も築きたかった。まだ芽の出ていない画家たちの面倒を見て、本来の絵の力を私自身が実感したかったんだ」

「画家の面倒を見るには金がいるじゃないか」

「そうなんだよ」佐々岡が肩を落とした。「なあ黒澤、世の中は金かな？」

「世の中は残念ながら金だよ。喜ばしいことに、と言ってもいいが」

「君は正しい。私は甘かったんだ」

よしよし、と黒澤はうなずく。「いいぞ。もっと話を聞こうじゃないか。喋って楽になることもある」

「どうやら君は、私のカウンセラーみたいだ」

「まあ、カウンセリングというのがどういう手順で行われるのか俺にはさっぱり分からないがね、ただ、物を盗むのと似ているのかもしれない。部屋の中に隠された現金を探すのと、ここにあるものを引っ張り出すのは似ている」そう言って黒澤は自分の頭を人差し指で突ついた。

「そこで胸を指差さないのが、いかにも君らしい」

「嫌なことやら辛《つら》いことってのは頭に詰まってるんだよ」黒澤は、当然だろう、という顔をした。「で、話を戻すぞ。おまえはその画廊を辞めたわけだ。独立だな。で、失敗したんだろ？」

「どうして分かるんだ」

「さっきおまえが、『失敗した』と言った。それに成功した奴がそんな浮かない顔して空き巣に入ったりするものか」

なるほど、と佐々岡が俯《うつむ》く。「私は自分の認める画家たちに、片端から声をかけた。独立する時には一緒にやってくれないか、とね。実際、私には、彼ら彼女らしかいなかった。資金はそれほどない。あの画家たちとの人と人の繋《つな》がりだけが、私の財産だったんだ。ただ自信はあった。それなりに慕われているのだと自惚《うぬぼ》れていたんだ。芸術家である彼らに必要なのは、一緒に喜びを共有できる小さな画廊であって、絵画を投資の目的でしか扱わない金持ちではないはずだ、と信じていた」

「そいつは誤りだ。幼稚な誤りだ」黒澤はすぐに指摘する。

「君はよく分かるな」

「考えないでも分かる。芸術家に必要なのはパトロンだよ。それは昔から変わらない。芸術家に欠けているものは生活力だからな。才能と努力以外で言えば、画家に必要なのは理解ある助言者などではなくて、ただの金だ」

「まったくその通りなのかもしれない」

「で、おまえの画廊はどうなったんだ」

「どうもこうも、店を開く前に潰《つぶ》れた」

「そいつは凄い。前菜前にデザートだ」

「オープン間近だったよ。不動産屋を回り、ビルを借りた。大通りに面してはいないが悪くない場所だった。内装工事もはじまるところだった。そこに、ある年輩の画家から電話があったんだ。『佐々岡さんとやっていくつもりはない』とね。声が出なかったよ。ほんの一月前には二人で居酒屋をまわり、共に歩いて行きましょうなんて握手を交していた相手だ。それが電話一本で呆気《あっけ》なく手の平返しだ。それからはあっという間だったよ。画家たちが、私の前から一斉に去りはじめたんだ。波がさっと引くようなものだった。開き直って言ってしまえば、爽快《そうかい》なくらいだった」

「戸田という男が手を回したわけか」

「あの人は、私が独立するのが分かると、すぐに動いた。画家たちに金を積み、時には脅して、私と付き合うなと言ったらしい」

「大人げないな」

「あの人は自分に刃向かうものは誰であっても許さないんだ。自分のところを辞めた人間が新たに店を起こすなんてことは、彼には許しがたいことだったんだ」

「おまえは刃向かうつもりだったのか？」

「まさか。さっきも言った通り戸田の画廊はけた外れの力を持っている。私のやろうとしていた店は、それに比べたらこぢんまりとした喫茶店に近かった。戸田に立ち向かうつもりなんてさらさらなかったよ。規模が違う。プロ野球の球団と子供会の野球チームの差くらいあった」

「それなのに戸田は怒った」

「驚いたよ」心底びっくりしたのだ、と佐々岡は言った。

「蟷螂《とうろう》の斧《おの》も許さないってわけか」

「トウロウ？」

「カマキリの鎌《かま》ってことだよ。カマキリが鎌を構えて、敵《かな》わない敵に立ち向かうのと同じってことだ」

「そうだな、私が抵抗したところで、カマキリが熊《くま》に鎌を向けるようなものだったはずだ。それなのに彼は許さなかった。カマキリも踏み潰さずにはいられないんだな」

「傲慢《ごうまん》というか、徹底しているというか、面白い男だな。嫌いじゃない」

「手に入れられないものなどないと信じているんだ」佐々岡は真顔で言った。「実際、欲しいものはすべて手にしてきたんだろう。そうして、自分を小馬鹿《こばか》にする奴は決して許さない」

「で、その戸田様を小馬鹿にしたおまえは、信じていたはずの画家たちに裏切られたわけか」

「目の前が暗くなった」佐々岡は当時の気持ちを再現するつもりなのか、両手で手探りでもする格好をした。「戸田にあって私にないものは、資金と地位だった。信じていた画家たちが次々私を見離したのは、その私が持っていないもののためだったんだろうな」

「なるほど」

「結局のところ私は、金に潰されたんだよ」と言った。悲しくて仕方がないという言い方だった。「世の中は金かい」とまた言った。

黒澤はあっけらかんと答える。「金に勝るものなど世の中にはない」

「やっぱりそうか」

「金に負けたのであれば、それはそれで恥じることも悲しむこともない」

「君がどこまで本心なのか、私には分からないよ」

「俺は泥棒だ。金が目的の、プロフェッショナルな泥棒だよ。世の中でもっとも力を持っているのは金以外の何ものでもなくてね。人生を決めるのも金の多寡《たか》だったりするんだ。俺はその偏《かたよ》りを少しでも均《なら》そうと、部屋に忍び込んでは金を奪っていくわけだ」

「そうだ、思い出したよ」佐々岡が言う。「画廊が潰れることが分かって、額屋に事情を説明しに行ったことがあった。その時、あのバイトの若者が、『未来は神様のレシピに書いてある』と言ったんだ。彼からすれば、私が裏切られたのもはじめから決まっていたことなのかもしれない」

「プラナリアの実験の話を知っているか？」黒澤は唐突に言った。

「プラナリアというのは何だい？」

「二センチくらいの小さい動物だよ。脳もないような原始的な動物だ」

「それの実験か」

「プラナリアは水がないと生きられないらしい。で、そいつを容器に入れる。入っていた水を抜く。水は一個所にしかないようにするんだ。そこにライトを当てる。そうすると水を求めて移動する。当然だな。で、それを繰り返すとだ、プラナリアはライトが当たる場所に移動するようになるんだ。水がなくても移動する」

「学習するというわけか」

「そうだ。ライトが当たる場所に水があることを憶《おぼ》えるんだな。で、その実験をさらに何度も繰り返した。どうなったと思う？」

「幸せに暮らしたのかい？」佐々岡は冗談めかして言った。

黒澤は首を横に振った。「ある時から、今度はまったく動かなくなった。ライトをいくら当てても、移動しなくなった。そうして水がないまま死んだ」

「どうして？」

「さあな。ただ、これはプラナリアが、『飽きた』からじゃないかと言われている。同じ繰り返しに飽きたんだ。その証拠に容器の内側の材質を変えたり、状況を変えるとまた学習を続けるらしい。とにかくだ、この原始的な動物ですら、同じことの繰り返しよりも自殺することを選ぶ」

「本当なのか、それは」

「あってもおかしくないだろう？　人間なんてなおさらだよ。何十年も同じ生活を繰り返し、同じ仕事を続けているんだ。原始生物でも嫌になってしまう、その延々と続く退屈を、人はどうやって納得しているか知っているか？『人生ってのはそういうものだ』となみんなそう自分に言い聞かせているんだよ。それで奇妙にも納得しているんだ。変なものだ。人生の何が分かって、そんなことを断定できるのか俺には不可解だよ」

「魚に乗っているくせにね」佐々岡は小さく笑った。

「おまえがその戸田とかいう男の画廊を辞めたのはきっと正しかったんだよ。好きでもない場所で、毎日同じように働いていたら頭がおかしくなる。繰り返し、同じ実験をさせられているプラナリアと同じになる」

「つまり」

「つまり、おまえは間違っていなかったんだ。独立に失敗し、若干の借金が残り、人に裏切られたとしても、そのまま独立もせずに、漫然と同じ毎日を過ごしているよりは正しいことをしたんだ」

「君の言葉を聞いていると、本当にそうだった気がしてくるから不思議だ」

「同感だ。俺もおまえに話していると自分のでまかせが全部、本当に思えてくる」

「妻は地位や金で世の中は決定すると信じているタイプの人間なんだ」しばらくして佐々岡がそう続けた。

「本当か」黒澤は嬉《うれ》しそうに聞き返す。

「私と結婚したのも、大手画廊に勤めていたからかもしれない。それこそ画廊の一般的なイメージには華やかなものがあるからね。年中、パリにでも行けると勘違いしていたのかもしれない」

パリがオシャレに見えるのはきっとあの国旗がスマートだからだ、と黒澤はそこで口を挟む。

「彼女は毎年の海外旅行の行き先だとか、持っているバッグのブランドだとか、そういった物で物事の優劣が決まると思っているんだ」

「俺と同じだな」黒澤は言う。「実はな、金や外見やステータス、そういう分かりやすいのが俺も好きなんだ。体裁や地位。もしかしたら、物事の本質はそのあたりにあるのかもしれない。目に見えない愛情だとか、仲間意識だとか精神的な価値なんてのは胡散臭《うさんくさ》い宗教と同じだ」

「君の言うことは皮肉なのか」

「泥棒なんていうのは、金のために人様の家に上がり込むんだからな、即物的以外の何ものでもない」

「妻は、私のことを怒っている」

「そりゃ、大手画廊を辞めて、しかも独立に失敗してでは納得が行かないだろうな」

「彼女は、私と離婚したがっている」佐々岡の口調がいかにも深刻そうで、黒澤は吹き出しそうになる。

「離婚すりゃいいんだ」

「離婚なんて」佐々岡はそんな意見をはじめて耳にしたとでもいう顔で声を上げた。「できるわけがない」

「どうしてだよ」

「彼女は私の妻なんだ。人生を共にしてきた。簡単に別れることはできないだろう」

「離婚なんて簡単だ」

「手続きが簡単かどうかを言っているんじゃないんだ」佐々岡は本心からそう思っているらしかった。膝《ひざ》の上で組んだ手をじっと見ている。「夫婦というのはそう簡単に別れるものじゃないだろう？　人と人の繋がりというのは糸が繋がっているのとは違うんだ」

これは重症だ、と黒澤は、佐々岡を見た。同時に、佐々岡の両親は、彼が少年の頃に離婚していることを思い出した。そのことが人間関係に対する執着を強くしているのかもしれない、と考えるがすぐに、安直だな、と打ち消す。

「画家に裏切られておまえは何を学んだんだ？　人と人の繋がりなんて呆気なく壊れるものだろう？　金での繋がりのほうがよほど強い。東京から帰ってきたおまえを、仙台のカミさんは優しく出迎えてくれたか？」

佐々岡は言いよどむ。

「煩《わずら》わしくて仕方がないかもしれない」

「私がいなければ、彼女は駄目なんだ」

黒澤は呆《あき》れてしまった。

佐々岡の妻は、おそらく佐々岡以上にタフであるはずだった。話を聞くだけで想像ができる。金や地位を重んじる現実的な女は、人を信頼して裏切られる真面目《まじめ》な男よりは、よほどしっかりしているはずだ。地面の上に立っているかどうかも疑わしい男よりも、履いている靴がどこのブランドであるかを気にするOLのほうが、よほど頑丈だ。何も分かっていないのは佐々岡だ。

しばらく黒澤は、友人にかけるべき言葉を探して黙っていた。叱咤《しった》すべきなのか、現実から目を逸《そ》らすなと諭すべきなのか、「君は理想的な夫だ」と賞賛すべきなのか、判断がつかない。

「私は人生に失敗した」佐々岡が繰り返した。様々なことを思い返して、佐々岡は結論に至ったのかもしれない。ソファにうなだれて、臼《うす》を背負ったまま生きていくような顔になっていた。「人に裏切られた。借金を背負った。私の人生は失敗したんだ。実は何をどうしていいのか分からないんだ」

「ラッシュライフという曲を知っているか？」黒澤が言う。

「いや」

「Lush は酔払いという意味で、飲んだくれのやけっぱち人生ということらしい。おまえに必要なのはむしろ、そういった開き直った生き方かもしれないな」

「私は酒は飲めないし、やけも起こせない」

「そんな深刻に答えるなよ」と黒澤は苦笑する。「もっと気楽に構えろよ。魚に身を預けて、のんびりと」

それでも佐々岡は、難しい顔をしている。

「俺はさっき泥棒のプロフェッショナルだと言ったよな」

「確かに」

「でもな、人生については誰もがアマチュアなんだよ。そうだろ？」

佐々岡はその言葉に目を見開いた。

「誰だって初参加なんだ。人生にプロフェッショナルがいるわけがない。まあ、時には自分が人生のプロであるかのような知った顔をした奴《やつ》もいるがね、とにかく実際には全員がアマチュアで、新人だ」

「アマチュアか」佐々岡がぼんやりと呟《つぶや》く。

黒澤は、友人に自分の言葉が伝わっているのかどうかをじっと見つめながら、「はじめて試合に出た新人が、失敗して落ち込むなよ」と言った。

佐々岡が黒澤の顔をじっと見ていた。

「何を見ているんだ、気味が悪い」

「君と話していると、私の周りにある恐れという恐れが消えていくようだ」

「この間、テレビで野球解説者が言っていたぜ。『新人らしく、失敗を恐れずプレーしてほしいですね』」

「君はどうして泥棒なんてやっているんだ。警察に捕まったことはないのかい？」

黒澤はこめかみを人差し指で掻《か》いて、「そうだな。幸いなことに捕まったことなどない。はじめた頃にはそれなりに失敗もしたがね、それでもどうにか今までやってこれた。どうしてだか分かるか？」

「逃げ足が速いんだ」その時だけ佐々岡の顔が、学生時代のものに戻った。

「そうだな。俺は気が向けばどこにでも移動できるんだ。神出鬼没、自由自在、現れては消える、という調子でね」

佐々岡が笑うので、黒澤は真顔になって、「本当だぜ」と言ってみせた。「何なら今、おまえが目を瞑っている間に消えて、別の家で一仕事してくることだって可能だ」

昼間に会った若者が、「瞬間移動」と言っていたのを思い出した。

「この家にいるのに、さらに別の場所に行くのかい？」

「やろうと思えばそれもできるってわけだ。舟木氏の部屋に再び忍び込んで、残してきた引き出しの金をいただいてくることだって可能だ」

「舟木というのは誰だい？」

言われてから黒澤は、自分が無意識に名前を口にしていることに気がついた。「新しい顧客だよ」

「君は相変わらず楽しい」

黒澤は破顔し、部屋の隅にあるステレオを指差した。「CDでもかけないか？　さっきちょっと調べたんだが、ボブ・ディランがあった。夜にあのちっともロマンチックではない声を聴くのもなかなかいいじゃないか」

それからトイレに行くと言ってソファを立った。

「泥棒が人様のトイレを使っていいのか？」

「トイレは盗むんじゃない。拝借するものだ」と黒澤は言った。「もしかしたら」

「もしかしたら？」

「さっき言ったように俺はトイレに行くふりをして、消えるかもしれない」

黒澤はそんなことを口にしながら、タワーマンションのあの舟木氏の部屋をもう一度訪れるのも悪くないな、と考えている。

どこからか上品な拍手が聞こえてきて、河原崎は我に返った。スケッチブックに集中していた顔を上げて、左右を見回す。

ステレオから流れていたジャズピアノは、ライブ盤のようだった。曲が終わるたびに客の拍手がそのまま聞こえてくる。一瞬、自分のデッサンに対する喝采《かっさい》かと思った。

時計を見る。三十分が経過している。

自分でも気がつかないうちに、スケッチブックの三枚が捲《めく》られていた。

一枚目に、横たわる姿の全体を描いた。天井を向いた鼻から、足の爪先《つまさき》までを白い紙の真ん中に置いた。すらりとした全身だ。スリムな体型の男が、優雅に眠っているように見える。二枚目には、目を閉じた男の顔のアップを描いた。作り物に見えるその顔を首のあたりまでデッサンしてある。美しい無表情と、血の気を失ったような紙の白さが奇妙なバランスを見せていた。三枚目は、首から下、主に胴体の部分を描いてある。

「どうだ」塚本は近寄っては来なかったが、河原崎に声をかけてきた。

「気がついたらもう三十分も経《た》っているんですね」

「すごい集中力だな。死体を見て、怖いとかそういうのはないのか？」

「怖いとは思いませんでした」

「物としか見えないからか？」

「物体と言うか」河原崎は口籠《くちご》もってから、「ああなっても、相変わらず、あの方は作り物のようです」

「作り物？」塚本は吹き出すのを堪《こら》える顔になる。「高橋さんが作り物か？　そいつはいいな」

「本当に神ではないのでしょうか」神でないのならあの横顔の整い方は何なのだ、と河原崎は言いたかった。

「高橋さんは神ではない。だって、そうだろう？　完全なる他者で無限である神が、そう簡単に死ぬわけがないんだ。死ぬことはすなわち神としての矛盾だ」

二人はしばらく黙っていた。曲と曲の間でピアノの音が鳴り止《や》んでいた。かわりに隣の部屋から音が漏れてくるのが分かる。

「何か聞こえませんか？」

「隣の部屋で窓でも開けてるんだろうな。向こうの部屋のステレオだ」

河原崎はさらに耳を傾ける。あまり聞き覚えのないざらついた声が、だらだらと続いていた。「ボブ・ディランだ」と塚本が気づいた。大して面白くもない顔で、「フォークの神様だ。あそこにも神様がいる」と言った。

何か気の利《き》いたことでも言い返そうと河原崎は口を開きかけるが、うまく言葉が出なかった。

塚本が立ち上がった。ゆっくりとビニールを踏み、河原崎の背後に近づいてきた。

反射的にスケッチブックを隠そうとするが、それも失礼な気がしてやめた。

「これはうまいな」頭の上に、塚本の言葉が落ちてくる。「いや、これほどとは思っていなかった。前のページも見せてもらっていいか?」

断る理由もなく、河原崎は自分の膝元のスケッチブックを開いた。

一番最初に描いてみたのがこれです、と全身の描かれている絵を見せると、塚本が感嘆の声を上げた。「すごい。これはすごい。こんなに上手だとは」

塚本の誉《ほ》め方はサービスとも思えず、照れ臭かった。デッサンをするのは、日頃から繰り返し行っていることなので誉められると妙な気分です、と河原崎は説明をする。

「これなら彼も本望だ」と塚本が言った。

「彼、ですか」その言い方に抵抗を感じる。そんな軽々しい言い方をして良いのだろうか。

河原崎はデッサンを再開した。塚本はもといた場所へと戻る。

「さてと」と塚本が声を出すのが聞こえた。耳ではなく、頭の別の場所で鳴ったような気がした。絵に集中している時には、物音はそうやって聞こえる。

塚本が視界の端で動いていた。小さな鋸《のこぎり》のようなものを手にした。いつのまにか透明の雨合羽を着ている。

「ど、どうするんですか？」

「やっぱり腕からか？」塚本が言った。真顔だった。舌なめずりをするわけでも、嫌《けん》悪《お》に顔をしかめることもなかった。平然とした顔だった。河原崎は何も答えられない。腕から切断するか？　と問われて、「ええ、そうですね、そうしましょう」などと即座に答えられる人間がいるのだろうか。

本当に解体されるのだ、と河原崎はその時、ようやく理解できた。嘘《うそ》やハッタリ、表現や比喩《ひゆ》ではなくて、あの天才は解体されてしまうのだ。

「硬直していて置きにくいな」塚本がぽつりと言った。

「え？」

「死後硬直という言葉を聞いたことがあるだろ」塚本は死体の腕を取りながら、そんなことを言いはじめた。河原崎は顔を伏せたままだった。

「この死体もかなり硬くなっていて、棒のようだ。これは関節が曲がらなくなったんじゃなくて、関節の周りの筋肉が硬くなっているんだ。だから関節が曲がりにくい」

塚本の言葉の語尾に力が入った。どうしたのだろうかと見ると、塚本は死体の腕に覆《おお》い被《かぶ》さるようにしていた。体重を乗せるようにして力を込めている。一瞬、悲鳴を上げそうになるのを堪えた。神に向かって何をしているのだ、と河原崎自身が卒倒しそうだった。

「こうやって力を入れれば曲がらないこともない」

確かに死体の腕は先ほどよりも緩やかに、肘《ひじ》が曲がった。

「何度か力を入れて、人為的に動かしてやれば死後硬直は解けるんだ。まあ、放っといても、筋肉が腐って同じことにはなるけど」

そうして塚本は、死体のもう一方の腕も同じ要領で曲げた。それから、鋸の刃を一通り確認しはじめる。死体の右腕を持ち上げた。背の低いダンボールの上に載せる。鋸を当てた。河原崎はすぐにスケッチブックに視線を戻したのでよくは見えなかったが、肩の下あたりに刃が当てられているようだった。

「高橋さんはね、こんなことを言っていたよ。神様というのは些末《さまつ》なことで頭を悩ましたりはしない。全体を見るんだ、と」

「全体ですか」河原崎はそれはデッサンの方法と似ているのかもしれない、と思う。

塚本はそこで何の前触れもなく鋸を動かした。

河原崎は反射的に目を閉じる。耳も塞《ふさ》ぎたかった。木材を切るような音が鳴った。不快ではなかったが、怖かった。海外の安易なホラー映画で見かけるように、血飛沫《ちしぶき》が飛び散るかとも覚悟していたが、そんなことはなかった。

少ししてから、目を開けた。

塚本は日曜大工をするかのように必死の表情で鋸を動かしていた。しゃかしゃかと雨合羽がこすれる音もする。「解体ってのは重労働だな」

河原崎はスケッチブックに顔を戻していた。鉛筆を走らせようとした。

「これは描くな!」塚本が鋭い声を上げた。

河原崎は、鋸を持つ塚本の姿をデッサンしようとしていたところだった。その声に驚いて、持っていた鉛筆を落としてしまう。鉛筆は膝《ひざ》にぶつかって、死体の腕の下に入り込んだ。「ま、まずいですか?」

声を荒らげたことを恥じるような顔になって塚本は、言い訳がましく小さな声を出した。「いや、悪いわけじゃない。けれど、相応《ふさわ》しくないだろう。解体するシーンを描き残すことは本来の目的と違う」

河原崎は生返事をした。意味が分からない。

「これは高橋さんという天才の身体《からだ》を部品として残すだけで、それを解体する作業は不要な部分なんだ。そうだろう？」

「不要ですか」

「不要だよ。神の絵に俺は不必要だと思わないか」

河原崎はぼんやりとしている頭の中でひっかかるものを感じた。塚本の言葉を聞いているとそのたびに、「高橋」が神であったり、神ではなかったりするような気がしたのだ。塚本の中でも、「高橋」が神か否《いな》かの区別がついていないのではないか、と河原崎は疑ってみた。

分からないでもない。

理解を超えるものについて考えるとき、人は自分を納得させる仮説を立てようと試みるが、結局のところ分かるはずがないのだ。

河原崎にしたところで、「やはり『高橋』は神ではないか」という思いが依然としてある。神を前に人は、混乱し困惑するほかないのだ、とぼうっと考えた。

「どうした？」と塚本が声をかけてくる。

「いえ鉛筆を拾いたいんです」早口で誤魔化しながら、ビニールの敷かれた床に手を突き、前のめりになって死体の下に潜り込んだ鉛筆を拾おうとした。

死体に手が触れた。現実味がないくらいに冷たかった。慌《あわ》てて手を引っ込めた。死体に触れた驚きよりも、神に触れてしまった恐怖のほうが先に立った。

「大丈夫か？」とまた塚本が言ってきた。

大丈夫です、と答えながら河原崎はスケッチブックをもう一度構える。

あ、と不意に声が出そうになった。実際に声に出したかもしれない。紙に当てていた鉛筆の先が強くめり込んでしまった。

河原崎は死体の足を見た。触れた時に死体の位置が若干変わったからかもしれない、先ほどまでは見えなかったものが河原崎の目に入ってきたのだ。

眩暈《めまい》がして目の前が暗くなり、また視界が戻る。

死体の左足の付け根に痕《あと》があったのだ。五センチメートルほどの手術痕だった。

そのほんの五センチメートルの傷に、河原崎は言葉を失っていた。不吉な紋章を目にしてしまったような嫌な感覚が身体を襲った。記憶が引っくり返る。頭の中がぐるぐる回る。あのチラシを覚えていないのか、と声がする。

行方不明の男性を捜すチラシだ。行方の知れない息子を捜しています、と書かれていて、その下に、「足の付け根のところに手術痕があります」と書き添えられていたあのチラシだ。

今、自分の前にある死体には手術痕らしきものが確かにある。

これは何を意味するのだ。「行方不明」の文字が頭に浮かぶ。目の前の死体に目をやる。頭の中でその二つが結びつきそうになる。怖かった。

考えを必死に打ち消した。そんな馬鹿《ばか》な話があってたまるか。

どうにかこうにかスケッチブックを構えなおし、持つ手に力を入れた。

おかしいぞ、と誰かが叫んでいる。

気をつけろ、気をつけろ、世の中には怪しい網が張り巡らされているのだから、迂《う》闊《かつ》に歩いていると簡単に罠《わな》にかかってしまう。おそらく忠告してくれているのは自分自身だったに違いない。

頭で虫が鳴いている感覚があった。蚊の羽音のようだった。

京子はどうにか立ち上がった。青山の隣に立つ。

死体は服を脱がされていた。着ていたはずの服は、トランクの隅に丸められている。あまりじっと眺めなかった。自分が立っていられなくなるのが怖かった。常に平静で、物怖《ものお》じしないはずの自分が、死体ごときに怯えることが許せない。

「全部、バラバラになっているよ。腕も足も胴体から切り離されている」

「どういうわけよ」京子は怒りのやり場を探した。

この非現実的な出来事は驚愕《きょうがく》よりも、怒りに値した。「何でよ。さっきまでは普通の死体だったのがどうして今はバラバラになっているのよ。馬鹿馬鹿しい！　ああ、あれね。あなたが轢《ひ》き殺した若者はプラモデルか何かだったんじゃない？　トランクの中に入れていたら振動で接着剤が剝《は》げちゃったわけね。傑作よ」

「そんなことがあるわけがないだろう！」青山も混乱しているのか、必死だった。

「誰がやったのよ？」

「誰がって」青山は言葉に詰まった。

「わたしたちが目を離している間なんて、今、トイレに行っていたほんの数分じゃない。その間にどこかの誰かがあなたのトランクを開けたんでしょ。ちょっと待って、トランクの鍵《かぎ》はあなたが持っていたの？」

「あ、ああ」青山はまだ動転していた。「俺がずっと持っていた。京子を追って林の中に行っている間はずっと」

「ということはよ、どういうことになるか分かる？」

自棄《やけ》を起こしそうになるのを堪《こら》えながら京子は人差し指を立てる。どういうことになるか分かる？　それは説明を欲している自分自身に対して言っているのと同じだった。青山が顔を歪《ゆが》める。

「わたしたちが林に行っているほんの数分間に誰かがやってきて、あなたの車の締まっているはずのトランクを開けて、入っていた若者の死体を切り刻んで、また鍵をかけて去っていった、そういうことね」

「だ、だろうね」

「そんなことができると思う？」

「できるわけがない」

「でも、現実にそれが起きている」

「ありえない」青山は言った。「奇跡でも起きない限り無理だ」

「もし奇跡だとすれば、誰のためのものよ?」京子は言った。

「奇跡はもう起きない」青山が放心した声で言う。彼にとって奇跡とはあの三対〇からの逆転試合以外にはありえないのだ。

京子は小さい円を描くようにうろついている自分に気づく。「落ち着きましょう」と言う。自分自身に言い聞かせていた。

「どこかに埋めていったほうがいい。これは変だよ。死体がバラバラになったりするわけがないんだ」

青山はきょろきょろとトランクと京子を交互に見ていた。

京子は頭を掻《か》き毟《むし》りたくなる。

「とりあえず、トランクを閉めて」拳《こぶし》をぎゅっと握り、ヒステリーを起こしそうになるのを堪えながら、青山を指差す。一つずつ作業をこなしていくしかなかった。

青山はトランクの前に立って蓋《ふた》に手をかける。切断された死体を見ているのか、顔を歪めていた。

「早く閉めてよ」京子は苛《いら》立《だ》ちながら言う。

トランクが閉まる。

まずは車に入りましょう、と京子は言う。冷静になって考えなければいけない。冷静になればわたしはどんなことでも乗り切れるはずだ。

車に乗りこむと、青山がハンドルを叩《たた》いた。「京子、どういうことだ？ 死体が、死体がいつのまにかバラバラになった」狭い車の中に入り、恐怖がさらに込み上げたのかもしれない。不安を吐き出すように言った。

「落ち着いて」下腹部に残る尿意に苛立ってはいたが、足を揺するのが止まらないのは別の理由からだ。

「変だよ。こんなことってあるか？ 俺たちが車を離れたのは、京子がトイレに行っていたあの間だけだったんだ」

「いいから、落ち着いて」京子は頭を掻いた。質問されること自体が腹立たしかった。意味が分からないのはこちらも同じなのだ。「実際にバラバラになったんだから仕方ないでしょう」

「でも、どうやって」

京子は目を軽く閉じ、両手を頭に置き、必死に考える。論理的に冷静に順序だてて考えれば、おそらく答えは出るはずだ。呼吸を整える。息をゆっくりと吐く。

「俺、もう一度トランクを見てくる」ふと運転席のドアを開けながら青山が言った。じっとしていることも我慢できない様子だった。

京子は返事をしない。何かを口にしたらまたパニックになってしまう気がした。

「京子、聞いている？」

そこで京子は、青山の顔をじっと眺めながら、「あなたがやったんじゃないの」と言ってみた。さしたる根拠があったわけではなかった。うるさい青山に腹が立っただけなのかもしれない。

青山の顔色がはっと変わり、それと同時に開きかけのドアを閉めた。「俺がやったってどういうこと」

京子は怯《ひる》みもせずに相手を真《ま》っ直《す》ぐに見据える。

「いい？　わたしはトイレがしたくて林の中に行った。あなたはその時、遅れてきたわ。わたしにすぐついてこなかった。そうでしょう？」

「トランクを開けて死体を確認しただけだ」

「本当にそうだという証拠はないわ。あなたはあの時、トランクを開けて死体を確認した。本当にそれだけなの？」

「何が言いたいんだよ」

「死体を切ったんじゃないの」京子は駆け引きをするつもりもなく淡々と言った。

「まさか」青山は即答した。「俺が、京子と離れていた時間なんてのはほんの少しじゃないか。時間で言っても何分もなかったはずだ」

「その時には死体はあったわけ？」

「ああ。確かにあったよ。正しい死体だった。あんな風に切断されていなかった。もしそうだったら気がついているよ」

確かにもし死体が裸になり、バラバラとなっていたら、いくら夜道でのこととは言え、青山も気づいているだろう。「ということはあなたが確認してから、次に開けるまでの間にバラバラになったのよ」

「五分か十分くらいだ」

「十分はかかっていないわ」

「それよりもちょっと短いくらいだ」

「十分で可能？」京子はそう口にしてからまた頭を掻く。「可能かどうかなんて訊《たず》ねるまでもないわね」

青山が車で人を撥《は》ねた。これはおそらく事実だ。まぎれもない事故だった、と京子は思う。誰かの陰謀や見知らぬ者の意図が入り込む余地はなかった、と。

それをトランクに入れて運ぼうと主張したのは、京子だった。青山の妻を殺して一緒に始末をしようと提案した。ここにも京子以外の人間の意志は入り込んでいない。次に車を止めたのは今、二人がいる林沿いの路上だった。それも京子が言い出した。トイレに行きたくて我慢できず、青山に頼んだ。京子以外の人間の予定ではないはずだった。

そこでトランク内の死体に変化があった。バラバラになった。今、仙台の街を脅《おびや》かしている連続バラバラ殺人事件にあやかるように、死体がいとも簡単に千切れたのだ。死体を切断する時間はなかった。それはおそらく間違いがない。そうであれば、と京子は考える。何か正解に辿《たど》り着きそうな気配を、感じていた。暗闇《くらやみ》の中で手を前に伸ばしてゆっくりと歩き、先は見えないがそれでももう何歩かで壁に行き当たる予感がある、そういう感覚だった。

「やっぱり、俺はもう一度トランクを見てくる」青山は堪えきれないのか、珍しく苛立った声を出し、外に出ていった。

京子は後を追わずに、さらに考えつづけていた。

トランクには鍵がかかっていた。青山がそれを持っていた。ということは、死体を切断した人間は当然、合鍵を持っていたことになる。もしくは鍵を開ける特別な訓練を受けている者が犯人なのか、トランク自体が歪んで鍵が正しくかかっていないのか。死体はもとから切断されていたのではないか？

京子はそう考えてみた。それならば、時間の問題はなくなる。切断時間の疑問は消える。「入れ替えたのよ」ふとそう閃《ひらめ》いた。

轢いた死体は五体満足の男だった。今現在は到底、人の身体《からだ》とは思えないほど分割されている。轢死体《れきしたい》とバラバラ死体を交換した。誰が？　と考える必要もなかった。青山しかいないのではないか。そもそもこの事件に関わっているのは青山と自分、それに轢かれた男だけであるのだから、消去法で行けば青山しかいなかった。

慌《あわ》ててミラーを覗《のぞ》く。青山の姿を確認しようとするが角度が合わない。トランクの中で死体を動かしているのか、がたごとと物音がした。

もしかしたら青山は、仙台で発生しているバラバラ殺人事件の犯人であるのかもしれない、とも京子は想像し、そのことに興奮を覚えた。自分の恋人が世間を騒がしている殺人犯ではないかと想像してみると、なぜか愛《いと》しくて仕方がなかった。

気づくと運転席のドアが開いて、青山が入ってきた。京子は、青山を先ほどとは違った視線で見た。「どうだった？」

「相変わらずだよ。死体はバラバラだ」

「どうしてかしらね」

「それが分かれば苦労しないよ」

車にエンジンがかかった。青山が覚悟を決めたように、ハンドルに手をやる。

「どうするつもり？」

「どうするって、最初に決めた通りにさ、俺の家に行く」

京子は、青山の本心を探るために数秒、彼の顔を見つめていた。「あたしも今そう思ったところよ。諸悪の根源はあの女、あなたの奥さんよ。一刻も早く行かなくちゃ」

あなたは殺人犯なの？　と訊ねたくなるのをじっと我慢する。

ここは予定通りに進めるべきだった。その時、京子は、もしかしたらあのバラバラ死体は青山の妻のものではないか、とも考えていた。

バラバラになった死体はうつ伏せになっていて、男のものとも決めつけにくかった。轢かれた男はスリムだったので、バラバラ死体が女性のものでも違和感はない。しかも京子は、バラバラになった後の死体の顔を確認していなかった。

そうだ、可能性はある。青山は、妻をすでに殺害し、バラバラに切断し、トランクに入れてきたのかもしれなかった。男を轢いたのは事故だったが、その後でバラバラの死体とその轢死体を入れ替えたのかもしれない。

京子は自分の憶測にすっかり夢中になっていた。貧血を起こし、座り込んだ自分が馬鹿馬鹿《ばかばか》しく思えた。あれは今後あってはならないことだ。

もう平気だ、と分かった。さっきは動揺していただけなのだ。切断された身体が何だって言うの。京子は気持ちを落ち着かせる。死体が自然に千切れる？　そんなことが起きるわけないじゃない。衆議院議員を片端から射殺するだの、カカシが喋って自分に命令を出しただの、妄想を抱えて診療クリニックにやってくる患者たちを思い出した。冗談じゃない。わたしがあいつらの仲間入りすることがあるわけがない。

青山がそこで、「もしかして」と言った。「もしかして、あれかな。昼間に俺が話しただろう？　女子高生が喋《しゃべ》っていた」

「何よそれ？」

「俺が今日街で聞いた話だよ。覚えてないのか？　話したじゃないか。死体が自然にバラバラになるっていう」

京子は、「ああ、あれね」と気乗りしない声を出す。青山は確かにそんな話をしていた。身体がバラバラになって、トカゲの尻尾《しっぽ》のように動く様子を想像して笑った覚えがあった。

「分離した身体がくっつくんだ」

「下らない怪談話はいくらでも転がってるわ。しかもそれは出来も良くないし。あれがくっつくと思う？」

「どこかで何か悪いことが起きているんだ」青山はそう口走る。

「何よ、その曖昧《あいまい》な言い方は」

「神様が怒るような畏《おそ》れ多いことを、どこかで誰かがやっているんだ。だから起きるはずのないことが起きる」

「畏れ多いことって例えば何なの？」

「誰かが神様を殺したり、切ったり」

「あなた、神様なんて信じていた？」

「困るとみんな神様が見えるんだよ」

青山の喋り方にはわずかではあるが余裕が見えた。京子はそれでさらに自分の確信を深める。青山はわたしに何かを隠している。おそらくわたしを喜ばせる何かをだ。

車は夜の車道を進み、青山はじっと前を向いていた。闇の中、林の木々が次々と後ろへと遠ざかっていく。京子は高鳴る鼓動を楽しみながら、離婚することになった夫のことなどを考えていた。人生はあなたが想像もできないくらいドラマチックなのよ、と言ってやりたかった。

豊田は自分の勤めていた会社をじっと見上げていた。仙台でも有名なオフィスビルだ。十五階から十八階までがすべてあの会社のものとなっていて、豊田の部署は十五階にあった。舟木が、「あなたはここに勤めて何年になるのだっけ？」などと白々しいことを口にしたのも同じ階の会議室だった。置かれていたホワイトボードの位置まで思い出せる。

持っている犬の綱に力が入った。

豊田は、舟木の住む場所を知らなかった。仙台市内にマンションを持っていると聞いたが、どこの区内なのかも分からない。豊田の選択したやり方は単純この上なかった。会社で待ち伏せをすることにしたのだ。

公衆電話から舟木を呼び出し、「早く家に帰ったほうがいいですよ。空き巣が入っています」と告げた。自分でも吹き出してしまうくらいの陳腐な内容だった。舟木は苛立《いらだ》った大声で聞き返してきたが、豊田はそのまま電話を切った。

効果はあるのではないか、と踏んでいた。誰だってそんな電話があれば、気になって会社を飛び出してくるのではないか。

家へ到着したと同時に拳銃《けんじゅう》を向けて、弾を放ってやる、と豊田は考えた。その後で強盗か何かに見せかけられないか、と。この期《ご》に及んで保身を考えている自分が可笑《おか》しくもあった。

ビルの入口は二箇所あるが、夜六時を過ぎると裏側はシャッターが降りてしまうため、正面の自動ドアからしか出入りはできない。そのため豊田は、正面玄関が見える場所に犬を連れたまま、立っていた。

私立高校前の停留所があり、少し離れたところにベンチがあった。古い停留所を撤廃した時に放置されたままのベンチのようだが、座ることに問題はなかった。

三人の女子高生が真正面で立ち話をしている。邪魔ではない。むしろビルから自分の姿が隠れて、ちょうど良かった。

犬は、女子高生をじっと窺《うかが》っている。観察している顔だった。

「ねえ、あれ、聞いた？　あれ」背の低い子が甲高い声を出した。「バラバラ死体の話」

「聞いた」と一人が言い、もう一人が、「え、何？」と不機嫌な声を出した。

言い出した子は、一人がすでに情報を知っていることに不満そうだったが、「バラバラ事件って今流行《はや》ってるじゃない？」

「あれ怖いよね。何か若い人とか殺されちゃってるし」

「でもね、本当はバラバラ事件じゃないらしいよ」脱色した髪の子は自慢げだった。

「どういうこと？」

「死体が勝手にバラバラになっちゃったんだって」別の子が先に答える。

下らない話ばかりして何が楽しいのか、と豊田は呆《あき》れてそれを見ていた。

「死体が切れるってこと？」

「そうそう。埋めたはずの死体がバラバラになってね、で、今度はつながって街を歩きまわるらしいよ。それでまたバラバラになっちゃうの」

「何でまた？」

聞いていた女の子が真顔で言った。豊田もその台詞《せりふ》に笑ってしまいそうになった。何でまた、とはまさにその通りだ。死体が千切れてくっつくなどということに何の意味があるのだろうか。都市伝説と呼ばれるものはどんな時でも現われるものだが、女子高生たちの話は荒唐無稽《こうとうむけい》もいいところだった。

その時、ビルから出てくる舟木の姿を見つけた。反射的に豊田は立ち上がるが、目立ってはいけないと気がついてベンチにすぐに座る。

幸いなことに舟木は一人だった。大袈裟《おおげさ》な大きなバッグを抱えて、階段を足早に降りてくる。

豊田は犬に視線を落とし、相手から顔を背けた。舟木が先を行くのを確認してから後に続く。

犬がいるのはどちらかと言えば好都合だろう。短い足を必死に動かす老犬には、愛《あい》嬌《きょう》はあっても怪しさはない。

舟木は左右を窺いながら歩いていたが、後ろを振り返ろうとはしなかった。

尾行は順調だった。しかしこのまま徒歩で帰るだろうか、と豊田が不安になりはじめた時に、舟木が動いた。

車道に寄って手を挙げたのだ。タクシーだ。

内心で悪態を吐《つ》く。どうして考えなかったのだ。交通機関を使うことは当然考えられた。地下鉄、バス、自家用車、どれに乗ろうと犬付きのおまえは後を追えないではないか、とあまりの愚かさに失笑する。

頭の中が瞬間的に動いた。判断を下すために脳が動く。

タクシーで追うか、追わないか。追うのだとすれば犬はどうする？　犬がタクシーに乗れるのか？　邪魔ではないか。

犬は置いていけ、と声がした。実際に声をかけてくるものなどいないのだから、それは自分自身の声に違いなかった。豊田は迷う。犬を見る。好きにしろ、という顔をしていた。

そもそも私はどういう義務でこの犬を連れているのだ、と我に返った。野良犬《のら》であるこの老犬を連れて歩く理由もないし、ましてや飼う必要性もなかった。

幸いなことに舟木はなかなかタクシーを捕まえられない様子で、手を挙げたまま足踏みをしている。

豊田は、犬と舟木を交互に見る。優先させるべきは復讐《ふくしゅう》のはずだった。犬はこの復讐に付き合わせられること自体、迷惑かもしれない。いや、とすぐに打ち消す。夕日を眺めていた老犬の横顔を思い出した。あの勇敢で悠然とした姿に励まされたのはどこの誰なのだ。「ようやく見つけたパートナーをおまえは手放すのか？　他の誰がおまえの相手をしてくれる」

舟木の脇《わき》に、ようやくタクシーが近づいてきた。

慌《あわ》てて豊田も車道に近寄る。タクシーを探す。幸いなことに、手を挙げるとすぐにやってきた。

舟木の車が発進すると同時に、停車したタクシーのドアが開いた。そこで豊田は乗るよりも先に声を張り上げる。「犬、乗せてもいいですよね！」

運転手は体格の良い角刈りの男で、頬に傷でもありそうな雰囲気だった。低い迫力のある声で、「駄目に決まってるだろう」と振り返る。

「盲導犬！」豊田も腹をくくり大声を出す。「盲導犬はオッケーですよね」

無理やりシートに入り込む。老犬を抱えて膝《ひざ》の上に載せた。

「何を」角刈り運転手の顔が曇る。

「頼むから追ってくれ。前のタクシーの後を追ってくれ」早口で、有無を言わせない勢いで豊田は捲《ま》くし立てた。「盲導犬を乗せないってなると問題だ！　社会の問題だし、おたくの会社だって困るはずだ」

「あんた目が見えるじゃないか」運転手は後ろを振り返りながらそう言ったが、すでに怒った様子はなかった。愉快げだったと言っても良かった。「前のタクシーを追えばいいんだな」と今度は前を向いたまま言うと、アクセルを一杯に踏み込んだ。

豊田の身体《からだ》がシートに押しつけられる。先ほどまでの勢いも消えて、怯《おび》えた声をこぼした。老犬は、豊田に抱えられたままだった。

舟木の乗ったタクシーは大きな交差点で二度ほど曲がっただけで、さほど面倒なルートも選ばずに走っていった。

「浮気調査とかそういうのかい？」運転手は余裕のある声で言った。

「ち、違います」

「随分大人しい声を出すじゃないか。さっきの威勢の良さはどこに行ったんだよ。あんたみたいな客は、はじめて乗せた」

「そうですか」豊田は、助手席の前に置かれた運転手の顔写真を見て、背筋を伸ばす。以前は髪を坊主《ぼうず》にしていたらしく、さらに迫力のある顔が笑顔もなく、写っていた。

「そんな柴《しば》犬みたいな盲導犬もはじめて見たな」運転手は豪快に口を広げた。

仙台駅を越え、北に五分ほど走り、住宅街に入っていく。「双子のマンションって呼ばれてるってあんた知ってたかい？」運転手が言ったので、豊田はフロントガラス越しに前を見た。

ラジオからはニュースが流れている。「強盗だってよ」と運転手が言うので跳び上がるほど驚いてしまう。

「銀行に立てこもっているんだとよ」と言われて、安堵《あんど》した。自分の郵便局強盗とは別のようだ。運転手が言うには、仙台駅前の銀行で人質を取った犯人が立てこもっているらしい。世の中には様々なことが同時に起こっているのだと、しみじみと豊田は思った。人質の一部は解放されたらしいが、人質達はそれぞれ、縁日で売っている面を被《かぶ》らされていた、とニュースは繰り返している。奇妙な話はあちらこちらに転がっているものだ、と感心するほかない。

前のタクシーがウィンカーを出すと同時に、豊田のタクシーも速度を落とし、マンションに寄った。双子のマンションと言われるのも分からないでもなかった。住宅街に細長いマンションが二棟並んで立っているのだ。無用のシンボルなのか給水用のタンクなのか、さもなくば住人専用のプラネタリウムでもあるのか、屋上には球体のオブジェが載っていて、建物全体が巨人の姿にも見える。

舟木がそこで降りた。

「すみません、ここで降ります」と運転手に告げ、自分の財布を開く。厚さも重みもない財布だった。キャッシュカードとテレホンカードが数枚挟まっているだけで、貧相この上ない。

幸いなことにメーター表示の金額くらいは払えた。残りの手持ちは三千円ほどだった。銀行の預金から降ろせばまだ金はあることはあるが、不安が圧《お》しかかってくる。無職であることを実感する。

「足元に気をつけて」運賃を受け取ると運転手は、自動でドアを開けた。

「私だって足元くらいは見えますよ」と豊田は言い返した。

「やっぱり目が見えるんじゃねえか」

「す、すみません」

「いいから行けよ」角刈りの運転手は可愛《かわい》らしい笑顔を見せた。

バックをして静かに切り返し、去っていくタクシーを見送ると、豊田は老犬を連れてマンションへ近づいた。住宅街での犬の散歩は目立たなさそうだった。

マンションは、外観の高級感から想像していたのとは異なり、オートロックの制御はなかった。これは予想外ではあったが、助かった。オートロックのセキュリティをどう突破すべきなのか豊田には案がなかった。

入り口のガラスの脇に立ち止まる。入る前に背中に挿し込んでいた拳銃《けんじゅう》を触ってみた。弾を入れておかなくてはいけない、と気がついて弾倉を確認する。一発だけ入っている。若者を撃った時の残りだ。

その瞬間、急に豊田を生々しい記憶が襲った。忘れようとしていたことを思い出した。自分は人を撃ったのだ。その場面が甦《よみがえ》る。

銃口の先に転がる若者の姿、引き金を引いた瞬間に弾んだ心臓の音、遠いところで鳴った気がした銃声。そうだ、私は人を撃った。あの若者は撃たれた足を抱えて病院に向かっただろうか。治るだろうか？　彼はあの一撃で、生涯の怪我《けが》を負ってしまったのではないだろうか？　鉛が身体に撃ち込まれるのはどれくらい痛いものなのか。洪水のように、不安と罪悪感が頭に溢《あふ》れた。

あの若者を拳銃で撃つ資格が自分にはあったのか？　罪を犯したのはどちらだ？　逃げなければいけないのはどちらだ？

郵便局を襲ったのも私だ。未遂とは言え、郵便局で発砲したのは現実だった。不安と恐怖で座り込みそうになった。それをぐっと堪える。

無職で未来を失ったおまえが、不安と拳銃を抱えて起こしている騒動は、そもそも騒動と呼べるほどの立派なものではないのだから、覚悟を決めてとことんまでやればいいんだよ、自分自身にそう言い聞かせてみる。震える足に力を入れる。拳銃を背中に戻し、拳《こぶし》を作る。

犬に目をやる。背中に手をやった。『怖《おそ》れるな。そして、俺から離れるな』呪文《じゅもん》のようにその台詞を、数度口の中で唱える。無言の犬が、自分をそうやって鼓舞してくれているのだと思い込もうとする。

すっと息を吸った。そのまま息を止め、自分の鼓動を確かめてから吐き出す。犬を、入り口の階段から数メートル離れたところにあるベンチ脇の消火栓にくくりつけることにした。建物の中に老犬を連れて行くのはあまり利口ではない。目立ちすぎるし、乱闘でも起こったら、面倒を見ることができない。

頼むから帰るときに忘れないでくれよ、と老犬が、豊田を見ているようだった。

マンションに入ったところには郵便ポストがずらりと並んでいて、さっと目をやる。「舟木」の苗字《みようじ》は比較的すぐに見つかった。五〇五と書かれている。

やるべきことは決まっている、と豊田は自分に言い、エレベーターの昇りボタンを押した。私憤で結構だ、とまた思う。エレベーターが上品なチャイムと共に開くと中に入った。「豊田さん、今度、飲みに行きましょうか」と言ってくれた後輩の言葉がどういうわけか耳に甦った。

後戻りするなと言わんばかりに、勢いよくエレベーターが閉じた。

五〇五号室を探すのにさほど苦労はなかった。ワンフロアに十部屋もなかったのだ。「舟木」と立派な表札がかかっていた。怒りが、尽きぬ泉のように湧《わ》き上がり、それを抑えるほうが一苦労だった。

背中の拳銃を再度、確認する。

手を伸ばすよりも先に、五〇五号室のドアが開いた。

豊田には何が起きたのか分からなかった。目の前のドアが手前に勢いよく開いて、人が飛び出してきた。

今だ、撃つんだ。咄嗟《とっさ》に自分のすべきことを思い出す。拳銃を抜き出して、頼りない腰つきで、出てきた男に向ける。「止まれ！」と豊田は声を上げた。相手が誰であるかも確認せずに銃口を向けた。「そのままこっちを向くんだ。私を覚えているか」

豊田は腹の底に溜《た》まっているものをすべて吐き出すつもりだった。ありとあらゆる呪《のろ》いの言葉を相手にぶつけたかった。様々なことが一瞬にして頭に浮かぶ。それは確かに記憶しているシーンであったり、漠然とした感情であったりした。「あなたはここに勤めて何年になるのだっけ？」と言った舟木の顔が浮かんだ。退職日に誰にも見送られず、下がっていくエレベーターのフロア表示を見ていた。再就職の面接に出向き、履歴書も見ず、「残念ながら」と口にした面接官の顔が浮かんだ。「今度は大丈夫ではないでしょうか」と嬉《うれ》しそうな顔をした、職業安定所の職員の顔が浮かんだ。ベンチに座ったまま、「働きたいんです」と呟《つぶや》く自分の姿が浮かんだ。そうだ、イアフォンはどこだ、とも思った。「HERE COMES THE SUN」を聴かなくてはいけない。別れ際《ぎわ》に、ほとほと駄目な人間を見るような眼で自分を見ていた、息子の顔が浮かんだ。ビートルズを聴かなくてはいけない。採用の電話連絡を、六畳間で一日中待っている自分の姿が浮かんだ。「管理職の求職はほとんどないんですよ」と言ったくせに、「いえ専門職で」と答えると、「デザインは若い人じゃないとねえ」と言った男の顔が浮かんだ。ビートルズはどこだ？　車椅子《くるまいす》に乗った息子を押す、井口の姿が浮かんだ。「世の中に大丈夫なんてことはないんだ」と彼は言った。「あなたは何もできないのよ」と激昂《げっこう》するでもなく淡々と言った、あの妻の声が耳に甦った。

撃たなくてはいけない。頭の中を混乱させる、様々なシーンや人の顔、人の言葉、形にならない不安や怒りをすべて取り払うには、目の前の男を撃つしかないのだ、と手に力を込める。

すべての張本人である「舟木」を撃つのだ、と豊田は思った。

引き金に指はかかっていた。まさに引こうとしていた。

するとそこで、「穏やかじゃないな」と落ち着いた声で相手が言った。

その時、ようやく男の顔が目に入る。

目の前の男は、舟木ではなかった。知らない男だ。舟木の部屋から飛び出してきたことは間違いなかったが、男はあの上司の姿とは違っていた。

人違いだ、と青くなるが、それにしても相手が銃口を前に平気な顔をしているので、現実味がない。三十代の半ばというところかもしれない。不精髭《ひげ》が似合っていた。会社員にも見えなかったが、豊田のように就職先を探してボロ雑巾《ぞうきん》のようにやつれているわけでもない。むしろ反対に、男の全身に溢れているのは余裕だった。羨《うらや》ましいほどの余裕が、相手には漂っていた。相手の素性が分からないにもかかわらず、羨ましい、とまず真っ先に感じた。

「舟木は」と豊田は、混乱する頭をどうにか落ち着かせながら訊《たず》ねる。「舟木はどこなんだ」

「舟木？　ああ、そこの部屋の主人か」男はゆっくりと喋《しゃべ》った。「部屋で倒れている。あ、俺は何もしていない。勝手に大騒ぎして転んだんだ。あんた誰だい？」

「わ、私は」まさか、舟木を撃ち殺そうとやってきたとも言えない。

「俺も落ちたな」男は、豊田のことなど気にもかけていなかった。「あの男がこの時間に戻ってくるとは思わなかった。今日は会議じゃなかったのか？」

何の話なのだ、と豊田は戸惑った。

「夜に来れば、今度はうまくいくかと思ったが、どうやらそうもいかないみたいだな。このマンションはとにかく、俺とは相性が悪いらしい」

「あんたは」

「俺は黒澤と言ってね、その舟木さんの部屋に入った泥棒だよ。ぱっと現われて、ぱっと消えるだけのつもりだったんだ」

「え」

「泥棒を見るのははじめてか」

どうして男が、自分に正体を明かしてしまうのか、豊田には分からなかった。すると見透かしたように、相手が口を開いた。「拳銃を構えて人を撃とうとしている男は、どちらかと言えば泥棒の、俺側の、人間だと思うんでね、自己紹介してみたんだが」

その時に背中からまさに、「泥棒」と声が聞こえた。舟木の声だ。

咄嗟に、突き出していた拳銃を降ろした。スラックスの背中に押し込んだ。久々に聞いた上司の声は、豊田を正気に戻すには充分すぎるほどヒステリックだった。そもそも、そのヒステリックな男に拳銃を向けるためにやってきたことすら忘れていた。

振り返る。

「俺は消えるよ」黒澤と名乗った男の声がそう言うのが、聞こえた。

え、と豊田は声を漏らした。

玄関から舟木が飛び出してきた。「泥棒だ」と息を切らしながら出てきた。豊田の姿を見て、「あれ」と言う。彼は靴も履いていない。

「こ、こんばんは」と豊田は間の抜けた挨拶《あいさつ》をした。「ご無沙汰《ぶさた》しています」

「あ、あんたは」舟木は傾いている眼鏡を鼻のところで押さえた。豊田の苗字すら覚えていないようだった。

「泥棒ですか」

「泥棒、そうだ！　泥棒だ。あんたじゃない、誰かいただろう」

そこで豊田はもう一度後ろを向く。

男は消えていた。

煙のほうがまだゆっくり消えるのではないかと思われた。非常口へ走っていったのか、エレベーターにタイミング良く飛び乗ったのか、そうでなければ空間から即席の魔法を使うようにして消えたのか。「泥棒、いないですよ」豊田は言った。「消えました」

「何てことだ」舟木は興奮して、頭を掻《か》き毟《むし》っている。

「何が盗まれたんです？」

「分からん！　電話があったんだ」

彼は、豊田がそこにいることにも、頓着《とんちゃく》していなかった。

腹は立たない。滑稽《こっけい》でしかなかった。何を盗まれたのかも分からず、空き巣に入られたことで血相を変えている男の姿は、小さな人間にしか見えない。あの空き巣のほうが、よほど堂々としていたではないか。

豊田は背中の拳銃に手をやった。

今なら撃てる、とそれは分かった。相手は興奮した表情で顔をくしゃくしゃにしている。撃つべき価値があるのか？ 自分自身に問いかけてみる。

「現金、現金が盗《と》られたかもしれない」と舟木はまた部屋に戻っていこうとする。

自分が、こんな男に馘《くび》を言い渡されたのかと思うと、惨《みじ》めだった。舟木の言葉一つで仕事場を失い、自信を喪失し、心の平穏が奪われたのか、と考えると悲しくなってしまった。舟木は豊田のことなど目に入っていないようだ。拳銃から手を離す。肩を落とした。「舟木さん」と声をかけた。

相手は猿のように目を赤くしていた。興奮しているのがはっきりと分かる。警察に届け出るつもりなのか、急いでいた。「何だ？」

豊田は指で鉄砲を作って、それを舟木の眉間《みけん》の辺りに向けた。

相手は眉《まゆ》を顰《ひそ》めた。構わずに部屋に戻っていく。豊田は取り残される。

どうでも良くなってしまった。溜め息を吐《つ》くが、先ほどよりも身体《からだ》が軽いのが、自分でも分かった。なぜだろう。

マンションの外で、犬の遠吠《とおぼ》えがする。番犬の声と言うよりは、豊田を呼んでいるかのようだった。

ばあん、と小声で言って、構えたままの指拳銃を揺らす。

それから慌《あわ》てて周囲を見渡す。手品のように消えた泥棒の姿を探してみた。

6

「ただいま」

黒澤がドアを開けると、佐々岡は先ほどと変わらない格好をしていた。

「長いトイレだったな」と佐々岡が言う。

「俺は実際、ここから消えて一仕事を終えてきたのかもしれない」黒澤は大袈裟《おおげさ》に深呼吸をしてみせた。

「仕事の成果は？」

黒澤は自分のポケットの中を探るジェスチャーをした後、「何もなしだ」と苦い顔をしてみせた。それからソファのところまで戻ってきて、「さて、実演だ」と言った。

「実演？」

「さっきも言っただろ。今日はおまえに、泥棒とはいかなるものなのかを実演してやる」

「そんなことはいいよ」尻込《しりご》みする佐々岡の顔は、学生の時と変わっていなかった。

「遠慮するな。俺はおまえの状態がだいぶ飲み込めてきた。プラナリアの危機と退社と独立の失敗、それと何よりも愛妻の扱いに困っている」

「困っている、ああ、そうかもしれない」

「そう言えば、どうしてこの部屋に入ろうとしたんだ」

黒澤は動きを止めた。気がつかなかったがそれは、何より重要なことだった。どうして真っ先にそれを聞かなかったのだろうか。

「え？」

「俺がこのマンションの、この部屋にいるのは分かる」

「君がプロフェッショナルの泥棒だから？」

「そんなところだ」黒澤は嬉しくて、笑った。

「この家は君が狙《ねら》うのに値していたわけだ」

「俺の話はいいんだ」自分のことを訊ねられるのは面映《おもはゆ》い。「訊ねているのは、おまえのことだよ」

「さっきから君はそればかりだ」

「おまえはこの部屋に、泥棒に入ろうとした。どうやって決めた?」

「妙なことがあったんだ」佐々岡は言葉を拾い出しながら、口を開いた。「最近の私は何も見えていなかった。亡霊のように生きていたのかもしれない」

「余計な世話だが、亡霊は生きてるわけではない」

佐々岡は頭を掻いた。「朝、妻のいる家を出て、昼間は職業安定所に通う。時には面接を受けてね、夜中に家に帰っていた。妻と顔を合わせるのは苦痛だったからいつも遅い時間に家に帰った」

そんな状態であればやはりさっさと離婚すればいいのだ、と黒澤は思ったがこれ以上嘴《くちばし》を入れることでもあるまい、と躊躇《ちゅうちょ》する。

「私は途方にくれていた。今でもそうだ。久しぶりに戻ってきた仙台の街は知らない場所も同然で、アーケードを通りながら彷徨《さまよ》っている気分だった。日中はただ日が沈むのを待つだけで。街を歩き回り、何をするわけでもなく、ただ時間が経《た》つのを待っていた。で、それが今日、妙な若者に会ったんだ」

「妙?」

「気味が悪かった。関わらないように、下を向いて通り過ぎようとしたところでね、男が、私の肩をつかんで言ったんだよ。今から言う場所へ行ってくれ、とね」

黒澤は小首をかしげる。

「本当なんだ。私も突然言われたので、うろ覚えではあったのだけれど、でも、確かにこのマンションだったんだ。男はここの住所をしきりに呟《つぶや》いて、『行け』と言った」

黒澤には事情が飲み込めなかった。このマンションのことを知っている人間が、誰かいるだろうか、と考えた。同じ泥棒稼業《かぎょう》の数人は知っているかもしれないし、数人が知っていれば、全員が知っていると同じであるのもこの業界の常識だった。

そして、もしかすると、と気がついた。昼間に、黒澤を誘ってきたあの男かもしれない、と。「一緒に仕事をやらないか」と誘ってきた男だ。あの男ならばこのマンションのことを知っている。黒澤が話したからだ。

もしそうであれば、佐々岡が会った若者とは、昼間に黒澤を追ってきた青年かもしれない。ニュートンに後れを取りながらも、林檎《りんご》が落ちることから引力を発見したあの若者だ。黒澤が、彼らの計画に乗らなかったことに、腹を立てたのだろうか。黒澤がいるはずのマンションの情報を街中に流し、邪魔でもするつもりなのだろうか。

いやそんなことはあるまいとすぐに考え直す。

あの男は愚かで思慮浅いところはあったが、このような意味のない嫌がらせをするほど暇でもなければ、陰険でもない。

「で、おまえは、その若者の言葉に唆《そそのか》されてここに来たってわけか？」そんな簡単に人が誘われてやってくるのであれば、このマンションの部屋は数時間もしないうちに満員御礼の人気スポットだ。

「あの若者は不思議だった。はじめは気味が悪かった。だから早く離れなくてはいけない、と逃げ出そうとした。で、しばらくして気がついてしまった」

「何に？」

「『私には逃げる場所もない』ってことに気がついた。滑稽《こっけい》だがね。安心できる逃げ場なんてどこにもなかった。で、その時に突然、若者の言葉を思い出したんだ。マンションの住所が頭に浮かんだ。聞いていたつもりもないのに、番地まではっきりと思い出せた。不思議なものだね。暗記しようと思わなくても、むしろ何気なく吹き込まれた言葉のほうが記憶に残っているらしい。気づけばバスに乗っていて、頭にこびりついた住所を目指して歩いていた。いつのまにかここに辿《たど》り着いていた」

「で、この部屋で俺に会った」

「マンションの名前やフロアは覚えていたけれど、部屋番号はおぼろげだった。たぶん、あの若者自体がはっきりと発音していなかったんだ。ただ、ぼんやりと歩いていたら、ドアが軽く開いている部屋があった」

「ああ」

黒澤は自分の失態に苦笑した。仕事の時はいつも、部屋に上がる前にドアを閉めて鍵《かぎ》をかける。それが通常の手順だった。それがこの部屋に限っては気が緩んでしまった。すぐに部屋を出るつもりだったので細かいところまで注意を払っていなかったのだが、言い訳はできない。

「ぼうっとしていたんだ。吸い込まれるようにして部屋に入ってきた。そうしたら君がいた」

「おまえが入ってきたのが、俺のいる部屋で良かった。別の空き巣なんかだったらもっと揉《も》めていたかもしれない。最近は海外の奴《やつ》らが仕事の幅を広げてるからな、あいつらは、家の主人に見つかったって怯《ひる》んだりしない。部屋で留守番していたペットの犬や猫を、片端からナイフで殺していくって話も聞いたことがある。おまえだってあんな生気のない顔をして入ってきたら大人しいペットと勘違いされただろうよ」

「でも、部屋のドアを半分開けたままで空き巣をしているとは、君も案外、大胆なんだな。プロの泥棒とはそういうものなのかい？」

佐々岡には皮肉のつもりはなかったのだろうが、黒澤は顔を歪《ゆが》めた。嫌なところを突かれた。「これはな」と理由を説明しようとしたが途中でやめる。

「まあいい、とにかくだ、俺の仕事を見せてやる。教授料は不要だ」

「別にいいよ」佐々岡が尻込みをするが、黒澤は手をぱんぱんと叩《たた》いた。「いいから立ち上がれ。これから金庫を探して、それでもって、金が入っていた暁には山分けしようじゃないか」

仲間と仕事をしたことがない黒澤は、「山分け」という言葉をはじめて口にしたことに気がついた。案外、悪くない響きだった。佐々岡が立ち上がる。

「まず、この家を見ておまえは何が分かる。部屋の主人を想像してみるんだ。主人の性格を推測して、その男なら財産をどこにどうやって隠すかをイメージしてみる」

困った顔で佐々岡は、部屋を見渡す。「片づいている。ただ、それほど高級な家具があるわけでもない。どちらかと言えば殺風景だ」

「鋭いじゃないか」黒澤は苦笑して、「整理整頓《せいとん》が行き届いている。几帳面《きちょうめん》な性格だな。真面目《まじめ》で仕事に誇りを持っているタイプだ。部屋に何もないのは、家での時間に愛着がないことが多い」

「独身だろうか?」

「独身の二枚目だよ」

「君はこうやって家に忍び込む前に、どれくらいの準備をしているんだい?」

「大抵のことは知っている」

「部屋の配置なども事前に調べておくものなのか?」

佐々岡はおそらく、建築用の図面を広げて打ち合わせをする、銀行強盗の姿でも思い浮かべているのだろう。

「まさか。それをやったら楽しみが減ってしまう。俺は盗みに入る相手を見つけたら、まずその人間の生活リズムを調べる。じっくりと時間をかけてな。そうしていれば自然にそいつの半生を思い浮かべられるものなんだ。こいつは自分の人間観察力と想像力を試されているようなものだ。真剣勝負だよ。それを必死にやる。そうすれば部屋のレイアウトや様子なんてのは、実際に見ていなくても手に取るように分かるものだ。だから俺にとっては、忍び込んだその時が一番の楽しみなんだ。自分の想像がどれほど正しかったかが分かる瞬間だ」

「この部屋は、ここの家の場合はどうだったんだい?」

「ぴたりだよ。座れば当たる占い師という感じだな」そのまま右手で廊下を指差して

「書斎に行くぞ」と言う。

書斎は八畳ほどのゆったりとした洋間で、グレーの絨毯《じゅうたん》が敷かれていた。入って左手に書棚が二つ並んでいて、正面に黒い机があった。ベージュの壁は綺麗《きれい》なものだった。部屋は横幅が狭い長方形だが、窮屈には感じられない。「贅沢《ぜいたく》な書斎だろ」「ここは、君が想像していた書斎と似ているかい」佐々岡は興味深そうに後ろからついてきた。けれど露骨に見渡すのを躊躇しているのか、遠慮がちだ。

「まさに俺の予想通りだよ」黒澤は部屋の中にずかずかと入っていく。「こういう片づいた部屋に住んでいる男は、考え方もシンプルだ。シンプルであることが最良だと思い込んでいるタイプだな。金は金庫に入れて隠すものだと思い込んでいる。しかもその金庫は、書斎にあるべきだと信じて疑わない。あるべきものはあるべき場所にないと気が済まないんだ。蜜柑《みかん》は鏡餅《かがみもち》の上に、鳩《はと》は時計の中に」

黒澤はぶつぶつと呟きながら、机の周りを探っていた。引き出しは開けなかったが腰を屈《かが》めて椅子《いす》の下を覗《のぞ》く。佐々岡も遠慮がちではあったが、足音が鳴るたびに怯《おび》えながら、机の上のペンを摘《つま》み上げて眺めたりしていた。「引き出しの中を調べなくていいのかい？」としゃがんでいる黒澤に言う。

「俺の勘だと、その引き出しにはロクなものは入っていない。開けてみろよ。懐中電灯が入っているくらいがオチだ」

いや、案外、こういうところにお金を隠しているものだよ、と佐々岡が言った。慎重に引き出しを開ける。「あ」と言った。「懐中電灯が入っていた」細身の懐中電灯を取り出す。

「だろ」黒澤はそれを横から奪い、引き出しに戻すとそのまま閉めた。

「手品を見ているようだ」佐々岡は驚いた顔をしている。

「俺はプロフェッショナルなわけでね」おどけて黒澤は言った。そうして部屋の隅を指差す。「ほらな、あそこに金庫がある」

佐々岡が慌《あわ》てて身体《からだ》を動かす。黒澤の指差した方向へ顔を傾ける。「あそこに？」

「間違いない」

「サイドボードがあるだけだ」

黒澤の示した方向には、茶色のサイドボードが置かれている。左半分はガラスの開き扉が付いていてワインがそこに並べられていた。右側は木製の戸が閉まっている。

「開ければ中には、金庫がある」

「どうして分かるんだい？　そうか君はすでに調べた後なんだな」

「まさか。調べてなんかいない。いいか、この家の主人を考えれば、財産はこの部屋のそのサイドボードにあるとしか考えられないんだ。『目じるしなんかいらないさ。泥棒が宝物を埋めるのは、幽霊屋敷の床下か、島か、枝が一本突き出ている枯木の下か、そういうところにきまっているんだ』」

「え、何だい、それは？」

「トム・ソーヤーの台詞《せりふ》だ。あいつなんてそんな根拠にもなっていない根拠を持ち出してきて宝を見つけようとするんだ。俺のほうがよほどマシだろ」

サイドボードに近づく。佐々岡も後ろから続いてきた。

「そう言えば、君と大学で初めて会った時、君が言った言葉を思い出したよ。『俺はシャーロック・ホームズだとかトム・ソーヤーだとかが嫌いなんだ』と言った」

「そうだったか？」黒澤は本当に覚えていなかったので、振り返って聞き返す。

「『両方とも煙草《たばこ》をやるじゃないか』とそう言ったよ」

「俺は適当なことばかり喋《しゃべ》るな」

他人事《ひとごと》のように言ってから、サイドボードの前にしゃがんだ。

「ここに金庫があるのかい？」

「間違いないな」

「趣味の悪いサイドボードだ」佐々岡が言った。素直な感想のようで、思わず口に出てしまったのだろう。黒澤はその顔を呆《あき》れ顔で見上げて、「金庫があるかどうか賭《か》けてみるか？」

「私には賭けるものなんてない」

「もし金庫があったら、俺のアドバイスを聞けよ」

「アドバイス？」

「泥棒なんていう孤独な仕事を続けているとな、誰も自分の言うことを聞いてくれない事実に愕然《がくぜん》とするんだ。人は誰かに忠告されたい。同時に誰かにアドバイスしたいと思っている。そういうものだ」

「そういうものかい？」

「誰だって人生のアマチュアだからな。他人に無責任なアドバイスをしてだ、ちょっとは先輩面《づら》したいんだ」

「それは君もそうなのか？」

黒澤はそれには答えなかった。背後に立つ佐々岡に手品を見せる気分で、手をサイドボードの戸にやった。そうしてすっとそれを右に開いた。ニスの効いた戸は音もなく移動して、中には無愛想な冷たい色をした金庫があった。

後ろの佐々岡に対して、「な」と言ってみる。

「君は何でも知っているんだな」と佐々岡はまた言った。

黒澤は両手で自分の髪を搔き上げると、気を入れ直すために息を一つ吐《つ》いて、「こいつを開けてみるか」

佐々岡が唾《つば》を飲み込むのが聞こえた。

「どうしておまえが緊張する？」金庫に付いたダイヤルをつまみながら黒澤は、友人に声をかけた。

「いや」と佐々岡は口ごもった。「いや、私は今まで真面目一辺倒で来たんだ」

「知ってるさ」

「こういう風に犯罪を犯したことなんてなかったから、尻込《しりご》みしてしまう」

「金を盗むのは俺の仕事だ。おまえは見ているだけだ」

「でも、こうやって君の後ろに立って、金庫が開くのを見ている」

「おまえに罪はない。心を痛める必要なんてないさ」黒澤は目盛をじっと見つめ、指先に神経を集中させながら、ゆっくりとダイヤルを回しはじめた。

どうした？　気分が悪くなったか、と塚本が言った。

その声が後頭部のほうから聞こえてくる。河原崎は鉛筆を持った手を止めていることに気がついた。「ぼうっとしちゃいました」

「集中力のある奴は、気が抜けると呆然《ぼうぜん》としてしまうらしいな」

「いえ、そういうのではないんです」

あれは何なのだ、と警告が鳴っている。頭の中だ。

無意識に鉛筆が動いている。スケッチブックに黒い線を描いていく。意図したものとは違うものがデッサンされていく。死体の左足のところだった。足の付け根の手術痕《あと》をひたすらに描いていた。手を止めることができない。

これは、父親がやっていたやり方と同じだ、と河原崎は思い出す。

「いいか、なあ、聞いてるか」父親が声を張り上げている姿だ。

バッティングセンターだった。赤い帽子の鍔《つば》を折り曲げて、バットを持って構えた父は、フェンス越しに河原崎に喋りかける。「いいか、嫌なことだとか、悩み事だとか、気になることがあるだろ。そういうのは考えなきゃいいんだよ。そういうのはよ、頭で考えるから深刻になるんだ。胸にある時はもっと漠然とした気分なんだよ。それが頭で考えるからまずいんだ」

そう言って、飛んできたボールに対してスイングをする。空振りだった。

「でな、頭で考える前にバットを振るんだよ。胸のモヤモヤをそっち側に逃がすんだ。頭に届く前にな、身体から外に出す」もう一球飛んできた。今度は鈍い音が鳴って、ボールは左手にゴロで飛んだ。

あの人は借金のことだとか、塾の経営のことだとか、もしかしたら自分たち家族のことまでも考えることを拒否していたのかもしれない。きっと息子である自分のことなど、何球目かのファウルチップで消えてしまったに違いない。

そうしてきっと、自分がデッサンしているのもそれと同じことなのだ。

「考えるとロクなことがない。特に俺とかおまえはな、やることは全部裏目に出ちまうんだ」バットを持った父は確か、そうも言った。「例えば、T字路にぶつかって道を選ぶとするだろ？　俺とかおまえはそういう場合に、大抵、誤った道を選択するんだよ。ああ、あっちの道へ行けば良かった。ああすれば良かった。そんなことばっかりだ。考えないほうがいい。気をつけろ。必死に考えれば考えるほど裏目に出ちまうんだ。考える前にスイングだ」

河原崎は頭を振り、父の思い出を払う。スケッチブックを捲《めく》る。鉛筆の音だけが耳に響いてくる。動かす手が自分のものには感じられない。無我夢中と言って良かった。

「大丈夫か」塚本が、河原崎の肩を叩《たた》いてきた。

はっとしてスケッチブックを反射的に閉じ、目が覚めたかのように部屋を見渡した。塚本は脇《わき》に立っていた。右手に鋸《のこぎり》を持っている。刃先には乾いた絵の具のように赤い血が付いている。それが血であることも分からないほど、現実感がなかった。雨合羽には血が飛んでいた。

死体に目をやる。腕の切り取られた死体はすでに不恰好《ぶかっこう》で奇妙だった。アンバランスさが気味悪かった。気がつかない間に両腕が切断されていた。肩の下から切り取られている。血にまみれて骨が見える。血の臭《にお》いなのか、生臭さが急に、鼻に入ってきた。

吐く。河原崎は不恰好な死体を見て頭ではそう覚悟したが、実際の吐き気はやってこなかった。

塚本は鋸を持ったまま、汗もかいていない。

「う、腕、切ったんですか」河原崎は実感もなく、ただぽつりと言った。

「次は足だ」

塚本はそう言った。「君は大丈夫か？　デッサンは順調かい？」

「たぶん」と河原崎は答える。

どん、と目の前に腕が置かれた。はじめは腕だということにも気づかない。嫌な臭いがして、慌《あわ》てて息を止める。塚本が切断した両腕を河原崎の前に無造作に並べたのだ。「解体していったところからデッサンしていこうか。まずは腕。神のパーツをひとつずつ描き写していこう」

神のパーツ、という単語が頭に入ってくる。

「好きに触れてくれ」と塚本が言った。おそるおそる人差し指で二の腕を触ってみた。感触らしい感触などない。

河原崎の胸に、抑えきれない疑問が湧《わ》き上がっている。それが頭に言葉となって現われるのが怖かった。

早く外に放出しなければ、と焦《あせ》った。父がバットを振り回したように、自分は鉛筆で紙に絵を描きつづけなければいけない。そうしないと、自分の内にある疑問と向きあうこととなってしまう。スケッチブックを再度開く。

塚本が後ろからそれを覗いてきた。「いや、言うことない。君は最高の記録者だ」と言った。「君を選んだ俺の目は確かだった」とも続けた。

「そんなことよりも僕は、さっさと次のページを捲り、早くデッサンを続けたいのです」と河原崎は言いたかった。けれど言葉にならず、口がぱくぱくと動いただけだった。

「ちょっと待ってくれ、このあたりはどうして足ばかり描いてあるんだ？」

塚本がふとそう漏らした。

河原崎はうまく返事ができなかった。「これは無意識に描いてました」

塚本の顔が渋くなり、「無意識に？」

「神について考えていたんです」自分で喋ろうとしていないのに言葉が口から零《こぼ》れていく。掬《すく》っても掬っても拾い切れない気持ちが零れていく。

口から放出してはいけない。モヤモヤとした感情は言葉になる前にスケッチブックに吐き出さなくてはいけないのだ。新しい頁を開いて、鉛筆を押しつける。

けれど、塚本がまたそれを止めた。「神についてって高橋さんのことかい？　もう一度さっきのところを見せてくれよ。足をどうして何枚も描いているんだ」

「塚本さんは言いました」早く絵を描かせてもらわないと、とんでもないことを口にする予感があった。「塚本さんはさっき、『完全なる他者で無限である神が、そう簡単に死ぬわけがないんだ』と言いました。だから、この方は神様ではない、と」

「言ったね」塚本はだからどうしたのだ、と言う。

「私にはあの方が神としか思えないのです。私たちを救うために姿を現してくれたあの方は、神でしかありません」

「君がそう思うのは勝手だよ。それと足を描くことに何の関係があるんだ」

「いえ、僕が言いたいのは」河原崎はそこまで言いかけて口をつぐむ。余計なことを喋っても仕方がない。もう一度、スケッチブックに顔を戻す。絵を描きつづけなければいけない。

ところがそのスケッチブックの上に、塚本の手が置かれてしまう。

「君が言いたいことっていうのは何だろう？」

「ぼ、僕が言いたいのは」と河原崎は吃《ども》る。言いたいことなど何もない。僕は描きたいんだ、と河原崎は叫びそうになる。

「どういうこと？」塚本が下唇を突き出す。あまり品の良い表情ではなかった。「まあ、いい。君は君のやるべきことを、今は行うべきだ。君はとにかくデッサンを続ける。俺はこのまま解体を続ける」

「そうですよね」そうだとも、自分のやるべきことをやればいいのだ、と河原崎は自分自身に言い聞かせ、今度こそデッサンを再開する。

時間が過ぎていく感覚はなかった。キース・ジャレットの弾くピアノが響き、河原崎は腕を描いている。骨の見える断面を描き、その曲がった指先を描いた。腕を克明に、詳細に、デッサンすることでそこから何かが生まれてくる気がした。現実を超えたリアリティを紙の上に作り上げることで、何か特別なことが起きても不思議には思わない。

河原崎はただスケッチブックに鉛筆を走らせている。

一方で塚本の作業は淡々と進んでいた。手袋をした両手でしっかりと鋸を持って、脚を切断している。河原崎が鉛筆を走らせる手を休めると、鋸の音が耳に入ってきた。材木を切るような音を立てて、その身体《からだ》をひたすらに切っていた。

音がした。顔を上げると目の前に、先ほどの腕と同じように切断された足が置かれた。足の付け根の十センチメートルほど下のところから切られている。膝《ひざ》のところで関節が曲がっている。死後硬直などで硬くなっているのかもしれないが、足だけがすらりと目の前にあるのは滑稽《こっけい》にも見えた。巨大な鶏の手羽先が並んでいるようだった。

つづけてもう片方の足も、同じように置かれた。

塚本が、河原崎に何か言ったが、耳には入らない。スケッチブックを捲り、足をデッサンする。黙々と鉛筆を走らせた。何も考えず、置かれた題材を次々と描きとめていく。

鋸の音がしばらくの間、続く。ピアノが美しいメロディを鳴らしている。隣の部屋で、ボブ・ディランが歌っている。河原崎の動かす鉛筆の音はそれらの音と混ざり合う。セッションでも行っている気がしていた。

時間がどれほど経《た》ったのか分からなかった。

スケッチブックの紙は二十枚以上が描きあがっていた。描き損じもない。河原崎は鉛筆を五本交換していた。気づけば、肉の臭いなのか血の臭いなのか、空気がそれで淀んでいるようでもある。

「サイン」声がした。

顔を上げると鋸を構えた塚本が河原崎のほうを指差していて、「作品にはサインを残す。そういうものだろう？　でき上がったページに、君がそれを描いた証拠を残しておけばいい」怖い顔でもあった。

「ああ」河原崎はサインを残すことなど、今までは重要に思っていなかった。無我夢中で描き、線を擦《こす》りつけるだけで、終わった後に自分の名前を書き添えることなど考えてもみなかった。画家にとってサインとはどのような意味合いがあるのだろうか。完成の合図なのか、これ以上は手を入れない意志表明なのか。

はじめのページに戻り、自分の描いた絵をもう一度、見直してみる。悪くなかった。はじめのうちの数ページを眺め、河原崎はそう思った。何本か気になる箇所に線を入れるが、さほど足すべきものがあるとも思えない。

左下にサインを入れた。「河」と名字の一文字目を入れてみる。自分が、「高橋」をはじめて見たのは川で、だった。それを考えると、「河」の文字は相応《ふさわ》しいではないか。自分の名前であり、出会った「川」を意味している。

一通りサインを入れ終えると、再び目の前の足のデッサンをやった。

塚本は、といえば、彼はいよいよという様子で、首に鋸を近づけている。死体の後頭部にクッションを置き、持ち上がった首のところに刃を当てていた。

目が合う。とうとうやるよ、と塚本はそういう顔を見せた。薄《うっす》らと笑ってみせた。

河原崎はスケッチブックを足元に置いて、腰を上げた。

足の付け根の縫合痕をもう一度確認する。

ジーンズのポケットに、手を突っ込んでいた。奥にくしゃくしゃに丸めたチラシがある。昼間に街で配られたものだ。取り出して皺《しわ》を伸ばす。

「行方の知れない息子を捜しています」と書かれている。捜索している側の必死さは、拙《つたな》いながらも丁寧に書かれた手書き文字を見れば、伝わってきた。

「足の付け根のところに手術痕があります」と書かれた特徴のところには右足とも左足ともない。目の前の死体をもう一度見た。傷痕は左足にある。チラシの文字と、目の前の足とを交互に眺める。

これはただの偶然だろうか。

塚本が鋸を動かしはじめた。首がとうとう切られる。自分自身の首が、鋸で切断される思いがした。

その時、季節外れの蚊が飛んでいることに、気づいた。

足の長い、樹液しか吸わない蚊が、河原崎の前を横切っていったのだ。

ふらふらと今にも落下しそうな弱々しさで、飛ぶと言うよりは舞うようだ。

「俺は神を見た。神は蚊みたいなもんだ」と言った父の声が頭に響く。あれは幻聴だったのか。

塚本は自分の顔に向かって飛んでくる蚊を見つけると、鋸を一度置き、無造作にその蚊を叩いた。

河原崎の頭の中で、ぱちんと音が響いた。蚊が潰《つぶ》された音が反響したようにも、自分の頭の歯車が外れた音のようにも、聞こえた。

塚本は表情も変えず、潰した蚊を摘《つま》み上げると、脇にそのまま投げた。デッサンをする手に力がこもる。意外なことに、蚊が潰されて真っ先に感じたのは、父が冒瀆《ぼうとく》されたという落胆だった。

自分でも気づかないうちに、スケッチブックを黒く塗りはじめていた。鉛筆で何度も紙を擦り、線が真っ黒になる。線ではなく、影になった。黒い影は、白紙を覆《おお》う。紙が真っ黒になる。

塚本は鋸を前後に往復させて、首を切断している。鋸の音と、河原崎が擦りつける鉛筆の音が、リズムを合わせて部屋を充《み》たした。淀んだ空気を掻《か》き回している。

河原崎は何も考えていなかった。頭の中で様々な記憶やら憶測が混ざり合い、わけが分からなくなっている。紙を塗りつぶすことでどうにか正気を保っているようなものだった。

どれくらいそれが続いたのか分からない。

塚本が一度、鋸の歯を確認し、別のものに交換し、それからまたしばらく切断が続いた。「解体する」と言った、塚本の言葉を思い出す。神の仕組みを調べるために解体する、と塚本は言った。

今自分が行っているのは本当にそれに値する作業なのだろうか？　河原崎の頭の中にぽつりとそんな疑問が現われる。雪に埋もれた地面から芽が出るようだった。

ごろん、と球の転がる音がした。

何が起きたのかはじめは把握できなかった。

半回転してそれは止まった。ボウリングの球のような重い音だった。目の前に切断された頭が情けなく転がっている。床に首だけがある。場違いで、アンバランスで、現実味は蚊の涙ほどもなかった。

塚本もさすがに息を切らせている。額の汗を袖《そで》で拭《ふ》いていた。

河原崎は落ちた頭に目をやる。はじめは恐る恐る、それから、ゆっくりと真正面から見た。紛れもなく、「高橋」の顔に見えた。神はこのように首から上を切られてしまっても、復活するのだろうか。いや、どうしたって無理だ、と首を振る。身体を六つに切られて、それでも生き返ることなど到底ありえない。もし起きたならばそれは奇跡ではなく、どちらかと言えば茶番のたぐいだ。

となると、「高橋」は神ではないのか、と自問自答する。

「いや」河原崎は内心でそれも否定する。神でなくてはいけない。そうして神は、目の前の死体のようにばらばらにされてはいけない。つまり今、河原崎の目の前で起きている出来事はあってはならなかった。あってはならないのだから、きっと何かが間違っている、と河原崎は朦朧《もうろう》とする中で考える。

塚本は腰を降ろし、背中を向こう側の壁に付け、一息吐《つ》いている。雨合羽を脱いで、足元のシートの上に丸めていた。神の首を切断し終えた充実感などどこにも見せず、肉体労働を終えた労働者の顔をしているだけだ。

球体をもう一度見る。

じっと見た。「作り物のようだ」と自分が言った言葉が甦《よみがえ》る。

同時に、「あ」と声を出していた。河原崎は頭の中が真っ白になり、目の前が真っ暗になった。

「作り物」

転がる顔は本当に作り物ではないか。河原崎はそう思い至った。無表情に近いあの顔も、人工的に作られたものだと考えれば、納得が行った。

誰かが、「高橋」の顔を被《かぶ》せたのではないか。

河原崎のそこからの動きは素早かった。思い悩んだ奇人が突然の閃《ひらめ》きに立ち上がり、発作的な行動を取るのと似ていた、と言うよりもまさにそれそのものだった。

スケッチブックを右側に置くと腰を上げ、そのまま両手両足のない胴体のところまで近づいた。

「何をするんだい」と塚本が上げた声など耳に入らなかった。

父親が非常階段から飛び降りた時の気分が、はじめて理解できた。羽根も持たないくせに手を広げて十七階から跳躍した父と重なり合う自分を感じた。この直線的で発作的な行動はきっと遺伝だ。

河原崎は胴体の下に手を入れる。素早かった。声を張り上げた。怖かったのだ。神に触れることになるかもしれなかった。その畏怖《いふ》を吹き飛ばすために声を上げた。

「わあ」と大声で叫んだ。

胴体をひっくり返した。ばたんと音を発して、幾分かの血を飛び散らし、胴体がうつ伏せになる。ビニールの上の血液が揺れる。

死体の背中を見る。「ああ」という嘆きの声を上げていた。

胴体の背中の部分は綺麗《きれい》なものだった。色白の肌があるだけだった。

折れそうになる膝を両手で抑えて、堪《こら》える。

死体は背骨の周りがわずかに凹み、そのラインが尻《しり》のところまでつづいていた。尻の柔らかい丸みのところで、足が切り離されているのはグロテスクでもある。

まさに手も足も出ないままに奴隷《どれい》となったような、そんな背中だった。背中には火傷痕《やけどあと》などなかった。河原崎にとっては決定的なことだ。「あの夜、あの夜」我を失って河原崎は呟《つぶや》いている。「あの夜」のことを思い出していた。今、その瞬間でも河原崎は、「あの夜」の土砂降りの雨の中に立つことができた。川で見かけた「高橋」の姿を思い出せた。もっとも大切な記憶だったからだ。

雨が、慈悲とも無慈悲ともつかない騒々しさで降りしきる中、ぬかるんだ川岸で上半身裸のまま猫を抱えている美しい男は、背中に火傷痕を持っていた。

うろ覚えなどでは決してなかったし、数日経てば消えてしまう傷痕でもなかった。目の前に横たわる裸の死体には、それが見えなかった。

どういうことだ。河原崎は頭の中で繰り返し、疑問を吐き出しつづけていた。まとまらない困惑と疑念が、頭の中を駆け回っている。答えは分かっているではないか、と声がする。それは父の声かもしれなかったし、自分自身のものかもしれなかった。

塚本の顔を窺《うかが》う。

突然の河原崎の行動に驚いて、言葉もないまま河原崎を眺めている。

目を逸《そ》らすな！　と誰かが頭の中で叫んだ。

転がる両手と両足に目をやる。こんなものはただの肉に過ぎないじゃないか。「塚本さん」気を抜くと口から言葉が次々と溢《あふ》れ出てしまうのが分かった。「塚本さん、これは」奥歯をぎゅっと嚙《か》む。

「どうしたんだ」そう言いながらも塚本は、手元にある鋸《のこぎり》に目をやった。河原崎をその鋸の歯で食い止めるつもりにも見える。

「これは誰なんです？」

「何がだい」

「これはあの方ではないです」河原崎はとうとうその言葉を口にした。口に出すと同時に身体《からだ》中から力が抜けた。ショックだったが、同時にそれは神が生き残っていることも意味した。河原崎は複雑な気持ちで声を出す。「これは誰なんですか！」

「高橋さんだ」

「嘘《うそ》だ」

「馬鹿《ばか》な」とまだ塚本は白を切る。「これが高橋さんでないと言うなら、これはいったい誰なんだ」

河原崎には分かっていた。足の付け根の傷痕を見た時に、すでに分かっていたのだ。

「行方不明の男性」と河原崎は力なく呟く。

どうしてこんなことになったのだ、と河原崎は立ち上がり、首だけをうな垂れる。

蚊のせいだ。蚊がぱちんと潰されたからだ。そう小声に出してみた。

青山の自宅前に到着した時、京子はうとうととしていた。

「よく眠れるね」と青山が感心するよりは、軽蔑《けいべつ》するように言ってきた。

眠れるわよ、どんな時だって。京子は強がるわけでもなくそう答える。

ここに来るまで信じられないくらい時間がかかったわ、と京子は呆《あき》れていた。あの女を殺すために、どうしてこれほど面倒くさい目に遭わなくてはいけないのだ、と腹が立った。

やるべきことは分かっているわよね、と青山に再度、確認をする。

「ああ」ハンドルを握ったままの青山が言う。おもむろに車のライトを消して、シートベルトを外した。京子もベルトを外し、首を回す。

二人はそのまま、車から外に出た。風が、待っていたかのように京子の首筋を触る。

街灯が等間隔に立っていて、ひとしなみにあたりを照らしているが、さほど明るいわけではない。

青山と車を挟んで向かい合った。人を撥《は》ねた車がここまで無事に動いたのは幸運だった、とも思う。人と衝突したのだから、バンパーがひん曲がり、タイヤに引っ掛かって、車が発進しない事態になっても仕方がなかった。わたしはまだついている。

「あなたの奥さんは今、何をしている最中かしら」

京子は微笑《ほほえ》みが浮かぶのを隠した。青山の顔をじっと見る。あなたはもしかしたらあの憎らしい女を、事前に殺害し、切断してくれていたんじゃないの？　そうでしょう？　それでトランクの中に入れておいたのね。死体を入れ替えたのは、あなたでしょう。あなたは、わたしのために約束を果たしたのよ。そう言えば、と気がつく。胸が弾む。あなたが、駅前に立っていた外国人に教えた日本語は、「約束」だったわ。

京子は様々なことを思い巡らせて、ついつい出てしまう笑みを押し殺すのに苦心していた。

「きっと眠っている。今日は、夕方には帰ってくると言っていた」青山は多少、おどおどとした調子でそう答えた。自宅の二階を指差す。

「無理しないでいいのよ」

「何が？」

「あなた、嘘を吐いているでしょう」

青山の顔が曇る。青褪《あおざ》めたと言って良かった。「な、何を」

京子は、青山の顔を見ながら、本心を探る。「まあいいわ。とりあえずあなたの家に入って、これからの段取りを決めましょうか」

青山の自宅は豪華と言えるものでもなかった。どちらかと言えば地味で、町内に埋もれてしまうタイプの一軒家だった。プロのサッカー選手の中には、サッカーができれば幸せだという者も多い。青山はその典型だった。待遇が悪かろうと、選手としてフィールドに立てるのであれば、どんなチームにでも身を寄せる覚悟をしている。

「ついにやるわよ」玄関前に立って、京子は言う。後ろから、鍵《かぎ》を持った青山が近寄ってくる。

胸が高鳴った。青山は、妻を事前に殺してくれているのかもしれない。けれど、そうでないのなら、今、あの女はこの家で眠っていることになる。それはそれで望むところだった。ようやくあの女を抹殺できるのだ、と期待で身体中が興奮する。

早く、早く、ドアを開けるのよ。鍵の向きを、慣れない手つきで確認している青山が、じれったくて仕方がない。

「京子は、どうして俺なんかと結婚したがるんだ？」突然、青山が訊《たず》ねてきた。

「どうしたのよ、突然」面倒くさいことを喋《しゃべ》っている場合でもない。

「だっていつも京子は俺を怒っているじゃないか。今だって苛《いら》立《だ》っている」

「きっと」京子は早口で言う。「きっと、あなたが単純だからよ。サッカーボールを蹴《け》れれば幸せだっていうあなたを見ているとね、ちょっとだけ安心するのよ。違う生き方もあるんだってね、思えるわけ」京子は小さな声で早口だったが本心を喋った。他人のことを追いかけ、年中忙しそうにしていた自分の夫を思い出してもいた。「いいじゃない、そんな話は。とにかく今はこの玄関を開けて。もしくは本当のことを喋って」

「本当のこと？」

「あのトランクに入っている死体のことよ」

京子は振り返り、車の後ろ部分を指差した。あそこに入っているのは、あなたの奥様ではないのかしら、と言おうとした。

けれどその時、予想もしないことが起きた。

トランクがばたんと開いたのだ。まるで、目に見えない、夜の衣装を纏《まと》った者が、トランクに鍵を挿したかのようだった。

京子は、青山の横で、どういうこと？　と眉《まゆ》を顰《ひそ》める。嫌な予感が汗となって背中を流れた。

その後の光景を眺めながら、京子はひっと息を飲む。

開いたトランクの中から、影が起き上がった。眩暈《めまい》が京子を襲う。

黒い影が足を出し、そのまま、車の外へと姿を見せた。

姿がよく見えなかったが、人影であるのは間違いない。

「くっついた」バラバラとなった死体がくっついた。生き返りトランクから出て、地面に立った。京子にもそう見えた。

恐怖心よりも、自分自身を取り囲む世界から現実感がごっそりと消えてしまった不安が、京子を混乱させた。

青山にもその人影は見えているはずだった。

暗い車道に立った人影は、ゆっくりと向こうへ歩いていく。

両手をぶらりと下げ、首を前に垂らし、一歩ずつ足元を確認するように、歩いていく。顔の部分は見えない。もしかしたら頭部がないのかもしれなかった。

夜道に足音が響いている。自分の存在感を刻み込むような嫌な足音だった。

京子はしゃがみ込んでいた。

人影は遠ざかっていく。暗く細い道をまるで自分の来た道を引き返していくようだった。京子に姿を見せつけているかのようだ。

何なのよ、これは。

京子は叫んだつもりだが声が出ない。何がどうしたって言うのよ。

「誰が、わたしをこんな目に遭わせるのよ！」

ふと京子は、自分が手に入れるはずだった拳銃《けんじゅう》は今頃どこにあるのだろうかと、そんなことを考えた。

豊田は座り込んで拳銃を撫《な》でていた。黒光りしている。

仙台駅のバスターミナルの近くにいた。老犬を連れて階段のところに座り込んでいた。通行人が邪魔そうに、豊田の顔に目をやる。若い男たちの何人かは実際に、「邪魔くせえなあ」と言葉に出した。

「私はこれを撃ったんだよな」そう言ってみる。「さっきも見知らぬ男に向かってこれを構えてみた」そうも言ってみた。「そうして結局何もしなかった」

タワーマンションからどうやって帰ってきたのか、豊田はよく覚えていない。平常心を失った舟木が大騒ぎをしているのを眺めながら、全《すべ》てが馬鹿馬鹿しくなってしまった。自分の人生を捨ててまで、銃を向ける価値などなかった。

舟木は、大悪党でも無慈悲の悪人でもなくて、ただの狭量な小人物ではないか。つまらないサラリーマンだ。

拳銃を鞄《かばん》の中にしまった。持っている意味はすでになくなっていたが、捨てるのもためらわれる。

老犬の顔と向かい合う。「いったい私はこの先どうなるんだろう」と問いかけてみるが、当然返事はない。

マンションで出会った、空き巣らしき男のことを考えた。

あの男と比較すれば、舟木は本当に小さく見えた。「大変だ、泥棒が入った」とひたすらに声を張り上げ、大慌《おおあわ》てをしている姿は同情に値した。

携帯電話が鳴る。鞄にしまい込んでいたが、震動するとすぐに分かった。チャックを開けて奥から電話を引っ張り出した。非通知の番号だった。

夜分遅くに申し訳ありません。相手の男はそう言って、会社名を告げてきた。

豊田は反射的に腕時計を見る。

朝に電話をかけてきた会社の、人事担当の男だった。

「どうされました？」と豊田は訊ねた。今朝不採用の報《しら》せを電話してきたばかりの会社が自分に何の用だ、と不可解に思った。

けれどそこで、あ、もしかしたら、と閃《ひらめ》いた。本来採用であるはずの人間が土壇場《どたんば》で辞退を申し出て、繰り上げ合格が自分に回ってきた、ということはないだろうか。胸が高鳴った。

「実は確認をさせていただきたいのですが」若い担当者の声が言った。

「ええ」豊田は唾《つば》を飲み込む。

「採用、不採用の連絡ですが、今日中にお電話を差し上げる予定でした」

「そうでしたね」先を促す。実は困ったことになりましてね、と言い出すのを待つ。

「実は、申し訳ないのですが、こちらの手違いでして」

手に力が入った。なるほど、相手の手違いで、本来採用となるべき自分に、不採用の通知がきてしまったのか？

ところが、相手の口から出たのは予想もしない言葉だった。「どなたに連絡を差し上げたのか把握していたはずなのですが、システムの故障が起きてしまいまして、混乱しているんです。ええ、実は、どなたまで通知を差し上げたのか把握できない状態でして、ただ、それで漏れがあるとかえってご迷惑をおかけすることになりますし、ここは失礼とは思いますが、再度連絡をさせていただいているのです」

「え？」

「豊田様はすでに、不採用の連絡は受けていらっしゃいますでしょうか？」

「ええ、今朝」豊田は声のトーンを下げ、返事をする。

相手の声がかなり事務的であることに、その時になって気がついた。

「それならば結構です。いえ、皆様のこれからの就職活動のためにも連絡を差し上げないのも問題がありますから、お聞きになっているのであれば問題ありません。残念ながら今回はご縁がなかったということで」

男は話している内容こそ丁寧だったが、実際には椅子《いす》の上で足を組み、コーヒーでも飲みながら電話をしているのかもしれない。

携帯電話を切る。豊田はさほどショックはなかった。ぬか喜びに疲れることもなかった。誰の悪戯《いたずら》なのかと笑い出しそうにもなる。老犬と目が合った。期待しやがって、とからかっているようだった。

あの状況で期待しない人間がいたらお目にかかりたいものだ、と豊田は弁解する気分でもある。

息を吸って一気に吐いてみた。

溜《た》め息《いき》ではない、深呼吸だ、と自分に言って聞かせる。

立ち上がると、スラックスに付いた砂を払った。

どこへ行くべきか分からないが、座ったままでいるよりは歩きたかった。

散歩用の綱を引くと犬を立たせ、階段を降りた。駅前の百貨店に沿うような形で歩道を進み、裏路地を見つけるとそこに入った。表通りの賑《にぎ》やかさよりも、暗くじめじめとした裏道のほうが、自分に相応《ふさわ》しいと分かっていた。その時、後ろから声がした。

「あ、あいつだ!」若い男の声だった。

豊田は声がした方向を見て、背筋を伸ばした。

足音が勢いよく鳴った。二人が駆け寄ってくる。

見た途端、それが公園で出会った若者たちだと分かった。ニキビ面《づら》の目立つ男と、もう一人、金髪の男だった。

数時間前に殴りつけた拳《こぶし》に痛みが戻ってくる。

あっという間に二人が、目の前に立っていた。裏路地に人通りはほとんどない。

「おっさん、ちょっとこっちへ来いよ」

ニキビ面は、豊田の肩をつかんで、さらに裏手へと連れて行こうとする。豊田は自分がさほどびくついていないことに驚いていた。どうしてこんな風に自分は落ち着いているのだろうか、それがさっぱり分からない。

今日は本当にいろいろなことがあった、そのせいだろうか、とぼんやりと考えている。

若者二人が、潰《つぶ》れた中華料理屋の壁に豊田を押しつけて、向かい合った。

「おっさん、昼間はよくやってくれたじゃねえか。ケンジのこと撃っただろう?」ニキビ面は語尾を荒々しく歪ませて、言った。

「あいつ、病院行って今ごろ手術だよ。手術。どうしてくれるんだよ」金髪が言った。

豊田はその二人をじっと見る。怖くはなかった。そのケンジという若者を撃ったことを思い出す。あれはあれで仕方がなかったのだ。自分の身を守るために必要なことだった。

「おっさん、聞いてんのかよ」

「聞いている」

「おっさん、持ってる拳銃を出せよ。ああ」とニキビ面が言う。

良く見れば可愛《かわい》い顔をしているじゃないか、と豊田は思った。彼らは、自分たちとは世代が違う。考え方も生き方も違う。昔は自分も彼らのようだったとは、間違っても思えない。悪質さが違った。彼らは道徳も倫理もなく、退屈に溺《おぼ》れて、自分にとって邪魔となる人間は教師であろうと年寄りであろうと、赤ん坊であろうと蹴《け》り飛ばして生きていくのに違いない。そう思った。

分かり合うことはできない。自分は彼らとは分かり合えない。そう考えると、気分が楽になる。

分かり合おうとするから、辛《つら》いのかもしれない。相容《あいい》れないもの同士なのだ。それを前提にすれば、気は楽だ。

「聞こえてねえのかよ、リストラ親爺《おやじ》！」ニキビ面が苛立《いらだ》ちで足踏みをしながら、豊田の襟元をつかもうとした。豊田はその手を力いっぱい叩《たた》いた。

「何しやがるんだ」

「触るな！」生まれてはじめて、豊田はそんな声で叫んだ。興奮して頭に血が昇ったわけではない。怒りで冷静さを失ったわけでもなかった。

分かり合えないのであれば、相手はライオンや熊《くま》と同じだ。無抵抗にやられてしまうのではなく、立ち向かう必要がある。どうせ負けるにしても、正面からぶつかって敗北すべきだと、そう思った。

私と若者のどちらが偉いわけでもない。人生を先に走るのか、後から行くのかの違いはあっても、どちらが優秀かなどというランクの差はあるわけがなかった。どちらも偉くないのだから、お互いに遠慮なくぶつかっていくべきではないか。

「何すんだよ、おっさん。覚悟はできてんのか？」

「おまえたちこそ、人生の覚悟はできてるのか？」

「俺たちはおっさんとは違うんだよ。シケた人生は送らねえんだ。俺たちはな、遊んで暮らすんだ」

「寝惚《ねぼ》けるな」豊田は大声を出した。

鞄の中の拳銃を出す気はなかった。このまま成り行きにまかせてみよう。腹を決める。若者たちが突如として自分に襲いかかってきて、ナイフやら金属バットなどで片端から攻撃を加えてくることを覚悟した。

「今日は久しぶりに愉快だった」豊田は、老犬の背中を見下ろす。慌ただしくてどたばたとした一日だったが、それにしても久しぶりに生きている気がした。

『怖《おそ》れるな』

「やるならやれ！」豊田は声を上げた。本心だった。かかってこい！　とさらに怒鳴った。

「おっさん、馬鹿じゃねえか」ニキビ面の若者が、眉間《みけん》に皺《しわ》を寄せて精一杯怖い顔を作る。「かかってこいってな。殺すぞ」

「やれと言ってるだろ」豊田は瞼《まぶた》をゆっくりと閉じてから目を開けて、言った。呼応するかのように老犬が一声吠《ほ》えた。

若者二人が顔を見合わせた。妙な中年男に関わるべきかどうかを無言のまま相談しているのだろう。

人生は一秒ごとに流れていっている。それを自覚しているのか！　と豊田は叫びたかった。

近くの車道を駆けていくバイクの音が聞こえた。そうだとも、と豊田は思った。人生はこうしている今も、あれと同じような絶望的なスピードで、過ぎている。目を逸《そ》らすな、とそれは若者たちに向かって叫んだのか、自分自身へ言ったのか、分からなかった。

「てめえ、許さねえぞ」金髪がつかみかかってくる。

7

ダイヤルの目盛りを合わせるのは、単調な作業だった。単調で細かい。くるくると手を動かす黒澤は、年を取ったらこういう作業も厳しくなるな、と考えていた。
「どうしてそんなふうにすぐに開けられるものなんだ？」佐々岡が後ろに立って、感嘆の声を上げた。「まるでダイヤルの番号をはじめから分かっているようだ」
「俺はプロだからな」黒澤はそう説明する。「音がな、変わるんだ。右へ左へ回していくとダイヤルの声が聞こえてくる。『行き過ぎだ』『方向が逆だ』」我ながら嘘くさいな、と笑いを堪《こら》えながら黒澤は言った。
「名人は金庫と喋《しゃべ》れるのか」

「金庫を目の前にするとな、『早く私を開けて』と金庫が懇願してくるんだよ」軽口を叩きながらも、瞬《まばた》きすら惜しんでダイヤルに集中した。一度間違えるとはじめからやり直さなくてはいけない。

「それにしても、もうそろそろ主人が帰ってくるんじゃないだろうか」佐々岡がそわそわとしはじめる。

「開いた」黒澤は立ち上がり、佐々岡の前に立った。両手をぱっと広げる。「種も仕かけもない」

「本当に開いたのかい？」

「確かめてみろよ」

佐々岡は半信半疑の様子でしゃがみ込み、金庫の扉に手をかけた。軋《きし》む音もなく、すっと扉が手前に開いた。サーカスに高揚する子供のような顔で佐々岡が、黒澤を見た。「本当だ。あっという間だった」

「そんなもので喜んでもらえるなら、何よりだ。まさにこれは、俺の日常作業でね、誉《ほ》められることではない」

佐々岡は恐る恐る、金庫の中を覗《のぞ》き込んでいた。通帳が数枚と、現金の束がある、と言った。「これも大体君が予想していたのと同じかい？　収穫としては」

黒澤はまた中腰になって、佐々岡の隣に並んだ。金庫の扉をつかみながら、中を確認する。百万円の束が五つ積んである。「まあ、こんなものだろ」

佐々岡は札束を手で取って、その厚みを確認している。

「欲しいか?」

「いや」佐々岡は微笑《ほほえ》みながら首を傾けた。「ただ、単純に楽しい気分なんだ。子供の頃、金魚すくいで取った金魚を眺めているのと同じだ」

「金魚との違いは、こいつには餌《えさ》がいらないってことだな。何束か持っていけよ」

「え」佐々岡はきょとんとするがすぐに、「いや、いい」と言った。

「せっかくだ。金に困っているのなら持って帰ればいい」

その時、黒澤の携帯電話が振動した。すぐに電話に出る。相手の言葉を待った。

「黒澤か」相手の声は、例の同業者だった。昼間、強盗に誘ってきた男だ。

「いいところに電話をくれた。確認したかったんだよ」

「仲間に入る気になったか」

「そうじゃない。あんた、俺の情報を街中で言いふらしていないか」

「何だそれは」とぼけているようには聞こえなかった。

「俺がどこに行くのか、俺の居場所をぺらぺらと喋り歩いている男がいるらしい。ふらふらと歩いている若者だ。あんたじゃないのか。あの若いやつを使って」

「タダシか？　そんなことはない。俺たちが、おまえの嫌がることをするわけがないだろうが」

黒澤もそれ以上は疑わなかった。「では、何の用で電話してきた？」

「つれねえな。おまえが言ったんじゃねえか。仕事の予定が決まったら連絡しろって」

「確かに言ったな」

「決まったぜ」どうも年輩の泥棒たちは、仕事の話になると声が子供に戻る。「明後日《あさって》だ。明後日の昼間、郵便局を襲う」

「郵便局？」

「この不景気の中、標的は郵便局だよ。それなりに金があるらしいぜ。郵貯なんて何兆円もあるらしいじゃねえか。タダシのやつがな、郵便局の制服を見つけて来たんだ。俺たちはそいつを着て、襲いに行くってわけよ。どうだ、乗らねえか？　今ならまだ制服を手に入れられるぜ。後になって仲間になると、おまえだけ制服姿じゃなくて、ひどく間の抜けたことになる」

黒澤は苦笑する。「制服はなくて結構だ。俺は一緒に強盗をするつもりなどない」

「そうか。まだチャンスはある。気が変わったら電話してくれ。何なら俺が着る制服をおまえにやってもいい。とにかく、俺たちは郵便局を襲う」

「人質を取るのか?」

「銃で脅して、裏の部屋にでも監禁しちまうさ。その後で金を掻《か》き集める。さっと消えちまえば、人質に迷惑をかけることもあるまい」

「郵便局員のふりをするのはいいが、人質はすぐに隠すべきだ。客が来ると、面倒だからな。人質を隠してしまえば、あとは自分たちが職員になりきれる」

「なるほど」男が素直に答える。

「あと、そうだな」黒澤は、隣にいる佐々岡を見ながら、「世の中には何が起きるか分からないからな」マンションで、同級生が空き巣に入ってくることがあるくらいだ。「それくらいのことは俺でも知っている。世の中は真っ暗闇《まくらやみ》で、手を伸ばしても訳が分からねえ。そうだろ? 壁かと思えば崖《がけ》だ」

「俺の忠告を聞いておけよ。いいか、郵便局に強盗に入って金を勘定している時に、もしも、別の強盗が入ってきたら」

「俺たちのいる間に、別の誰かが襲撃してくるのか?」

「万が一だよ。そんなことがもしあったら、いいか、逃げろよ。すぐに逃げるべきだ。

予期せぬことが起きたら撤退する。それが長生きの基本だ。そうだろ？」

男は豪快に笑い飛ばす。「俺たちは制服を着ているから、傍から見れば、郵便局員が一斉に職場放棄したように見えるかもな。そいつは愉快だ。分かった。聞いておこう。予期せぬ事態が起きたら一目散に逃げる」

そうして電話は切れた。

「仲間からかい？」佐々岡が訊ねてきた。

「仲間？　違うな。同業者だが、競争相手でもない。職業が同じなだけだ」

「仕事に誘われたのかい」

「断ったよ。気乗りしない仕事だった」

「泥棒も選り好みするんだ」

「選り好みしなくなったら、泥棒は廃品回収と区別がなくなるだろうよ。どうも最近は調子も良くなくてな。昼間も空き巣に入ったんだが、収入はなかった。何日も何十日も費やして収穫ゼロだ」

「そういうものかい」

「手間をあれだけかけるなら、林檎《りんご》の世話でもしていたほうがよほど実りがある」

「今だって、私のような者が現われたから仕事にならないし」

「おまえがやってきたのは本当に予想外だった。おかげで今日の仕事はなしだ」

「しかし、私が、君を邪魔したのは確かだが、金庫だって開け終わったじゃないか。ここからいくらか持っていけば、今日の収入にはなるんだろう？」

「ならないさ」黒澤は笑ってみせた。

「これしきの金額では仕事のうちに入らないということか？」

「そういうわけじゃない」

「ではどういうことだ？」

「おまえが持っていけばいい。札束を持っていけば、鬱《うつ》なんて吹き飛ぶ」

佐々岡が眉《まゆ》を下げた。「金で救われないことも世の中には多いんだよ」

黒澤にはぴんと来なかった。この世の全《すべ》てではなくとも、大抵のことは金で解消されると思っていたからだ。疑問に感じたこともない。

「いや、俺はただの泥棒だからな。金以外のことはまったく考えられないんだ」

「私は金はいらない」

黒澤は金庫の中から札束を取り出した。二、三センチメートルの厚さだった。それをどんと無造作に、佐々岡の手に渡す。「持っていけよ」

「私は泥棒ではない」咄嗟《とっさ》に佐々岡がそう言った。

黒澤は首を縦に振りながら、「分かっている。ただ、これは俺からのプレゼントだよ。持っていけばいい」

「これは君のお金じゃないよ。他人の金じゃないか」

「俺の金ならもらっていくか？」

「そういう問題じゃない」

黒澤は、友人の反応を楽しんでいる。堂々巡りのように譲り合いが続くのを喜んでいた。「これは、俺が自分の技術で金庫を開けて手に入れた金だ。だから、俺の金だ」

「そういう理屈は好きじゃない」

「俺もだよ」札束を片手で持って、一方の手で勢いよく捲《めく》ってみた。「ということでだ」黒澤は言って、開け放しになっている金庫に札束をどんと戻した。そのまま扉を閉めて、素早くダイヤルを転がした。滑らかに回転する音がする。

「あ、いいのかい？」佐々岡は同時に声を上げた。「君は何も持っていかなくていいのかい」

「盗む必要がないんだ」

「どういう意味なんだ」

黒澤は立ち上がった。金庫の入っているサイドボードの戸を閉めた。佐々岡も立ち上がり、向き合った。

真面目《まじめ》で融通の利《き》かない友人は学生時代のままに見えた。

黒澤は両手の平を相手に見せ、「ここは俺の家だ」と頬を緩める。

「え？」佐々岡が聞き返した。

「文字どおりだよ。ここは、俺のマンションなんだよ。だからあの金庫も、あの金も、俺のものだ」

「ということは」

「おまえがのこのこと入ってきたのは、俺の家なんだよ」

「ちょっと待ってくれ」と佐々岡が言う。「ちょっと待ってくれ。君は泥棒じゃないのか？」

「それは間違いない。俺はプロフェッショナルの泥棒だ」

「けれど、ここは君の家？」

「泥棒だって家くらいあるわけでね。いや、今日だって、もう一仕事《ひとしごと》いこうとしていたんだ。昼間の仕事が収穫ゼロになってしまったからな。もう一軒、狙《ねら》うつもりだった」そう喋りながら黒澤は、昼間盗みに入った舟木氏の部屋を、もう一度襲うべきではないか、とも考えてみた。金はまだ残っている、と。

「私がこの部屋に上がって来たとき、部屋も廊下も暗かった」

「暗闇には慣れているんだ。いや、いったんは外に出たんだ。けれど、エレベーターのところで、忘れている物があるのに気がついた。それで気が緩んでいたんだろうな、玄関の鍵《かぎ》も閉めていなかったし、部屋の電気を点《つ》けるのも面倒で、そのまま箪笥《たんす》を開けて探し物をしていた」

「どこまで本当のことを言っているのか分からないよ」

「言っただろう？　俺はこの家の主人のことなら何でも知ってるってな。あれは誇張ではない」

「私を騙《だま》していたのか」

「人聞きが悪いな」黒澤は頭を掻いた。「俺だって驚いたよ。気がつかないうちに男が、自分の部屋に上がり込んできてだ、よく見れば同級生としか思えなかったんだが、それが喋っていると、『ここは私の家だ』なんて言い出したんだ。面白いこともあるもんだ」

「すまない」佐々岡はうなだれる。

顔を上げろよ、と黒澤は言う。こんな愉快なことはないじゃないか。

「でも、本当なのかい？」信じられないのか佐々岡が、もう一度そう言った。

黒澤は歯を見せてから、「それにしてもだ、おまえが、『趣味の悪いサイドボードだ』と言った時にはまいった」

河原崎の頭の中は完全に混乱していた。様々なことが一気に脳の中で氾濫《はんらん》し、それを何一つ把握できていない状態だった。

足元にスケッチブックが転がっている。いつのまにか自分が立ち上がっていることに気がついた。赤いキャップを脱ぎ、床に置いている。

塚本が怯《おび》えた顔で座っていた。河原崎をどう扱うべきか決めかねていたのだろう。

「河原崎くん、落ち着くんだ」と右手を挙げて制した。

「塚本さん、説明して下さい」河原崎は死体を挟んで、塚本と向かい合っている。

「な、何を説明すればいいんだ」

「これは誰ですか？」声を張り上げた。「この切り刻まれた死体は、いったい誰なんですか？」

「高橋さんだよ。決まっているだろう？」

「これは違う！」河原崎は言い切った。あれは、「高橋」では決してない。その時点で河原崎は確信を持っていた。「あの方は背中に、首のあたりから傷があるんです。それがこの人にはまったくない。綺麗《きれい》なくらいだ」

「そんな傷はもとからない」塚本は後ずさりもできず、壁に寄りかかったまま、背中を精一杯後ろへくっつけながら、言った。「神であるはずの高橋さんに傷があったら、おかしいだろう？」

「塚本さんにとって高橋さんは、神なのですか、そうではないのですか」

「高橋さんは」そこまでは即座に答えたが、言葉が続かない。

塚本の視線が切断された死体に泳ぐ。同じように河原崎は死体を見た。六個の物体だ。

「答えて下さい」

塚本の返事がなかなか返ってこない。

河原崎の頭の中で、次々と小さな破裂が起きている。ぱちんぱちんと音が鳴り、自分を支えているものが一つずつ壊れていく。河原崎は両手で頭を抱えた。

ブレーカーが脳の中にあるのだとすれば、それがそろそろ落ちる頃ではないか。そうでなければ脳がパンクする。そう思い、恐くなる。

落ちている鋸《のこぎり》をつかんでいた。

それからゆっくりと、死体と溜《た》まった血を避けて、塚本の座っているところまで歩いていく。

「塚本さん、本当のことを教えて下さい」持った鋸は小型のものだった。それを座っている塚本に向かって、構えた。肘《ひじ》を曲げて、耳の高さまで振りかぶる。

「河原崎くん、落ち着け」塚本は、河原崎の身体《からだ》を退《の》けるように手を前に出した。皮を剝《む》かれたような格好で怯えきっている塚本には、威厳も余裕もまるでなかった。

「教えて下さい」限界だった。教えてもらわなくては、自分が壊れてしまう。

「な、何を教えてほしいんだ」

「あれは、本当にあの方なんですか？」大声が出た。「僕の知っている傷がない。しかも足の付け根にある手術痕《あと》は、行方不明の男性と同じだ。顔だってそもそも作り物めいていた。あれが整形手術じゃないなんて、誰にも言えない」

河原崎は喋《しゃべ》っているうちに早口になる。「整形手術」という言葉が出て、自分自身ではっとした。「あの方がそう簡単に死ぬわけがないんだ。そうでしょう？　こんな風にバラバラになってしまうなんて妙だ。そうでしょう？　大体、どうして僕がここにいるんですか？　塚本さんは僕をどうして呼んだのですか？　僕はスケッチブックを開いて何をやっているんですか？　分からないことだらけだ。僕は馬鹿《ばか》だ」

塚本は気圧《けお》されている。

「教えて下さい！」河原崎は泣いていた。頬が冷たくて自分でもそれが分かる。

「待て、待つんだ。君が言いたいことは分かった」塚本がようやく声を出す。両手を前に突き出して、「君が言いたいのは、あの死体が高橋さんなのかということだろう？　そうだ、いや、そういう意味では本人だ。そうだろう？　違うわけがない」

「嘘《うそ》だ。あの方の背中には傷があった」

「その傷が治ったとは考えられないか」

「そういう傷ではありませんでした。ああ、そうだ」河原崎は興奮していた。回路が切れたように喚《わめ》きつづける。「塚本さんは、僕を騙《だま》していますね！」

塚本はまた黙った。

「泉ヶ岳に連れていって、それらしく喋ってくれたのも僕を騙すためだった！　もしかしたらあのタヌキだってそうかもしれない！　今日、あなたが僕に話しかけてくれたこと全部、見せてくれた行動も全部、嘘だったんじゃないですか」河原崎は頭を掻《か》き毟《むし》った。もしかしたら今まで自分が見てきたことは、すべて嘘だったのではないか。

「そんなことがあるわけがない。落ち着くんだ」

「僕は昔、川に飛び込んだあの方を見たことがあるんです。猫を助けていました」下を向いて呟《つぶや》く。「あれは、夢か何かだったのですか？」

「実際には、高橋さんの背中に傷なんてないんだ」気持ちを落ち着かせるんだ、と手の平を下に向けて塚本が言う。「いいか、君は今、ナーバスになってるんだ。こんなふうに人を切断するのなんてはじめてだからね、それで心が乱れているだけだ」

呼吸を整えながら河原崎は、自分を落ち着かせようとしていた。神経質になっているだけなのだろうか？　心が乱れているのだろうか？

人を救うのは案外、ビルから手を広げて飛び降りた君の父親のような男なのかもしれないぜ。塚本はそう言った。

あれも嘘だ！　全てを疑ってみると怪しいことばかりだった。

ことあるごとに父親のことを思い出させようとしていた。違うだろうか。あれは自分の心を混乱させようとしていたのではなかったか。混乱させ、正常な判断を下せぬよう、頭の中を掻き回していたのではないか。

「全部でたらめだったんですか」塚本をじっと見る。真実を見極めるために、瞬《まばた》きすら堪《こら》えて、睨《にら》んだ。

「でたらめって何がだい？」

「ここに転がっている死体や、僕が描いていた絵も。ついでに言えばあの宝くじだって、全部嘘だったんですか？　僕を何に巻き込もうとしているんですか」

「巻き込もうなんてしていない」塚本は戸惑った顔を見せた。「これは高橋さんだ」

「嘘だ」

「どうしたら信じてくれるんだい。それに宝くじは本物だ。正真正銘の本物なんだ。高橋さんは神なんだよ。不可能なことなんてないんだ」

「今」河原崎は指摘する。「今、塚本さんはあの方を神だと言った。いったいどっちなんです。神なんですか、違うんですか？　塚本さんは今日、ずっとそんな感じです。神と言ったり、神ではないと言ったり」

無言になった。

ピアノがまだ鳴っている。曲が終わり、聴衆たちの拍手がまた聞こえた。

拍手は不要だ、と河原崎は叫びたかった。

河原崎は沈黙に耐え切れなかった。黙ったままでは、不安や不信感、怒りや妄想が頭に溢《あふ》れ返ってしまう。

本当のことが知りたかった。この死体は誰なのか。「高橋」は神なのか。自分が信じていたものは何であったのか。父はなぜビルから飛び降りたのか。どうして十七階だったのか。自分はどうして絵を描いているのか。目の前の男は、なぜ顔を歪《ゆが》めて黙っているのか。「教えて下さい」

「落ち着こう」塚本が言った。彼自身、静まり返った部屋の中は居心地が悪かったのかもしれない。

足元にあったテレビのリモコンを使い、スイッチを入れた。

テレビの画面が唸《うな》り声のような音を立てて、明るくなる。「テレビでも観《み》て、落ち着こう」

「塚本さん、答えて下さい」と苛立《いらだ》った声を上げた。

塚本の様子が変だった。河原崎の言葉に反応しない。というよりも言葉が届いていないようだった。点いたばかりのテレビ画面に釘《くぎ》づけとなっているのだ。目を丸くしている。

目の前にはバラバラの身体が転がり、敷かれたシートには血がたっぷりと溜まり、鋸をつかんだ青年が目の前に立っている。そんな状況で、テレビに夢中になる神経が河原崎には分からなかった。

それで河原崎も気になり、テレビに目をやる。

声が出そうになった。

塚本が画面に見入っている理由がすぐに分かった。

「高橋」が画面に出ていたのだ。椅子《いす》に座り、レポーターにマイクを向けられている。そこが、「高橋」が日頃、生活をしているビルの書斎であることは、背後に並んだ書棚ですぐに分かった。写真で河原崎も見たことがある。ぎっしりと詰め込まれた本の背表紙は、面白味のない百科事典や絵画の図録ばかりだ。

「これは」塚本が奇妙なものを見るように首を傾《かし》げた。「これは何の放送だ？」

深夜前の報道番組のようだった。有名な男性レポーターが緊張した顔で、「高橋」の前に座っている。

テレビ画面の右上にはテロップが小さく入っている。「現代の名探偵　テレビ生出演」と書かれた煽《あお》り文句に河原崎はげんなりしたが、すぐに胸が痛くなる。「生出演」とはどういうことだ。

そうして、自分の予感が正しかったことに気がつく。

「これはあの方ではない」と河原崎は死体を指差した。「もし、まだ違うと言うのなら、今、テレビに映っているのはどういう意味なんですか。説明して下さい」

最近の、「高橋」はマスコミには姿を現わそうとしなかった。嫌悪《けんお》していたはずだ。

それがどうして急に出演し、しかも、塚本がテレビの電源を入れたタイミングで画面に出て来たのか、不思議で仕方がない。手の込んだ悪戯《いたずら》かと疑った。

「どうしてそんなところにいるんですか」河原崎はぼんやりと口にする。

ボリュームを上げていないので、ぼそぼそとしか聞こえないが、それでも、「高橋」は質問に答えていた。全国ネットのテレビ番組に出演し、何のメリットがあるのか。隣のレポーターの目が、恍惚《こうこつ》としているのが分かる。そうだとも、と河原崎はうなずいた。そうだとも、あの方は、他の宗教家のような濁った自尊心は持ち合わせていない。一輪の花が見せる美しさを、謙虚に備えているだけなのだ。きっと間近で話を聞いたあのレポーターは瞬間的な虜《とりこ》になっているのだろう。

最後に一言どうぞ、と言われて、「高橋」が椅子をカメラの正面に向けた。眩《まぶ》しかった。正面から見ることができない。画面越しではあったが、美しかった。

静かに、「高橋」の口が動いた。

「目を覚ましてほしい。私は生きています」

「高橋」はゆっくりと言った。一語一語がはっきりとした発音だった。

瞬間、ぼうっとしてしまったが、すぐに鼓動が早くなる。

これは、僕に対して言っている。河原崎はそう理解した。「私は生きている」と教えてくれたではないか。真実を知りたいがあまり、発狂寸前になっている自分のために、あの方は異例の手段を使って姿を現わしてくれたのだ。

塚本も衝撃を受けているのか、身動き一つできない様子で、「高橋さん」と呟く。「今の聞きましたか！ あの方はわざわざ僕を救ってくれたんです。あなたたちは嘘を吐《つ》いていた。僕を騙《だま》して、これがあの方だと嘘を吐いた！ でももう分かりました。今の言葉を聞きましたよね。『私は生きています』と確かに言いました」

「どうしてこんなことができるんだろう」塚本はほとほと感動しているようだった。惚《ほ》れ惚《ぼ》れとした顔でテレビをじっと見ている。「知っていたんだ。高橋さんは、俺たちのやろうとしていることをお見通しだったんだ。俺がこの時間にテレビを点《つ》けることもお見通しだったんだ」ぶつぶつと口の中で呟いている。「何て人なんだ。別の次元に立ってすべてを見渡している」

河原崎は鋸をビニールシートに置いた。座り込んでいる塚本に近づいて、肩をつかみ、ゆさぶる。

意識朦朧《もうろう》とした塚本を無理やり引っ張り上げて、立たせた。

塚本はそれでもテレビから目を逸《そ》らさず、立ち上がったもののフラフラとしていた。小声で呟いている。「何て人だ。何て美しいんだ」と繰り返し呟いていた。

「これはいったい誰なんですか」河原崎は死体を指差して声を荒げた。

「それは」

「このバラバラの死体は、あの行方不明の男性ですよね。尋ね人のビラが配られていた。きっと僕を騙すために顔を整形手術か何かで、あの方に似せたんだ。この死体はあの方じゃない。そうですよね」

「どうしてお見通しなんだろう。高橋さんには内緒だったんだ。迷惑をかけるつもりはなかったんだ。無事に済むはずだった」

「塚本さん、何がどうなってるんです！」

「俺たちは、高橋さんを楽にしてあげたかっただけなんだ。ビジネスホテルの事件からだいぶ時間が経《た》ってる。そうだろ？　世間の人間を納得させるにはそろそろ何かをやってみせないと駄目なんだ。そうだろ？　そうだろ？」

河原崎は涙を流さずにはいられなかった。目の前の塚本が小さな人間に見えたからだ。実際、肩を触ってみると女性のように細い。「何をやってみせるんですか」

「バラバラ殺人事件だ！」塚本の目はそこで、冷たく光った。真相を隠しつづけることをやめ、無知な青年の魂をどん底まで突き落とすことを決意した、残酷な輝きを見せた。「あの事件を高橋さんに解決させるつもりなんだよ。センセーショナルに、派手に、高橋さんの力をアピールする」

「あの方はそれを知っていたんですか？」河原崎は自分の唇の震えを止められなかった。歯がかたかたと鳴った。

「俺たちは今回のことはまったく喋《しゃべ》っていなかった。反対されるのが分かっていたからね」

「それなのにどうして、こんなことを」

「事件を解決しない名探偵なんて、すでに意味がないだろう？」

塚本の顔は正論を吐いている者の表情だった。

「あ、あの方にはその気がないんだ」

「だからかわりに、事件を解決してやろうとしたんだ。方法はどうでもいい。高橋さんの素晴らしさは現実なんだから。今のだって観ただろう？　テレビに出ていた。俺たちが何をするかお見通しだったんだ。全能なんだ、あの人は。もっと大きな舞台に出なくてはいけない」

河原崎は全身が震えはじめたことにも気づいていなかった。恐怖や驚き、絶望感と無力感が巨大な塊となって、河原崎に圧《の》しかかっていた。

「もしかすると、僕を犯人に？」歯を食いしばってそう訊《たず》ねる。

「そうとも、君が犯人だ」塚本の言葉が突き刺さる。「君はバラバラ殺人事件の犯人になって、高橋さんに指名されるべき人間なんだよ」

「そんな馬鹿《ばか》な」

「馬鹿なことじゃない。君は解体の手伝いをした。この現場に一緒にいたのだから、弁解のしようもないだろう。指紋はあちらこちらに残っているし、何と言っても絵も残っている。サイン付きだ。今までの事件との関連性だって、俺たちがうまくでっち上げるつもりだった」

「ど、どうして僕なんですか」

「君には条件が揃《そろ》っていた。高橋さんを偏愛しているし、絵を描くという特別な能力も持っていた。好都合だったんだ。それに」

塚本の目はそこで意地悪く笑った。「それに騙されやすそうだった」

河原崎は自分の心の中で、大切な支柱が折れた気がした。

「何だかんだ言っても君は、高橋さんを解体することに同意したんだ。それは事実だろう？　たまたま、この死体が高橋さんではなかっただけで、気持ちの上では君は、高橋さんを切断することに賛成したんだ。そうだろう?」

「あの方はもう神じゃない、あなたがそう言ったからだ」河原崎は目をぎゅっと瞑《つむ》った。すでに正気は蒸気のように飛びはじめている。「大体、ここで死体を切ったのはあなただ」

「俺がここにはいなかったということを証言する人間は無数にいる」塚本は勝ち誇ったように言う。「これは全部君のやったことだ」

「僕は利用されるためにいるんじゃない!」河原崎は口から捻《ね》じり出すように声を上げる。「そうだ、あの宝くじはいったい何なんですか? あれはあなたがきっと高橋さんの当てた宝くじを盗んできたんだ。もしかしたら、幹部が協力して盗んだのかもしれない。あなたの言った話の逆だ。自分たちのために使おうとしていたのがあなたたちで、それを諌《いさ》めていたのがあの方だった」

「天才は、神はね、時に頭が固いんだ」

「あの方はそういう人じゃないんだ。あの方は僕を救おうとしてくれたんだ」

河原崎は涙が次から次へと溢れてくるのを感じた。興奮していた。血が頭を駆け巡り、何がどうなっているのか理解できない。救われたい、という思いだけが身体《からだ》の中心にあって、どうにかそれに縋《すが》っている状態だった。

その時、塚本の口から思わぬ言葉が聞こえた。「救われるわけがないだろう」

「え?」

「しょせんはチンケな塾さえ経営できずに、惨《みじ》めに自殺した男の息子じゃないか」

河原崎は信じられない思いでそれを聞いた。

「自殺すれば解決すると思い込んでいたんだろうな、君の父親は」

はじめは呆気《あっけ》に取られた。相手の言葉の意味を一つずつ嚙《か》み締めながら、ようやく何を言われたのか分かった。

笑うな! 河原崎は怒鳴っていた。父のことをそれ以上、馬鹿にするな。

塚本の首をつかむ。相手が逃げようとしたが、河原崎は全身の力でそれを止めた。体重を乗せ、手に力を入れる。

そのままだと取り返しのつかないことになるぞ、と頭の中で何者かが忠告をしてきた。けれど、無視をする。現実を止めなくてはいけない。目の前の男を消し去れば、自分の人生はやり直せると、そんな気がした。

マンションの十七階からの景色が薄《うつす》らと見えてきた。人の首を絞めているという実感はすでにない。それは、二十階建てマンションの途中階から足を蹴《け》り出すのと同じようなものだった。

「飛びなさい」と誰かが背を押してくる。手に渾身《こんしん》の力を込めた。

京子は暗い夜道に、ただ呆然《ぼうぜん》と立っていた。一歩歩いては卒倒しそうになり、また一歩歩いては座り込んだ。

青山の家の前から離れて、さ迷うようにして歩いている。

足がくがくと震える。小便がしたかった。腰が痛い。膀胱炎《ぼうこうえん》は悪化すると腎臓《じんぞう》を悪くするのだ、とそんなことが不意に気になる。

青山の姿は見当たらない。

気がつけば、一人きりで町のはずれに立っていた。落ち着くのよ、と自分に言い聞かせようとするがその声自体が震えている。

あれは何だったの？

バラバラになったものがくっつくんだ。青山はそんな噂《うわさ》話を口にした。まさに目の前でそれが起きた。狂っているのかわたしは？　ちょっとここはどこなのよ？　分からないことばかりだ。それは京子にとっては屈辱的なことだった。何が起きたのか？　わたしはショックを受けて逃げるように歩いてきた。

京子はふと踵《きびす》を返した。帰る場所は決まっている。青山のところに戻ろう、と思ったのだ。

青山はいったい何をやっているのか。

歩みが速くなる。道草を食っている場合ではなかった。いち早く、青山の自宅のところまで戻り、すべてを確認しなければいけない。あの死体はどこに行ったのか、青山の妻はどうしているのか。戻って、落ち着いて確認すれば、案外と大したことではないものなのよ。そうよ、と自分に言う。

青山の自宅に近づくと、そのあたりだけが極端に暗かった。ただでさえ数の少ない街灯のうちのひとつが壊れている。点《つ》いては消える灯りは、京子のささくれ立った神経を刺激した。

京子は足を止めた。

信じがたい光景を見たのだ。さっ、と壁に身を隠す。

青山の自宅前には、先ほどまで京子が乗っていた車があって、その脇《わき》に青山が立っていた。

そして、向き合って女が立っていた。暗くてもすぐに分かる。いけ好かないモデルのような顔をして、大柄な上に、胸の大きさを強調する服を着ている。青山の妻だ。

京子は怒りよりも驚きを感じながら、そっと近づく。彼らは後ろを向いているので、京子の姿は見えないはずだ。電信柱が立っていて、京子はそこに隠れた。

十メートルも離れていない。

あの女。いったい何がどうしたのか、分からない。侮辱された気分だった。青山は、深刻な表情をして、妻の顔を見ている。

「どこに行ったの、あのおばさん」女が口を開いた。

自分のことを言ってるのだとすぐに分かった。

「おまえもやりすぎだったんだ」青山の声が聞こえた。いつもと変わらない声で、それが京子には驚きだった。妻を殺そうとしている夫の声では、決してない。

「いいじゃない。あれくらい。あのおばさん驚いたでしょ？　わたしがトランクから出てさ、お化けのふりして歩いてみせたから。傑作だったんじゃない」

「いろいろ重なったから、そりゃ驚いたさ。でも、確かに、彼女があんなに青い顔して朦朧としているのをはじめて見た」

叫びたくなるのを堪《こら》える。身体が知らずに揺れている。心臓が跳ね、呼吸が乱れている。トランクから出てきたのが、あの女？　トランクから出てきた、ということは事前に入っていたということなのか。

「そもそもねえ、あなたが馬鹿なのよ！」女は声を上げた。夜中に甲高い声が響く。「あなたが轢《ひ》いたんでしょ、あの男。びっくりしたわ、トランクに入っていても凄《すご》い衝撃だったんだから。堪《たま》ったもんじゃないって。で、その死体をトランクに入れてきたわよね。勘弁してよ、って感じ。わたしが隠れているのを知ってるくせに。あんな死体を入れて」

「仕方がなかったんだ。京子がそう言うから」

「何でも言いなりなわけ？　あなたは」

「むきになって反対したら、きっと怪しまれた。トランクの奥におまえが隠れているのがばれたら、意味がなかっただろ」

京子は、自分の頭の歯車から螺子《ねじ》が次々と外れていくのが分かった。「隠れている」とは何のことだ。

青山と女は、京子に横顔を見せ、向き合っている。

「でもね、あなた知っていると思うけど、あなたが轢いたのは死体よ」

女が言った。京子は耳を疑った。青山は理解していない顔で、「そうだ。俺が轢いた死体だ」

「違うわよ」女が苛立《いらだ》った声を出す。「最初から死体だったのよ。それを、あなたが轢いたの。トランクに入ってきた死体を触ったら冷たかったわよ。あなたも触ったから分かったでしょう？　あれは死んですぐではないわ。ぶつかった衝撃なのか、骨はボロボロみたいだったけど。何日か経《た》ってるのよ」

「ちょ」青山が突っかかりながら、「ちょっと待ってくれよ。あれは死体だったのか？」

「気づかなかったの？　あなた本当に馬鹿ね」

「死んだら人は冷たくなるんだろう？」

「すぐになるわけないじゃない。あのおばさんも気づかなかったわけ？　診療所とかやってるんでしょ？　まあ、インチキ精神科医だから怪しいけど」

京子はその時の状況を思い出していた。気味が悪いのと面倒臭いのとで、京子自身は死体に触れなかった。顔色は悪く姿勢が不自然だとは思ったが、まさかすでに死んでいるとは考えもしなかった。

「死体と一緒なんてゴメンだから、蹴飛ばしたりしてね。で、我慢できなくなってトランクを中から開けて、死体を外に捨ててみたけど」

「二回も」青山はげんなりした顔になる。

「だって我慢できるわけないじゃない」

「それにしたって死体を投げ落とすなんて」

「あの気持ちが分かるわけがないわ」

青山の妻は膨れ面《つら》になる。

「そうだ、あれはいったい何だったんだ？　トランクの中の死体がバラバラになった」青山が声を高くした。「なあ、さっぱり分からないんだ。あの死体はいったいどうなったんだ？　あの時、林の隣に駐車した時、俺はトランクの中を確認した。京子は先に行かせて。おまえがトランクの中で怒っているのは想像できたから、気になって」

「『大丈夫かあ』なんて悠長なことを言って覗《のぞ》いてきた、あなたの顔が忘れられないわね。わたしは死体と一緒に寝転んでいたのよ。分かる？　最悪よ。大丈夫なわけないじゃない。暗いトランクで死体と一緒に寝転がっているのが、どれくらい辛《つら》いか分かる？　それより最低なことがあると思う？」

「とにかく、おまえが、その林に死体を埋めろと言った。俺は、京子に言ってみるからってトランクを閉めて、京子のところに行ったんだ。それが、帰ってきてもう一度開けてみると死体はバラバラになっていた。どういうことなんだ」

「あれは」

「あれはおまえが切断したのか？　俺にはそうとしか考えられなかった。でも、切断する時間もなかったはずだ」

「ふん」勿体《もったい》つけるように女は息を漏らした。「わたしは答えを知ってるけど」と自慢げに言う。

すでにそれを聞きながら京子は、正気を失いつつあった。自分が自分ではないものに侵食されていく感覚だった。死体の切断面を思い出し、また気持ち悪くなる。吐き気を堪える。

「あれは、おまえがやったのか？」

「そんなわけないじゃない。いい？　あなたは死体を轢いた。それはさっき言ったわよね。死体が街を歩いている？」

「どういうことだ」

「死体は一人で立っていない。もう一人いたのよ。その死体を担《かつ》いだ人がね。それが何の拍子にか、死体が飛び出す格好になって、まあ転んだとかそんなところじゃないかしら、とにかくそこであなたが撥《は》ねたのよ。で、あなたたちは、勝手にその死体をトランクに詰めて走っていってしまった」

「ということはそのもう一人の奴《やつ》が」

「たぶんね。自分の車かしらね。わたしたちの車を追ってきたのよ。つけてきた」

「何のために」

「返してほしかったんじゃない？」女はあっけらかんとした口調で言った。死体を奪還するために車を走らせてきた男に、どんなドラマがあろうと知ったことではない、とそんな喋《しゃべ》り方だった。「もともとは、その男が殺したんじゃないの」

「俺たちにばれると思って取り返しに来たんだな」

「どうだろ」女はそこだけ考え込む間があった。「あの男、ちょっと変だったわ。頭がどうかしちゃっていたんじゃないかしら。関わりになりたくないタイプでさ」

「見たのか？」

「あなたがトランクを閉めて林に行った後、中からトランクを開けてみたのよ」

京子はその言葉に引っかかった。すでに理性的な判断ができなくなっていた。「中から開けた」という言葉に疑問が浮かぶ。

中からトランクが開くとは思えなかった。すなわちそれは女が、もしくは女と青山が、車に細工していたことを意味するのではないか。女がトランクに隠れ、中から出られるように改造までしていた。何のために？

「外の空気も吸いたかったし、死体をどかしたかったからね、あなたが行った後でトランクを開けたのよ。そうしたら、少し離れたところに別の車が止まっているじゃない。びっくりしたわよ。ヘッドライトも消えてるし。で、目を凝らしてじっと見ていたら、そこから若い男が出てきて、こっちへ向かって走ってきたのよ」

「若い男？」

「赤い帽子を被《かぶ》った男よ。本当に怖かったわよ。全力で走ってくるんだから。わたしはすぐにトランクの奥に隠れた。そうそう、しかもその男ね、旅行用のスーツケースみたいなのを、引《ひ》き摺《ず》ってたのよ」

「スーツケース？」

「車輪の付いたバッグよ。キャリーハンドルをつかんで、ごろごろ引っ張って」

「何だよ、それは」

「不気味ったら、なかったわよ」

「男はトランクを開けたのか？」

「中からきちんと閉められなかったから、簡単に開いたわ。で、男はすでに入っていた死体を持ち上げたのよ。必死そうだったわ。滑稽《こっけい》なのはね、何だかずっと謝ってるのよ。『すみません。すみません』ってね」

「何が申し訳ないんだ」

「さあ。おかしいのよ、その男。で、名前を呼んで話しかけてるのよ。わたしは、あなたとあのおばさんが戻ってきたらどうしようかってそれが気になってね、早く行けってムカついたわ。『ツカモトさん、すみません。こんなところに入れてしまってすみません』ってずっと謝ってるのよ。早く行けよって感じ。『一緒に行きましょう』ってね、死体に話しかけてるのよ。馬鹿《ばか》でしょ」

「それで男はどうしたんだ？」

「スーツケースを脇に置いて、死体を抱えたのよ。で、そのまま車に運んでいった」

「スーツケースは？」

「その場に置いたままよ。忘れていったのか、また取りに来るつもりだったのか。ただ、あなたたちが戻ってきそうな気配があったから、わたし、慌《あわ》ててトランクから出て、そのスーツケースをトランクに入れたのよ。見つかると面倒でしょ。もの凄く重くて、死にそうだったんだから」

「もしかしてそのバッグに？」

「そう。トランクの中で暗かったけどバッグの中身を確認してみたのよ。そうしたら、びっくり。バラバラの死体が入っていたわけ。首から上、両手、両足、もうひどいものよ。信じられる？　臭いし。吐きそうになるのを堪えたわ。あれって後で気がついたんだけど、例のバラバラ殺人事件の犯人なんじゃないの」

「バッグの中のバラバラの死体を、おまえがトランクの中に広げたのか？」

「あのおばさん驚くかと思って。でも頭はスーツケースに入れたまま隅に隠しておいたわ。顔を見られるとさっきの死体と違うってばれちゃうから」

「俺だって驚いた。死ぬほど驚いた」

「死んでからも人を死ぬほど驚かせるなんて、死人としてはきっと本望ね」

女は意味不明なことを言う。京子は頭痛を感じていた。尿意が強まっている。けれど、トイレを探す気も起きなかった。垂れ流しになるならそうなってしまえ、とすら思った。

「頭のことなんて考えている余裕すらなかった。俺たちは切断された死体を見て、それでパニックだった」

「おばさんの顔を見たかったわねえ。でもヒステリックに金切り声を上げたりして、怯《おび》えてるのは分かったわ。いい気味よね。わたしトランクの中で、毛布を嚙《か》んで笑いを抑えるの大変だったもの」

「で、今度は、自分が死体のフリをして驚かせることにしたのか」

「バラバラ死体が繋《つな》がったように見せたら、おばさん小便でも漏らすんじゃないかしらって考えてね。車が走っている間、ずっと考えてたのよ。わたしの格好、服も黒いし、後ろ髪も全部、服の中に入れ込んじゃえば、それらしい雰囲気になるから。わたしたちの自宅近くの暗さなら騙《だま》されるかもしれないでしょ。それを考えたら、楽しみで楽しみで。そうしたら、もう期待以上よ。おばさん、口も利《き》かずにどっかに消えて行っちゃったんでしょ」

京子はすでに、聞いてはいたが理解できていなかった。

「俺だってびっくりした。トランクが急に開いて、人が出てきたんだから」

「あなたは臆病《おくびょう》だからよ。あのおばさんは手強《てごわ》そうだったけど、意外に大したことなかったわよねえ」女の声は勝ち誇っていた。

青山が困ったように頭を掻《か》いた。

「で、どうするのよ」女が、青山の顔を見る。

「どうするって、ああ、死体のことか。どうしよう。俺が轢いた死体は、おまえのいう若者が運んでいったとして、問題はトランクの中のバラバラ死体だな」

「わたしが言ってるのは、あのおばさんのことよ」

「え？」

「京子っていう欲求不満女のことよ。あなたは、わたしと一緒にあの人を殺す予定だったわよね」

何食わぬ顔で女はそう言う。京子は耳を疑った。頭上から巨大な石を落とされた感覚だった。

「あの女、あなたと組んでわたしを殺すつもりだったんでしょ？　あなた、本気だったわけ」

「まさか」青山がしどろもどろに返事をする。「京子がすごい剣幕だから、はっきりと断れなかったんだ。その証拠に俺は、おまえに打ち明けただろう」

「そうよね。あなたは、わたしと、あの女を殺す約束をしたんだから。良い考えだったわ。トランクに隠れていて隙を見つけて、逆にわたしが、あの女を殺す。そうね、あのおばさんがその時、どんな顔をするのかそれも見てみたかったけど」

「もう充分だよ」青山が大きく息を吐き出した。

一件落着したような顔をしている。京子はくらくらする頭を揺らしながら、青山たちの顔を見ていた。わたしはあの若い女に負けたの？　まさか？　ぐるぐると様々なことが頭に浮かぶ。出し抜かれたの？　あの女が、わたしよりも先手を打っていたわけ？　そんなことがあるわけがなかった。よろけながら一歩ずつ後ろに下がった。この場を離れよう、と京子は自分に言い聞かせる。ここにいてはいけない。電柱から離れ、すぐに曲がり角に姿を隠す。もうここにはいられない。何キロあるか分からなかったが、とりあえず大通りまで歩き、そこから車を調達するつもりだった。

京子の足取りは危うかった。通りをいくつか歩いた。その間に、頭の中では記憶がごちゃまぜになりはじめている。

覚束《おぼつか》ない足どりで、遠くに見える国道の街灯を目指す。わたしは誰にも負けていない。京子はそう自分に言い聞かせる。

金髪がつかみかかってきた瞬間、豊田は反射的に目を閉じた。顎《あご》に衝撃があった。痛みはすぐには来ない。左顎だった。右足で踏ん張るがバランスを崩してしまう。そのまま右手へ倒れた。

がしゃがしゃと空のビール瓶の上に倒れた。

若者たちが奇声を上げる。豊田は立ち上がろうとするが上から靴で蹴《け》られ、また転んだ。鞄《かばん》を抱えたまま丸くなる。

こうやって自分は死んでいくんだろうか。両手で身体《からだ》のあちこちを守りながら、ぼんやりと考える。抵抗するために身体を動かすが、うまくいかない。ビール瓶が音を立てるだけだった。

痛みはない。きっと、もっと遅れて痛くなるのだろう。そういう意味ではリストラも似ていた。痛みと恐怖はずっと後になってやってくる。

目を開ける。老犬の姿が気になった。どうやらうまいこと後ずさりをして、若者たちから見えないところに座っているようだった。安心する。いっそのこと逃げてほしかったが、それを犬にどう伝えて良いかも分からなかった。

二人分の足が蹴り出されてきた。背広が破ける音がした。

泣き言は言うまい、と決心していた。みっともなくうずくまり、身体を丸めて悲鳴を上げようとも、「助けてくれ」だとか、「許してください」だとか、「命だけは勘弁してください」などと助けを乞《こ》うつもりはなかった。

リストラされた中年男も、弱者に大勢で襲いかかる若者たちも、大した違いはない気がした。

状況が変わったのは、ニキビ面《づら》の若者が、犬に手を出したからだった。反応のほとんどない豊田に愛想を尽かしたのか、彼らは攻撃の手を休めた。もはや病院に運ばれた友人のことも、豊田が持っているはずの拳銃《けんじゅう》のことも、彼らにとってはどうでも良かったのかもしれない。他人を痛めつけることを、遊びとして楽しんでいるだけなのかもしれない。

若者たちは、老犬を拾い上げた。

彼らが顔を見合わせる。ぞくっとするような残酷な色が、彼らの顔に浮かんだのが見て取れた。倒れながらも豊田には、それが分かった。

自分でも驚くほどの勢いだった。豊田は素早く立ち上がると、地面を蹴った。一歩、二歩、と大股《おおまた》で若者のところに走り寄ると、犬を奪い取って、そのまま走った。犬をラグビーボールのように抱え、裏路地を抜ける。

「待てよ」若者たちの幼い声が叫んだ。すぐにばたばたと追ってくる。

必死に走った。身体の節々が痛んだ。足を踏ん張れずに、かくんと膝《ひざ》が曲がってしまうがどうにか進む。

細い路地を抜けて、大通りに出る。脇道《わきみち》から突然出てきた豊田を、通行人が驚いた顔で見た。構わずに足を引き摺って走る。

「おっさん、待てやあ」「ぜってえぶっ殺す」若者の吐き出す台詞《せりふ》は醜く、下品だな。走りながら考えていたのはそんなことだった。

足がもたついた。犬をその場で放してみようかとも考えた。そうすれば老犬も走って逃げるかもしれない。それとも見知らぬ通行人に投げ渡してみるべきだろうか。

「おじさん、こっち」

その時に、声が聞こえた。見知らぬ青年が歩道の脇に立っていたのだ。赤いキャップを深く被っていたが、青白い肌をしているので、はじめは幽霊か何かに見えた。帽子の鍔《つば》を山折りにしている。明らかに豊田の顔を見て、手招きをしていた。「こっちこっち」と路肩に寄せた銀色の車のドアを開けた。

後ろから若者が走ってくるのが分かる。交互に前と後ろを何度か見た。右手に抱えた老犬を確認する。

そのままドアの開いた車に走り込んだ。二人乗りの小さなスポーツカーだ。乗ると同時に、ドアが閉められた。

「出ますよ」運転席に入ってきた青年はそう言うと、エンジンをかけてそのままアクセルを踏んだ。豊田の身体がシートに押しつけられる。示し合わせたように信号が青になり、勢いよく車が走り抜けていく。

「君は？」豊田が訊《たず》ねたのは、広瀬通りを西へ向かい、大学病院に突き当たる道で信号待ちをしている時だった。病院の看板が浮かび上がるように光っている。

ようやくシートベルトをする。

「僕は河原崎と言います」青年が静かにそう言った。

「どこかで会っただろうか？」

「いえ、たまたまあそこで休んでいたら、その犬が目に入って」豊田の隣にいる犬を、青年は顎で指した。「その犬、おじさんのですか？」

豊田が返事に困っていると、青年は顔を綻《ほころ》ばした。「その犬、この何日か、駅の付近をうろうろしてましたよね。野良《のら》犬かと思ってました。実はその首輪、僕が付けてあげたんですよ」

豊田はびっくりして、老犬の首を触る。

「さっきもその犬を見て、どこかで会ったことがあるなあ、と思って。首輪を見てすぐに気づきました。で、おじさんも追われて大変そうだったから、つい、声をかけちゃったんですよ」赤い帽子は被ったままだった。青い顔をした青年は目には隈《くま》ができていて、どちらかと言えば病人に近く見えた。

「余計なお世話でした？　彼らに目をつけられちゃったんですか？」

「恨みを買っているんだ」豊田は腫《は》れはじめた頬を確認しながら言う。

「恨み？」

「彼らの友達を昼間、撃ってしまったんだ」

「撃った？」

「拳銃で」豊田が言うと、青年が吹き出した。「拳銃でですか。それはすごい」

「本当だよ。見るかい？」豊田が冗談めかして言う。ムキになる必要もなかったが、信じてもらえないのも悔しい。

「結構です。そういう意味では僕もすごいですよ。僕は人を殺しました。今、トランクに入っています」青年はさらりと言った。

「え？」

信号が変わり、車が動き出す。ギアが心地よく変わっていくのが分かった。

「人を？」

「そうです。殺してしまったんです。トランクに死体が。本当ですよ。見ますか？」

青年が軽い口調で言った。

豊田は運転席の横顔をじっと見る。隈が目立ち、頬には染《し》みのような痕《あと》がうっすらとある。泣いた痕かもしれない。

生気のない顔で、頬が痩《や》せている。

あながち軽口とも聞こえなかった。豊田はまばたきを何度もして、青年を見た。

「誰を殺したんだ？」

「僕の信じている人でした。憧《あこが》れている人だったんですよ。会って話ができて光栄でした」

「でも撃ったのかい？」

「撃ったんじゃないですよ。撃ったのはおじさんですよ」青年はそう言って笑った。

話を取り違えないでください、と。「僕は、気がついたら相手の首を絞めてたんです」

一瞬だけ声が震えた。

「どうして？」

「騙《だま》されたからです」

青年の声は雫《しずく》のようだった。滴《したた》り落ちるように、ぽつりぽつりと床に垂れる。

「今日かい？」

「いえ、あれはいつのことになるんだろう」河原崎と名乗った青年が、指を折って確認をはじめる。その姿はどこか現実離れしていた。「昨日、一昨日《おととい》、その前の日です。

三日前です。三日前、僕は、塚本さんに誘われたんです」

「パーティーか、何かかい」見当もつかず豊田は探るように訊ねた。

「恐ろしいことをしたんです。人を解体したんです」

「カイタイ」の意味が分からなかった。

「その夜に僕は、塚本さんを殺してしまいました。我に返ったら、塚本さんが死んでいたんです。あんなに怖いことなんてないですよね。自分が人を殺したことよりも、その瞬間のことを憶《おぼ》えていないことのほうが、ずっと恐ろしかった」

「で、今日までどうしていたんだい」警察から逃げているのだろうか。豊田は、青年との距離をどの程度空けるべきなのか計りかねていた。

「一昨日は朦朧《もうろう》としていました。自分が何をしてしまったのか分からなかったんです。朝が来ても塚本さんは死んだままでした。やり直しなんてきかないんですよ。死体を前にして、ただ呆然《ぼうぜん》としていて。で、そのまま塚本さんの死体を抱えて、車に乗せて、それで街を走っていたんです。いろいろあったんですよ。車を止めて、スーツケースを引いて歩いていたら。そうだ、スーツケースなんて持っていかなければ良かったんだ。いつも裏目に出るんです。僕の父もそうでした。必死に考えて、道を選ぶと絶対に誤っているんです」青年は達観しているようにも見受けられていたが、平常心でもなかった。豊田は、青年が嘆くのを聞いているしかない。

「スーツケースをまず片づけようとしました。どうにか引《ひ》き摺《ず》って、運んでいたんですけど、とにかく捨てなくちゃいけないって思って、場所を探していたんです」

「何の場所？」

「捨てられる場所です。いや、もしかしたら飛び降りる場所かもしれない。あの時、僕はどこかに逃げ出したかったのかもしれない。父の真似《まね》をして、マンションから飛び降りたかったんだ。でも、とにかく、その時に老夫婦に銃を向けられて」

その辺りから豊田は、青年の喋《しゃべ》っていることが信用できないのではないか、と思いはじめていた。老夫婦がなぜ拳銃を持っていなくてはいけないのだ。けれど、そこで問い詰めることもしなかった。

「年寄り夫婦が、拳銃を僕に向けて、『金を出せ』って言ったんですよ。信じられますか？　僕は慌《あわ》てて逃げ出しました。マンションから飛び降りたかったくせに、銃を向けられて慌ててしまうなんて、結局僕は何もできないんですよ。おまけにスーツケースをひっくり返して。慌てて、車に戻りました」

「それがいつのことなんだい」

「それが、一昨日です。昨日は昨日で大変でした」青年はそこで少しだけ笑った。究極の悲劇が喜劇に転じた、という様子だった。「塚本さんが轢《ひ》かれちゃったんですよ」

「轢かれた？」豊田は吹き出しそうになるのを堪《こら》える。青年の話は突拍子もない展開をはじめる。「君が殺したのに、さらに轢かれたのかい」

「僕がぼうっとしていたのがいけなかったんです。死体を背負っていて」

「死体をわざわざ背負っていたのかい？」

「スーツケースを捨てるのに失敗したから、それなら今度は、塚本さんの死体を先に埋めようと思ったんです。僕の父の墓も近くにあるし。林に入っていけばどこかに埋められると思ったんです。そうしたらまたそれが裏目に出ました。やることなすこと全部が悪いほうに転がるんですよ、僕は」青年はまた寂しげに微笑《ほほえ》んだ。「車を止めて、道を渡ろうとしたんですがうまくいかなくて、躓《つまず》いて前のめりに転んだんです。そうしたら担いでいた死体が道に飛び出して、ちょうどそこを車が撥《は》ねました。驚きましたよ。しかも、その車の運転手がトランクに積んでしまったんです」

「轢き逃げだ」豊田は何が真実なのかも分からず、困惑の表情を浮かべる。

「死体の轢き逃げですよ。信じられますか？　でも、実際に起きたんです。それで僕は後を追ったんです」

それは大変だったろうに、と豊田は相槌《あいづち》を打ってみた。青年がそう言っているのなら信じてあげようとも思った。「で、取り戻したんだ？」

「昨日の晩、ずっと追いかけて、どうにか塚本さんを取り戻しました。ただ、今度はスーツケースを置いてきてしまって」

青年は支離滅裂だった。正気ではないのかもしれない、と豊田は改めて思った。

「あの時は、スーツケースを自分の車に置いていくと、誰かに見つかるんじゃないかって、なぜか思ったんです。今から考えれば、そんな可能性はあるわけないのに。でも、その時は不安になっちゃったんですよ。だからスーツケースを引いて、塚本さんのところに行きました。車のトランクのところにです。そうしたら、逆にスーツケースを置き忘れてきてしまって」青年は深い息を吐いた。自嘲《じちょう》気味に、「一つとしてまともにやり遂げてないんですよ、僕は。人生の選択をことごとく誤るんです」

豊田は、目の前の若者が正気であるのかどうかは判断がつかなかったが、それほど悪い人間には見えなかった。敬遠するよりは同情すべき相手に見えた。だから、「でも、さっき私を助けてくれたのは嬉《うれ》しかったよ。君は正しい選択もする」と言ってみた。

驚いた顔で青年は、豊田を見返した。「今日は何だか、うまく言えないんですが、まだ落ち着いた気分です」青年はそこで黙りハンドルを右に切った。「おじさんに会えたからかなあ。この犬とも」

もう一度、赤信号で停車する。「おじさん、どうします？　どこか行きますか。どこで降ろしましょう」

豊田は少し悩んでから、「駅へ」と言ってみた。「とりあえず駅に戻るよ」そうして抱きかかえた犬を見た。老犬は何事もなかったように目を瞑《つむ》っている。

「さっきの彼らがまだいるかもしれませんよ」

「いいんだ。駅に戻るよ。そこからやり直そうかと思う」何をやり直すのかは自分でも判然としなかったが、豊田はそう答えた。

銀色の車はスムーズに街中を進む。鼻を啜《すす》る音がした。はっと横を見ると青年が涙を流している。表情は歪《ゆが》んでいなかった。どちらかと言えば、清々《せいせい》しているようだ。涙は流れてはいるものの苦しそうには見えない。「僕の人生はたぶんもう終わっちゃったんですね」泣きながら青年は言った。

「まさか」と豊田は反射的に言う。

「北へ行こうかと思うんです」

「北？」

「国道をずっと走って北へ行こうかなと。岩手山でも見てこようかと思うんです」青年はそう言った。でまかせを口にしている様子はなかった。彼はまっすぐに前を見ていた。堂々と姿を見せる岩手山が、青年の目にはすでに浮かんでいるのだろうか。

「岩手山に何かあるのかい？」

「ああいう大きな、人間の人生なんかとてもじゃないけど敵《かな》わないものに、会いたい気分なんですよ」

豊田は自分がサラリーマンだった頃を思い出していた。同僚たちは毎日の会社勤めに疲労困憊《こんぱい》し、時折、出かけた旅行などで大自然に出会うと、「人間なんていかにちっぽけか分かりました」と神妙な顔をして言ったものだった。そのくせ、翌日からはそのちっぽけな人生を、再び満足そうに歩み、飲み屋に寄っては文句を垂れた。

隣の青年はどうなのだろうか、と想像してみた。山に出会い、彼は何を感じるのだろう。

「塚本さんを助手席に乗せて、一緒に岩手山を見に行くんです」青年は頬の涙を拭《ぬぐ》った。「そうして父に会いに行こうかと思うんですよ」

彼はさっぱりとした声でそう続けた。

駅近くで降ろしてくれればどこでもいいよ、と豊田は言った。結局バスの停留所のところで車を降りた。破けた背広は動きにくかった。

眠っている老犬を抱えながら、豊田は車を見送る。銀のオープンカーは真《ま》っ直《す》ぐに疾走していった。車線を右に移すと、綺麗《きれい》に道は空《す》いていて、車は、北へ向かって加速していく。

街中で渋滞している人々の人生を尻目《しりめ》に、ラッシュライフを尻目に、北へ向かって駆けていく。

車が見えなくなるまで豊田はじっと見ていた。青年の前に姿を現す岩手山はきっと堂々たるものに違いないだろうな、と思った。そうあってほしかった。

a life

秒速2メートルで回転するコンパクトディスクが止まり、
物語も急速に終わりに近づいていく

8

志奈子は、聴いていたCDウォークマンのスイッチを止めて、イアフォンを片づけた。東北新幹線で宇都宮を過ぎたあたりから、戸田は鼾《いびき》をかいて眠っている。志奈子はこれ幸いと、持参した洋楽のCDを聴いていた。

仙台に到着するアナウンスが放送される。五分程度で駅に着くらしい。

戸田が目を覚ました。放送が聞こえたのかもしれない。起きた途端に志奈子の気が重くなる。息苦しさが蔓延《まんえん》する。

つやつやとした肌が気色悪かった。まだ脂《あぶら》ぎっているほうがバランスが良い。ぎらぎらとした野心だとか自尊心が、子供のような肌とはそぐわないのだ。

「おまえ、どうだ」

網棚から荷物を下ろし、ウォークマンをしまっていた志奈子は、突然話しかけられてびくりとする。「何でしょうか?」

「今日は、私と一緒に泊まるか」自信満々の顔でそう言った。有無を言わせない強烈な力が漲《みなぎ》っていた。「何を言うんですか」と志奈子は笑ってみせる。

「どこがいい」戸田は顔色も変えずにそう続ける。それがどこに宿泊するのか、と聞いているのか、もっと卑猥《ひわい》な意味なのかも判断ができない。そして、しばらくすると、「賭《か》けをしないか」戸田は突然にそんなことを言った。

車窓から見える景色が変わってきた。ビルが増えてくる。仙台市内に近づいてきた証拠だった。腕時計に目をやる。十時を過ぎていた。

「私と賭けをしないか。私が勝ったら、おまえは、私の言うとおりにするんだ」

「やめてください」できる限り柔らかい言い方で志奈子はそう言った。これが戸田以外の口から出た言葉であれば、冗談として笑い流せた。もしくは怒って相手にしないことだってできた。「戸田さん、そろそろ着きますよ」と話を逸《そ》らす。

戸田は立ち上がる気配も見せない。不満げに志奈子の顔を見て、冷たい目で何かを考えるようにしていた。

「おまえはどれほどの人間なんだ」むすりとした顔で戸田が言う。「おまえは人を裏切って私のところにやってきた。私とおまえの関係は対等か？　勘違いをするな」

志奈子は怖かった。戸田の喋《しゃべ》り方は淡々としていたが威圧感があった。知らない間に足が震えている。

「私は何でも手に入れられる。おまえはそれを信じていないだろう？　私は何でも実行できる。おまえはそれを信じていないだろう？」

「そんなことはないです」

「おまえは信じていない」戸田は言い切った。「なら、こういうのはどうだ？」

志奈子は黙っているしかない。

「私たちが仙台に着いて、はじめに会った者から、私が奪ってみせるんだ」

「な、何をです？」

「そいつの一番大事なものをだ。命だとかそういう下らんことは除くがな。その人間の大切にしている物を、私が金で買ってみせよう。人間は大金を前にしても、大切なものを守ることができるかどうか。おまえはどう思う？」

「さあ、分からないです」

「本心を言え」戸田の太い声が響く。志奈子は、戸田に押し潰《つぶ》されるような気がしてならなかった。

「私が金で買えなければ、おまえの勝ちでいい。俺が勝ったら、おまえには言うことを聞いてもらわないとな」

志奈子はほとんど泣き出しそうになりながら、「わたしは今でも、戸田さんの言うことは聞いていますが」と言ってみる。

「私が、おまえにさせたいことはこんなものじゃない。ありとあらゆること全《すべ》てだ」

志奈子は座席にもう一度座った。荷物が置いてあったが、その上に座ってしまう。立っていられなくなったのだ。足が震える。新幹線の速度が落ち始め、音が変わった。

黒澤は眠りもせずに朝を迎えていた。佐々岡はソファで眠っている。

学生時代の友人が、突然、自分の家にやってくるとは思いもしなかった。

ソファに座り、自分で淹《い》れたコーヒーを飲みながら、ボブ・ディランを聴く。

佐々岡が目を覚ましたのは朝になってからだ。

寝癖のついた髪を、照れ臭そうに撫《な》でる佐々岡は、白髪は混じっていても、学生の時の彼と変わっていなかった。

「このボブ・ディランのCDも全部、もとから君のものだったんだな」

「このところ、毎晩聴いているんだ」と黒澤は答える。

「結局、眠ってしまった」

「人の家は眠れないだろ?」

「そんなことはない」佐々岡は目を擦《こす》りながら、ソファに座りなおす。「パソコンをリブートするという言い方を知っているかい?」

「リブート? 電源を入れ直すことか?」

「そう。再起動することだよ。パソコンを使っているとね、メモリという場所にいろいろな作業用の情報が残ったりして、快適に動かないことがあるんだ。そういう時は再起動してあげれば、クリアされて動作がまたスムーズになる」

「なるほど」

「私はね、今日ここでリブートした気分だよ。人生を再起動した」

「下らない例えだな」黒澤はそう言って立ち上がる。「コーヒーを飲むか?」

コーヒーをなみなみ注いだカップを持ってくると、佐々岡はそれを受け取り、香りを楽しんでいた。

「うまくなくても最後まで飲めよ」

「決めたよ」佐々岡は眼鏡を触っている。

「コーヒーを飲み干すことにか？」

「違う。妻と別れることにしたんだ」佐々岡はさっぱりと言った。

「ずいぶん、あっさり決めたな」黒澤は笑う。「昨日の夜の勢いはどこに行ったんだよ。私と妻はそう簡単には別れられないってな、力説していた。それが一晩明けたら考えが変わってしまっていいのか」

「いや、君と話していたらずいぶんと楽になったんだ」

「あんまり深く考えることはないって気がついたか」

「いや、何と言うか、そうだな、君はきっとカウンセリングに向いている」

「面白いことを言うな、おまえも」

「本心だよ。馬鹿《ばか》になんてしていない。実際、行き詰まっていた私を楽にしてくれたじゃないか」

「行き詰まっているとおまえが思い込んでいただけだよ。人ってのはみんなそうだな。例えば、砂漠に白線を引いて、その上を一歩も踏み外さないように怯《おび》えて歩いているだけなんだ。周りは砂漠だぜ、縦横無尽に歩けるのに、ラインを踏み外したら死んでしまうと勝手に思い込んでいる」

「カウンセラーの仕事をしてみる気はないかい？」

「どういうことだ」

「私の妻は、仙台で心療クリニックを経営しているんだよ。カウンセリングだとか」

「金と地位と名誉を重んじる女に、人の心が癒《いや》せるのか？」

「私も懐疑的だ」と佐々岡はくすっと笑った。「ただ、君がやりたいなら電話してみたらどうだ？」

「おまえの奥様にか」

「カウンセリングをしたいと言って、電話してみればいい。君はきっと才能がある」

そう言うと佐々岡は慣れた仕草で、背広の内ポケットから手帳を取り出し、白紙ページを切り取った。小型のペンで数字を書き始めた。

「これが私の家の電話番号だ。繋《つな》がらなければこっちが妻の携帯だ」

黒澤はそれを受け取って折り畳む。「おまえの奥様は、俺の言うことに耳を貸してくれるかね？」

「まず無理だね」

黒澤と佐々岡はそこで、声を合わせて笑った。

「一生というのは」と佐々岡が言った。さっぱりした顔だった。「一生は日々の積み重ねだろ」

「だろうな」

「人生がリレーだったらいいと思わないかい？」

「リレー？」

「私の好きだった絵にそういうものがあってね。『つなぐ』という題名だった。それを観《み》て思ったんだ。一生のうち一日だけが自分の担当で、その日は自分が主役になる。そうして翌日には、別の人間が主役を務める。そうだったら愉快だな、と」

「そうだとしたら、おまえの出番はいつだよ」

佐々岡はあまり考えなかった。「昨日だよ。君と久しぶりに会えて楽しかった。昨日は私が、私達が主役だった」

「子供じみた考えだな」

「昨日は私達が主役で、今日は私の妻が主役。その次は別の人間が主役。そんなふうに繋がっていけば面白いと思わないか。リレーのように続いていけばいいと思わないか？　人生は一瞬だが、永遠に続く」

「人の一日なんてどれも似たり寄ったりだよ。俺たちの昨日も、おまえのカミさんの今日も、別の人間の明日だって、重ねて一度に眺めてみればどれも一緒に見えるさ」

「そんなことはない」と佐々岡は笑った。

駅まで送っていこう、と黒澤は柄にもないことを言って、佐々岡と一緒にマンションを出た。男の家から朝帰りなんてのはホモセクシャルな関係のようで嫌だな、と佐々岡が言う。黒澤もそれにうなずきながら鍵《かぎ》を閉めて、エレベーターのボタンを押した。

そう言えば、と黒澤が口を開く。「これ知ってるか？」尻《しり》のポケットから財布を取り出すと、その中から紙切れを引き抜いた。佐々岡に渡す。

「これは何だい？」

「さあな。日本のではないだろ？　妙な文字が書いてあるし。昨日の朝だな、ちょうど今と同じくらいの時間に、隣人に会ったんだ。隣の男が、友達を担《かつ》いで出てきた。まあ、エレベーターに乗るのだとかを手伝ってやったんだが、その時に男の身体《からだ》から落ちたようだ」

「くじじゃないかな」佐々岡が言う。

「お守りか何かかと思ったが」紙切れを眺める。どこの国のものなのだろうか。

「いや、宝くじの一種だよ、これは」佐々岡は嬉《うれ》しそうに断定した。「当たっているかもしれない」

「三百円くらいかもな」黒澤は言って、佐々岡のほうに突き出してみる。「おまえ、いるか？」

「遠慮しておくよ。三百円は君のものだ」

仙台駅に到着すると、佐々岡は携帯電話を取り出した。「かけるよ」と言った。はじめは何のことか分からなかったが、神妙な横顔を見て、察しがつく。

ペデストリアンデッキのベンチに腰を降ろし、黒澤は道行く人々を観察した。金を持っている者、持っていない者、景気の良い者、景気の悪い者、未来を探す者、未来を待つ者、諦《あきら》める者、様々な人生が通り過ぎていく。誰もが深刻な面持ちに見えた。もっと気楽になれよ、と黒澤は声をかけたくなる。

「別れよう。家にはもう帰らない」佐々岡の声が聞こえた。女の名前を何度か呼んでいる。おそらく佐々岡の妻の名前なのだろう。

携帯電話で、しかもこんな騒々しい駅のところで喋る話題ではないだろうに、と黒澤は呆《あき》れた。

けれど、何事も設計図を引いてからでないと行動できなかった学生時代からすると、これは進歩ではないか、とも思えた。

カウンセラーか、悪くないかもしれない。泥棒稼業《かぎょう》も疲れてきた、と弱気なことを考える。泥棒をしながら、カウンセラーをやるのはどうだろう？ カウンセラーをやりながら、実のところ空き巣のターゲットを探すのはどうだ？ カウンセリングに来る患者に、通帳の置き場所や預金の額を質問するのは不自然だろうか。いや、それならむしろ、探偵を副業とするのも良いのではないか。

まあ、その前に一軒くらい仕事をすべきだな、と最終的には思い直した。収入がない状態は辛《つら》かった。日銭に困っているわけではないが、達成感がないのは精神衛生上、好ましくない。タワーマンションの、舟木という男の部屋を思い出す。あそこにはかなりの時間を費やしたのに、収穫がゼロというのは痛かった。盗み自体が失敗したわけではなかったが、思い返してみると後悔が襲ってくる。どうにも勿体《もったい》ない気がした。

この数日の間にもう一度、あのマンションへ盗みに入るべきではないだろうか、と考えてみる。残してきた金があるのだから、うまくあれをいただいて来られないだろうか、と。「一度忍び込んだところは縁起が悪いのではないか」と警告を発する自分自身の声が聞こえたが、黒澤はすぐにそれを打ち消した。もし縁起を気にするのであれば、次は昼間ではなくて、夜に行けば良いのだ。もとから泥棒と相性が良いのは、「夜」であるから、前回の繰り返しにはならないはずだ。夜の会議がある日を狙《ねら》えばいい。黒澤は珍しく、即興音楽を演奏するような気分で、新しい計画を楽しんでいた。懐《なつ》かしい友人との、奇妙で愉快なひと晩が、黒澤を緩やかにだが高揚させていたのだろう。

隣では佐々岡が離婚の意志表示を繰り返している。向こうで彼の妻は、どんな顔をしているのだろうか。「また電話するから」と繰り返し説明をしていた。

佐々岡の妻には妻で、何かしらのドラマがあるに違いなかった。

電話が終わりそうもないので、黒澤は立ち上がり、ふらふらと辺りを歩き回った。

野良犬《のら》がいた。昨日も見かけた小汚い犬だった。見れば見るほど自分と同類である気がして、黒澤は近づいてみる。犬は怯える素振りも見せず、自分の腹を舐《な》めていた。

「おまえにこれをやるよ」

黒澤はポケットから宝くじを取り出した。何重かに畳むと、それを犬の首輪に入れた。首輪の裏側の金具に細い紙を挿し込む。

「俺が忍び込んだ家にいても、鳴いたりするなよ」

黒澤は犬の頭をそっと撫で、自分の肩を回すと佐々岡の待つベンチに歩いていく。

電話が終わったのか友人は、清々《せいせい》した顔で背伸びをしていた。

「展望台に昇らないか」と佐々岡に向かって、そう言ってみる。

急にどうしたんだい、と相手は不思議そうな顔をした。

笑いながら黒澤は、展望台エレベーターへ向かっていく。「何か特別な日に」と書かれた垂れ幕がある。意外にこんな日が特別な日だったりするんだ、と黒澤は思う。

「エッシャーの絵だ」佐々岡が大きく貼《は》られたポスターを指差した。

「よく見るよな、あの城の絵。階段を昇っても昇っても、元の場所に戻ってくるんだろ、あの絵。騙《だま》し絵って言うのか？」

「さっき、私が言っただろ？　人生はリレーかもしれないと。あの絵も似ている。兵士が歩いている。階段を昇ってゴールしてみると、そこは次の兵士のスタート地点に過ぎない。そういうものなんだよ。みんなが次々に繋がっている。生きていくってのは結局あれだよ」

「絵だろうが、何だろうが、騙されるってのは好きじゃないんだ」黒澤は笑ってみせた。そうしてから、「おまえのカミさんの名前は何と言うんだっけ？」

「京子だ」

「そうか」

黒澤はエレベーターが来るのを待ちながら、会ったこともない京子という女が、今ごろ何をしているのか想像する。

目が覚めると全《すべ》てが元通りになっていないだろうか、河原崎のささやかな期待は呆《あっ》気《け》なく裏切られた。

カーテンも閉めずに、いつのまにか眠っていた。日が射《さ》し込み、河原崎の手に当たっている。部屋の中はまったく変わっていなかった。

ビニールシートに残った血液が、絵具のようにも見える。赤い滴が、音もなく震えてもいる。

向こう側に横たわっているのは塚本だった。姿勢良く天井を見上げている姿は、部屋に入ってきた時に置かれていた死体と同じだ。

両手で顔を覆《おお》う。言葉も出てこない。叫びたいのを堪《こら》えて、声にならぬ息を手に吹きかけてみる。

おしまいだ。河原崎は興奮して、塚本の首を絞めた。相手の顔が恐ろしい形相となり、そこで手を放したら自分自身の身が危険になるのではないか、とさらに力を込めた。どれくらい格闘していたのだろうか。

ただ、我に返ると塚本の身体から力が抜けていた。魂が蒸発してしまったかのようだった。消えた魂を探して、風の流れていく方向を確認してしまう。

自分がしてしまったことへの恐怖が、腹にずしりと圧《の》しかかってくる。人を殺してしまった。自分が騙されていたことは間違いなくとも、かと言って殺してしまっていいわけがない。

身体が震え、数時間それを抑えつけていた。

目を閉じた塚本の顔と、切断された死体を交互に眺めながら膝《ひざ》を抱えていた。ひゅうう、と穴から漏れる空気のような息を繰り返した。

もしかしたら、眠って起きれば、何事もなかったことになるのではないか、とそんな考えすら浮かび、いつのまにか眠った。

河原崎はあらためて部屋を見回す。

「どうしよう」河原崎はそう口に出す。「もうおしまいだ」

切断された肉体をとりあえず片づけるべきだ。

塚本の持ってきた道具の中には消毒用のアルコールなどもあって、それと台所のスポンジを使い、死体に跳ねた血液を拭《ふ》いていく。大して汚れてはいなかった。

裸のままの死体は生々しくグロテスクだった。下半身の性器が目に入るのは愉快でもなかったので、部屋に置かれていた服をそのまま着せた。

両腕のない胴体部分に、襟付きのシャツを着せるのは、箱を風呂敷で包むような具合だった。下半身には下着を付ける。スラックスは股《また》のところで二つに切って片足ずつ穿《は》かせた。

アルコールの臭《にお》いがひどく、何度か咳《せ》き込んだ。

部屋にあった布製のスーツケースに死体を詰め込む。胴体を押し込み、上から両足と両腕を入れた。最後に頭を押し込んでチャックを閉める。

人一人分なのだから軽いわけがなかったが、キャスターが付いているので、運ぶことはできる。

それから、塚本の死体に近づいて服のポケットを探った。車の鍵を見つけて自分の尻ポケットに突っ込む。

スーツケースを引いて、玄関に向かった。車に運ぶつもりだった。

トランクの中にスーツケースを入れると、河原崎は再び部屋に戻る。そうしてビニールシートを、血が零《こぼ》れぬように気をつけながらどうにか丸める。皺《しわ》に沿って血が流れ、フローリングの床に垂れた。

ビニールシートを部屋の隅にあるゴミ袋に捨てる。

洗面所で手を洗う。ひたすら手を石鹸《せっけん》でこすった。

後は、塚本の死体を運ばなくてはいけない。河原崎は覚悟を決める。

自分の殺してしまった人間に触れることは、こんなにも怖いことなのかと河原崎は驚いた。ただの物体となってしまった死体は物を喋《しゃべ》らないが、自分を脅迫してくるようでもある。俺はおまえを忘れないぞ、と指を差してくる気がした。

塚本の身体は硬直していた。ほんの十時間ほど前に、死後硬直について喋っていた塚本自身が、今や自分の筋肉を硬くしているのは何かの冗談にも思える。

「よし」腹をくくるかのように河原崎は呟くと、塚本の右手を両手でつかんで力を入れた。生前の塚本がやっていたように、体重を乗せて関節を曲げる。怖かったが思い切り力を入れれば、肘《ひじ》が折れた。何度か繰り返す。両肘、両膝をそれぞれ順番にしてやった。腿《もも》も折り曲げてみる。重労働だった。汗が滲《にじ》み出てくる自分とは対照的に、冷たい肌をしている塚本が、恐ろしかった。死体の硬さがほぐれて、どうにか背負えるようになる。

この部屋を出ましょう。河原崎は、塚本に声をかける。もはや塚本は、何の指示も出さなければ、反対も口にしない。まず玄関のドアを開けて、開いたまま固定しようとした。背負ったまま玄関を開けるのは面倒だったからだ。

そのまま外に出た。あ、と声が出そうになった。ちょうど隣の部屋の住人が出て来たところだったのだ。顔が合って、心臓が跳ねる。

「隣の黒澤です」と相手が軽い会釈《えしやく》をしてきた。

仕方がなく、挨拶《あいさつ》を口の中で発した。

それから思いついて、「このドア支えていてくれませんか？」と言ってみた。下手に知らん顔をするよりは、そのほうが怪しまれないのではないかと思ったのだ。

相手の男は三十代に見えた。落ち着いた雰囲気のある男だ。戸惑っているようなので、酔っ払った友人を運び出すのだ、と出鱈目《でたらめ》を口にして、玄関のドアを支えてもらった。

河原崎は慌《あわ》てて部屋の中に戻ると、赤い帽子をジーンズの後ろポケットに捻《ね》じり込んでから、塚本を背負い、外に出た。

エレベーターまでどうにか移動し、ドアがしまったところで、あの男性にお礼を言わなかったなと気がつく。

死体を負ぶったまま、駐車場までの階段を降り、塚本の車に辿《たど》り着くと助手席に置いた。ドアを閉める。

運転席に移動し、エンジンをかけた。ハンドルを握ったはいいものの、行き先も浮かばない。僕はどうなってしまうのだろう。胃が痛むことにようやく気がつく。

塚本は、車酔いで倒れた同乗者のようにも見えた。

事の重大さは、車を走らせている最中に実感してきた。

塚本を殺してしまったこと、自分自身の人生がそれで台無しになってしまったこと、頭の中が錯綜《さくそう》する。「高橋」はどうして自分を救ってくれたのだろうか、と河原崎はふと考えた。あれは自分を救ってくれたのだ。けれど、とアクセルに足を載せながら、河原崎は考える。涙が出てきた。「僕は救われたのでしょうか」心底悲しかった。どうすれば良いのかも分からず、街中を走りまわる。

一度、空腹に気がついてパーキングに車を止めた。塚本を背負っていくわけにもいかず、河原崎は一人で街を歩いた。アーケードの通りを歩いていると、すれ違う人達が全員、自分より幸福に見えた。

ファーストフード店に入り、ハンバーガーを注文していると、急に吐き気がやってきてトイレに駆け込んだ。結局すぐに外に出た。店員たちが不思議そうな目で自分を見ていた。

足が震えて真《ま》っ直《す》ぐに歩けなかった。重い死体をさっきまで担《かつ》いでいたためなのか、それとも心が震えているせいなのか。

普段通りの街並みは、河原崎を混乱させた。自分は塚本を殺した。それなのに世界は昨日までと変わらずに動いている。そんなことがありえるだろうか、と暗い気分になった。

僕は殺人を犯したのだろうか、自分に確認することもできず、誰か別の人間に教えてもらいたいくらいだった。いても立ってもいられなくなる。

気づいた時には、たまたま前を歩いていた男に駆け寄っていた。必死に顔を寄せると、先ほどまでいたマンションの住所を連呼していた。あそこのあのマンションの、あの部屋に行って僕のやったことを見て下さい。あの部屋に行ってくれ。そう訴えていた。

うまく説明ができないのをもどかしく思いながら、河原崎は内心で叫んでいる。僕が自分の一生を台無しにしてしまったあの部屋に行って下さい。あれは実際に起きたことなのかどうか確認して下さい。確かにマンションの部屋は片づけてしまいました。でも、きっとあれが現実なら、何か痕跡《こんせき》が残っているんじゃないでしょうか。

相手の男が、河原崎を異常な者と認めるのにはそれほど時間はかからなかった。早足で去っていく。河原崎は溜め息を吐《つ》き、自分を落ち着かせる。人を殺したのだ、目を逸《そ》らしてはいけない、逃げてはいけない、と自分に言い聞かせる。

もうやり直せないのかな。街をうろつきながら河原崎は、いるはずのない父に問いかけていた。

「何てことをしてしまったんだろう」と泣きながら考える。どうして、あの人生の敗残者である父親を思い出したのか、自分でも分からない。「おまえ画家になれよ」と嬉《うれ》しそうに言っていた父の顔が浮かんだ。あれはもしかしたら本心から、僕のことを応援してくれていたのかもしれないな、とさえ思った。

「僕はもう救われないのかな」

河原崎は気がつく。なんだ、最終的に僕が頼りにするのは、「高橋」や宗教や神ではなくて、しょせんはあの父親ではないか。

だろ、と勝ち誇ったように笑う父の顔が見えて、それで少し楽になった。自分がどうすべきかは相変わらず分からなかったが、赤い帽子をポケットから引っ張り出して、鍔《つば》を山折りにすると父の真似《まね》をして、深く被《かぶ》った。

駅前を歩いていると、野良《のら》犬が相変わらず途方に暮れた顔で歩いていた。

それは単なる気紛《きまぐ》れだった。自分でも理由は分からなかったが、そのままアーケード通りに入り、開店したばかりのペットショップに入ると、犬の首輪を買った。

犬のいた場所に戻ってくると、首輪を付けてやる。野良犬は大人しかった。嫌がる素振りも見せず、衣装で着飾る女優のように、慣れた顔で座っていた。

「似合うよ」と河原崎は犬の背を叩《たた》き、そこを離れる。

そしてそのすぐ後に、展望台が目に入った。「何か特別な日に」と書かれた垂れ幕がある。

今日は特別な日なのかもしれない。河原崎は塔のような展望台を見上げ、「今日は特別なのかな？」といるはずのない父に訊《たず》ねる。「だろうな」と返事が返ってきたような気がした。

エッシャー展のポスターをぼんやりと眺めた。城の上をたくさんの兵士が歩いている。そういえばあれは、城と兵士ではなく、修道院と僧侶《そうりょ》である、と聞いたことがあったが、でも、城と兵士にしか見えない。しばらく見ているとその城の入口で、一人だけ、膝を抱えて座っている兵士がいることに気がついた。取り残されて拗《す》ねているように見える。切ない気分になる。人を待っているようにも見えた。

あれは僕だ。

見れば見るほど、河原崎はそう思った。あそこの入口で、きっと父が来るのを待っているのだ。一緒に人生の輪に戻って行くために。

河原崎はエレベーターが来るのを待ちながら、朝に一度会っただけの黒澤という隣人が、今ごろ何をしているのか想像する。


国道四十八号は車両専用のトンネルをくぐって、仙台市街へと出る。京子はそこを一晩かけて歩いた。原動機付自転車も通行できないトンネル内は、車が速度を上げて通っていき、京子は何度もクラクションを鳴らされた。

京子は幽霊同然だった。よたよたとトンネルの端を手探りで歩き、いつ到着するとも分からない道をひたすら歩いた。

死体がバラバラになる。人の身体《からだ》がバラバラになってくっつく。手足がバラバラになる。

呪文《じゅもん》のように唱えながら京子は歩いた。トンネルに入る直前、携帯電話の電波が入ることを確認してから、警察に電話を入れた。青山の自宅がある町名を言ってから、「あそこのご夫婦、変ですよ。車のトランクに死体を隠していますよ」と言って、すぐに切った。

そこから先どうするかは警察次第だ。京子はそれきり、青山たちのことを頭から追い払った。

青山とその妻が結託し、自分より上手を行き罠《わな》にかけようとしたなどとは信じたくない。自分が、青山の妻に殺されそうになったことなど現実であってはならなかった。死体がトランクの中で切断され、いつのまにかくっついて歩きはじめたことだけが頭に残っている。悪夢だと割り切るには現実感がありすぎた。

トンネルから街に出た頃には、白々と夜が明けはじめている。眠気はなかった。頭が重かったが、布団《ふとん》に入って休みたいとは決して感じられなかった。

途中、コンビニエンスストアでペットボトルの水を買い、一緒に鋏《はさみ》を買った。文房具としては大きく、狂暴な形をした鋏が売られていて、衝動的にそれを買った。

「バラバラにしてやる」京子は鋏を手にして言った。

いったいわたしに何の落ち度があったって言うのよ。無意識にそんな怒りが込み上げてくる。死体がどうして繋《つな》がるのよ。一回、切れたものがどうしてくっついたりするのよ。誰かがわたしを騙《だま》そうとしている。誰かがわたしを出し抜こうとしている。

誰かがわたしよりも賢いことを見せつけようとしている。

冗談じゃないわ、と京子は思う。下腹部の痛みは消えていた。尿意もなかった。膀《ぼう》眺炎《こうえん》はどこかへ消えたようだった。そのことを喜ぶ感覚すら、京子にはない。

京子は街中を何周も何周も繰り返し歩きつづけ、足の裏に豆ができてしばらくするとそれが潰《つぶ》れたが、気にも留めなかった。

時間が過ぎて、街を行く人々の数も増え始める。

京子は唐突に、そう言えば拳銃《けんじゅう》を取りに行かなくちゃいけないと考えて、駅に足を向けた。

一階の駅構内への入口を目指して歩く途中で、野良犬を見つけた。汚くて可愛《かわい》げのまったくない犬だった。年も若くなさそうだった。

無性に腹が立つ。内臓のほうからむかむかと込み上げてくる怒りだった。あんな老犬がのうのうと暮らしているのが気に食わない。わたしがこれほどまでに頭を悩ましているのに、あの犬の能天気な顔と言ったら何なのだ。

バラバラにしてやる。鋏を取り出して、右手で開いた。かしゃんと音がする。何度か開閉を繰り返す。鬱々《うつうつ》とした気持ちが、音の鳴る瞬間だけすっきりとした。

首輪を切り、その後で首を切断してやる。京子は真っ直ぐに犬に近づく。

その時、中年男が寄ってきた。

冴《さ》えない中年男だった。リストラでもされた男に違いない、と京子は決めつける。

「犬に何をするつもりなんですか？」などと言ってきた。煩《わずら》わしくて苛立《いらだ》ちばかりがあった。男はどういうわけか、「これは自分の犬だ」とわけの分からないことを言って、京子に楯突《たてつ》き、それがますます腹立たしい。

そして結局、言い合っているうちに中年男が汚い老犬を連れて、そのまま歩いていってしまった。自分が相手にされていないようで怒りが湧《わ》き上がった。叫び声を上げてみるが、誰もが訝《いぶか》しい目で見てくるだけだ。無視と冷笑と敬遠、周囲がそれらで充満していた。

しばらく進んだところに、絵画展のポスターがあった。

能天気な兵隊たちが、何も考えずに歩き回っている絵だった。無性にしゃくに触る。考えなしに生きているように見えたからだ。絵の中に入っていけるのであれば、持っている鋏で、兵隊の頭という頭をすべて切りとってやりたかった。何もかもを破壊して、台無しにしてやりたい。

展望台が目の前に立っていた。忌々《いまいま》しいほど偉そうに聳《そび》えている。

「何か特別な日に」と書かれた垂れ幕がある。

特別な日って何よ、と京子は怒鳴り散らしたかった。頭から煙が出るほど混乱している。朝、夫から離婚を言い出された。人を殺しに出かけた。途中で、赤の他人を轢《ひ》いた。その死体がトランクの中で切断された。バラバラになった死体が繋がって、夜の闇《やみ》を歩き出した。そんな一日は特別な日と呼べるのか。

飛び降りてやる。京子はそんなことを思いついた。

展望台に昇り、あの高さから飛び降りて、この馬鹿馬鹿《ばかばか》しい一日から解放されるべきだ、と考えた。わたしは誰にも負けるものか。自分の人生は自分がコントロールするのだ、そう思いながら右手で拳《こぶし》を作る。

京子はエレベーターが来るのを待ちながら、ついさっき出会った、犬を連れた中年男が、今ごろ何をしているのか想像する。

豊田はシャッターの閉まった喫茶店の前に座っていた。老犬は隣で身体を丸めている。溜《た》め息《いき》のような呼吸を一つだけして、前足に顔を載せて眠っていた。

破けた背広はみっともなかったが、気にもならない。無職の自分には相応《ふさわ》しく感じられた。妻や息子に見限られ、会社から追い出された男には居場所はない。新調のスーツよりは、よれよれで片袖《かたそで》が切れているくらいがお似合いだろう。頬や背中、脇腹《わきばら》には痣《あざ》ができていた。骨は折れてなさそうだったが、痣の青さはひどかった。しばらくは風呂《ふろ》にも入れそうもない。時間が経《た》てば、もっと腫《は》れるのかもしれない。

ポケットから、喫茶店の半額割引券が出てきた。朝、使おうとしたら断られたものだ。じっと見てみる。何ということはなかった。期限が切れていたのだ。

開店後三日間の限定サービスとある。今日は四日目なのだろう。今朝は、被害妄想から無職の自分だけが差別されている気になったが、理由が分かれば何ということはない。

駅の構内は閑散としていた。みどりの窓口の前で、リュックを枕《まくら》に眠る若者が数人いるくらいで、土産物屋もキヨスクも店を閉めている。

駅で夜を明かそうか、と考える。

新幹線の改札口から、一組の男女が出てくるのが見えた。自動改札を通って来た二人組だ。不釣り合いなカップルだった。

男は五十過ぎに見えた。もっと年は上かもしれないが、胸を張り堂々と歩く姿は若々しかった。派手なセーターが目立つ。似合ってなくもない。

はじめは政治家に見えた。顔に威厳や自信が漲《みなぎ》っていたからだ。異様に大きな耳と鼻が目立つ。

あれは人生の勝利者だな。豊田はぼんやりと眺めながらそう思った。無職で痣だらけの自分とは、住む次元が違う。見ただけで分かった。あの堂々たる男性と自分とでは、人生のレベルが違う、と。

昔、息子が夢中になっていたテレビゲームを思い出した。はじめる前に画面上で、「初級者向け」「上級者向け」とゲームの難易度を選択するものだ。改札口から出て来た男は、「上級者向け」の人生を順調にクリアしているに違いない。それに比べて自分は、「初級者向け」ですでにゲームオーバー目前だ。

隣で荷物を持つ女性は、長身の美人だった。長い黒髪が綺麗《きれい》だった。秘書だろうか。恋人同士とは見えない。親子ほどの年の差があるが、二人の間にある雰囲気はもっと生々しく感じられる。愛人だろうか。ただ、愛人にしては愛されているように見えず、荷物を両手に抱えた女は従者と言ったほうが近そうだった。女の顔は不機嫌を隠そうともしていない。

二人は人を探しているのか、エスカレーターの前であたりを見渡していた。

男の目が豊田と合う。慌《あわ》てて顔を逸《そ》らした。人生の勝利者が自分に用などあるわけがない。

その時、男が女と向かい合いながら、指を差してくるのが見えた。豊田の座っているほうを示したのだ。驚いて振り返るが、他に人がいるようにも見えない。何か悪いことでもしただろうか、と急にどぎまぎとする。

豊田の頭には薄《うっす》らと期待が浮かんだ。あのどっしりと構えた裕福そうな男が、自分に職を与えてくれるのではないか、という漠然とした期待だ。

「ちょっと話を、いいかね」目の前に立った男は、穏やかな声で豊田に話しかけてきた。緊張が身体を走る。男には迫力があり、飲まれてしまいそうだった。遠くから見たよりも年輩のようだが、アンバランスなほど精力的な顔つきをしていた。皺《しわ》が少ない。

「ど、どうしたんですか」と豊田は答えた。声が上擦る。

「あんたの職業は何だね」

その質問に豊田はどきりとするが、唾《つば》を飲み込んで、「無職なんです」と白状した。正直に答えなくてはいけないような、そんな見えない力を感じた。

女は無表情に立っていた。目の縁が痙攣《けいれん》しているのが目に入る。緊張しているのか、不機嫌なのか、その両方なのか分からない。

「そうか。無職か」男は嬉《うれ》しそうだった。都合が良い、と小声で言うのすら聞こえた。

高級そうな背広のポケットから名刺を取り出す。「私は、戸田と言う」

豊田は受け取った名刺に目をやる。肩書きがずらずらと並んでいた。やはり勝利者だ、と豊田は確信した。前に立つ男は、舟木のような井の中の蛙《かわず》とは、たたずまいがまるで違った。

「あんたの今、欲しいものが何であるか、あんた自身は分かっているか？」

回りくどい言い方を、男はした。

「え、ええ」と突っかかりながら生返事をする。

「あんたに必要なのは仕事だ」

男の言葉に、豊田は耳を疑う。即座に声が出なかった。動くこともできなかった。

「あんたには仕事が必要だ。何よりも、安心して毎日を暮らすための仕事が」

そうです、よくお分かりになりました、と豊田は答えようとするがやはりうまく喋《しゃべ》れない。

女の目が悲しげなのが少しばかり気になった。

「ところであんたの今、一番大切なものは何だね」

そこで男は、意外な質問を重ねてきた。豊田は自分の周囲を見渡す。大切なもの？

そう言われると何もなかった。背広は破けているし、履歴書の束は役立たずだった。

家族はとうの昔に離れていってしまった。「強いて言えば」豊田は半分は冗談のつもりで、「この犬ですよ」と老犬の頭を撫《な》でた。

女の顔は泣き出しそうで、それが不思議だった。絶望的な目で視線を逸らしている。落ち着きがない。

「そうか」と男は満足げに顎《あご》を引く。「いや、実はな、その犬を、私に譲ってもらいたいんだ。ちょうど犬が欲しかったところでな」

「え？」

「その犬だ。もちろん、ただでとは言わない。かわりにそうだな」

豊田は唾を飲み込む。

「あんたさえ良ければ、うちの会社を紹介してやろう。無職ならちょうど良い。口約束ではない。この場で契約書を作ってやる」

何が起きたのか分からなかった。「はあ」

「どうだろうか。私はいろいろな会社を持っていて、あんたに紹介してあげることができるんだが」

「ほ、本当ですか？」

「本当だとも。今ここで返事をしてもらえれば、問題はない」

男の顔は自信満々で、詐欺師《さぎし》のようには見えなかった。

自分は救われたのだ。豊田は目をぎゅっと瞑《つむ》る。老犬を眺めた。今朝、出会ったばかりの犬ではないか、と思った。本当のところを言えば、自分の飼い犬でもない。男が、自分を騙しているとは思えなかった。相手の要求しているのが一文にもならない老犬であることが、豊田を信頼させた。金を騙し取る詐欺師はいても、犬を奪うために芝居を打つ者もいないだろう。朗報が訪れるのには、ちょうど良いタイミングなのかもしれない。老犬にもう一度、目をやる。

「さあ、どうだね、悪い話ではないと思うが」男が手を差し出してきた。

悪い話ではない。まさにそうだった。それどころか奇跡に分類されるべき話だった。

豊田は、老犬の頭を再度撫でて、「よし」と持ち上げようとした。

決心するために目を閉じる。

目の前にぶら下がった就職先のチャンスを、みすみす失うことがあっていいだろうか。いいわけがない。

「しょせん犬じゃないか」自分の中の何者かが、頭の中でそう囁《ささや》いた。まぎれもなく自分自身の声だ。瞬間、豊田の頭に昼間のシーンが浮かんだ。

若者に襲われた時に立ち向かった、老犬の姿だ。それを咄嗟《とっさ》に思い出した。

何もできずに倒れているだけの豊田の目の前で、相手に噛《か》みついた小さな老犬の姿だ。勇敢で、無謀でもあったが、あれはとにかく感動的な姿だった。

超然とした顔で、沈む夕日を見つめていた。『怖《おそ》れるな。そして、俺から離れるな』

「どうだね」男がもう一度言う。

豊田は、男の手にはつかまらなかった。膝《ひざ》を立てると自力で立ち上がった。

「怖れない」と小声で呟《つぶや》いていた。心が決まった、とその場で深々と頭を下げていた。

「ありがたい話ですが、お断りします」

言ってから豊田は自分で驚く。口を突いてそんな言葉が出たことにびっくりしていた。二人の顔が凍ったように動かなくなった。「え」と声を漏らして以降、黙ったままとなった。豊田も「え」と言ってしまう。

「どうしてですか？」しばらくして女がはじめて口を開いた。「どうして断るんですか？」

「い、いけませんか？」

「いえ、条件が気に入らなかったのかしら」

「とんでもない。たぶん、聞いたこともないような、いい話ですよ」

「話が信じられないから？」

「そうでもないんです。どういうわけか嘘《うそ》にも思えないんです」

「ならなぜ？」

どうしてこの美人が自分を追及してくるのか分からなかった。豊田自身どうして断ったのか理解できなかった。

ただ、「たぶん、これは」と眠りこけている犬をそのまま抱きかかえた。「これは手放してはいけない気がするんです。譲ってはいけないもの。そういうものってありますよね？」

降って湧《わ》いたチャンスを自ら蹴《け》るなんて何様のつもりだ、と自らを罵倒《ばとう》する声が聞こえてきたが、豊田はそれを打ち消す。もう一度頭を下げた。

「ちょっと待て。金を払おう」男の声は落ち着いたままだった。どっしりと大地に根づいているような声だ。「あんたの必要な額を言ってくれれば、今ここで渡してやろう。振り込んでもいい」

今度は考える間はなかった。無職、結構じゃないか。そうだろう？　今日おまえは汚い犬とともに何を学んだのだ？　豊田の頭の中をぐるぐると声が回る。

「すみません」と頭を下げた。「やっぱりお断りします」

そこで急に、男の顔色が変わった。慌《あわ》てている様子はなかったが、ひときわ透《とお》る声で「待て。おまえが断れると思ってるのか！」と来た。

突然のことに動けない。

「後悔するぞ」男は低い声で続ける。ただの脅しとも聞こえなかった。「おまえの人生がどうなっても知らんぞ」

そこで豊田は苦笑した。肩に入っていた力がすっと抜けた。「いえ、すでに人生はどうにもなりません」

無意識に拳銃《けんじゅう》を取り出していた。周りも見ずに相手に銃口を向ける。「構わないで下さい」

男の動きが止まる。

「すみません。せっかく、いい話をいただいたのに」豊田は紳士的に言った。

自分の気が変わるのを恐れたわけではないが、足早にそこを離れた。拳銃を鞄《かばん》にしまった。男は信じがたいものを目にした顔になり、突っ立っていた。少し離れたところに体格の良い男が二人立っていて、豊田の姿に気づいたように駆けてきた。それを横目に走り去る。

「良い人生を」女がすれ違いざま、微《かす》かな声でそう言ったのが聞こえた。

驚いて振り返る。せっかくの美人が泣き出しそうな顔をしていた。

下りのエスカレーターに乗ると、犬が目を開けた。駅の構内は深夜近くのため閑散としている。犬を降ろして綱を持ち、歩いた。

タクシー乗り場が見える。

そこで、白人女性とすれ違った。右腕に大き目のスケッチブックを抱えている。通り過ぎてから、午前中に会った外国人だと気がついた。

豊田は後を追うようにして、その女性を呼び止めた。

「どうしたんですか？」と首を傾《かし》げる彼女は、結んだ後ろ髪も似合っていて可愛《かわい》らしい。

「あの紙ありますか？　日本語を教えて下さいと書いた」

彼女は綺麗な歯を見せた。その場で立ち止まり、脇《わき》に抱えていたスケッチブックを、豊田の前に差し出した。「書いてくれるんですか？」と言った。

「いえ、今朝、一度書いているんだけれど」と豊田は言う。慎重な手つきで紐《ひも》を解き、中の紙を捲《めく》った。

『力』と書かれた字が目に入った。上手ではない、右肩上がりの字だ。

「それは三日前に書いてもらいました」彼女はそう教えてくれる。日付が確かに入っている。「若い男の人でした」

何枚かさらに捲ると、今度は達筆が現われる。『夜』とあった。男が書いたに違いないが、堂々としてスマートな字だった。

「それは二日前ですね」彼女の日本語は自然で美しい。

つづけて、『心』という字が見える。女性が書いたに違いない。書道の手本のような美しい字だった。「それは一日前、昨日に書いてもらいました」

今朝、自分の書いた字はその後にすぐ見つかった。『無色』と小さな字で書いてある。弱々しい。

自分を見失っている人間の書く字にほかならなかった。

豊田は今朝までの不安と孤独感が甦《よみがえ》ってこないように、ぎゅっと目を瞑り、その後ですぐに開ける。

「これ、私が書いたんです」

「そうでしたか？」彼女は目をぱちぱちとさせて、本心から悩んでいる顔をした。もとから日本人の顔など覚えていないのか、それとも今の自分が、これを書いた時とはまるで違う顔になっているのか、どちらだろうか。

豊田の足元で老犬が首輪のあたりを掻《か》いていた。蚤《のみ》でもいるのかもしれない。

「あ、何か付いていますよ」彼女が上品な発音で言って、豊田はそちらに目を向けた。

確かに、老犬の首輪に紙切れが押し込まれている。豊田はしゃがみ込んでそれをつまんだ。犬は面倒くさそうな顔をしたが、構わずに引っ張り出した。そのまま手で広げる。

「何ですか？」と白人女性は興味深そうな顔で、覗《のぞ》き込んできた。

紙には見慣れぬ言葉が並んでいる。日本語ではない。数字も書かれている。「お守りかな」

「これ、タカラクジですよ」顔を寄せて来た白人女性が言った。「テレビで見ました」

豊田はそれを、駅のライトに照らすようにひらひらと振る。

「宝くじ？　誰が入れたんだろう？」

「当たっているかもしれないですね」白人女性は笑顔で言った。ほっとできる美しい顔だ。

「そうですね。当たっているかもしれない」

「当たっていたらどうしますか？」

「そうだなあ」どれくらいなら現実味があるだろうか、と考えてみた。一万円くらいだろうか。十万円くらいだろうか。想像を楽しむ。少しくらいの夢は見てもかまわないだろう。「こいつにドッグフードを買って、履歴書の写真でも撮り直すかな」

白人女性は言葉がよく聞き取れないようだったが、嬉《うれ》しそうにうなずいた。

「もう一回その紙に言葉を書かせてもらっていいかな?」豊田は言った。左手でくしゃくしゃに丸めていた宝くじをポケットにしまい、散歩用の綱を左に持ち替えた。

「どうぞ、どうぞ」と彼女は言った。マジックを渡してくれる。

白紙を目の前にして豊田は、何を書こうかと思案する。

「あそこ、展望台、ありますよね」白人の彼女は流暢《りゅうちょう》にそう言った。

スケッチブックを持ちながら豊田は首を曲げて、駅前の展望台を見上げる。ライトアップされた屋上階が、幻想的に浮かび上がっていた。

隣に貼《は》られた、「エッシャー展」のポスターを見た。城の屋上をたくさんの男たちがぐるぐると歩き回っている。

豊田は、子供の頃の疑問を思い出した。

絵の中では、城の屋上でまさに人生の渋滞を表すかのように男たちが歩いている。列をなして窮屈そうに、混雑した階段を歩いている。

階段をぐるぐると昇りつづける騙《だま》し絵は見ているだけで楽しいが、それとは別のところが気にかかった。

城の中で、屋上から離れて一人だけ、その行進を見上げている男がいるのだ。

壁に寄りかかるようにして、のんびりと城の上を眺めている。

あれは誰なのだろう。子供の時、それが不思議で仕方がなかった。ゆとりのある場所から渋滞の人生を眺めているあの男は一体誰なのだ、と。

あの男になりたい。それは子供の時の自分の望みだったのかもしれない。

渋滞から免れているからではなく、自信を持ったあの姿に憧《あこが》れた。

今の自分もきっとそう願っている。

豊田は足元の犬を見下ろす。あの男はおまえか？　そう訊《たず》ねてみたかった。

「今朝、あそこから、女の人が飛び降りようとしたらしいです」

白人女性の言葉で、豊田は騙し絵のことから頭を戻した。

「飛び降りた？」

「ガラスがあるから無理でした」彼女は笑った。「女の人、暴れて、警察に連れて行かれました」

なるほど、と答えながら豊田はスケッチブックに書くべき言葉を探す。

「よし」決めると、マジックのキャップを取り、一気に書いた。紙一面を使って堂々と書いた。なんだ上手《うま》いじゃないか、と思った。嬉しかった。デザインをしていた頃を思い出す。バランスも良い。

『イッツオールライト』

豊田はそう書いてみた。まさに本心だった。紙に書くことで実感した。「もう大丈夫だ」と自信を持って言える。

「何と書いてあるんです？」スケッチブックを自分のほうに向けて、目を近づけたり遠ざけたりしながら彼女は首を捻《ひね》っていた。片仮名が読みづらいようだった。

「『イッツオールライト』」と豊田は答える。「そう書いたんです」

白人女性はきょとんとした目になって、「それ」と言った。

「え？」

「それ、日本語じゃないですよ」笑うのを堪《こら》えているようだった。

「あ」豊田は気がついて吹き出した。女も笑う。二人ともしばらく笑いが止まらなかった。

笑いながら豊田は、展望台を再び見る。「何か特別な日に」と垂れ幕のある、展望台のエレベーターだった。犬が一緒でも平気だろうか。

豊田はエレベーターに足を進めながら、まだ出会っていない見知らぬ誰かが、城の屋上を歩いているところを想像する。

ラッシュライフ——豊潤な人生。

〈参考・引用文献〉

「考えるヒト」養老孟司　筑摩書房
「解剖学教室へようこそ」養老孟司　筑摩書房
「はじめての死体解剖」アルバート・H・カーター著　中村保男・遠藤宏昭訳　飛鳥新社
「あなたの脳は退屈している」濱野恵一　ごま書房
「トム・ソーヤーの冒険」マーク・トウェイン著　大久保康雄訳　新潮文庫

解説

池上冬樹

■〝これは一体何なんだろう？〟という驚き

三年前に『ラッシュライフ』の単行本が上梓《じょうし》されたとき（そう、まだ三年しかたっていないのだ）、まだ「伊坂幸太郎」は発見されていなかった。いまの圧倒的な伊坂幸太郎の人気からみると、とても信じられないのだけど（もう数年のあいだずっと読者の熱い支持を受けているような印象があるのだけど、当時は）、小説をあまり読まない人たちはもちろん、まだミステリファンも、純粋な小説ファンも、伊坂幸太郎という作家の存在に気がついていなかった。

僕自身、たまたま新潮ミステリー倶楽部《クラブ》賞を受賞した『オーデュボンの祈り』を読んでいた。〝もっとも小説らしい小説である〟〝そもそも小説とは、それが何であるかを名指しできない何かなのであり、「これは一体何なんだろう？」と思わせるものこそが最も小説の理想に近いといえる〟という奥泉光の選評（単行本所収）にひかれてのことだが、まさしく〝これは一体何なんだろう？〟という驚きがあった。人語をあやつり未来を見通すカカシのいる島。そこで起きたカカシ殺しを追及する物語など、ふつう考えつかない。

とにかく、そのシュールな設定とオフビートな展開、軽妙でありながらシンボリックな方向性をもつ物語にふれて、この作家はミステリにとどまらないなと思った。ひとつの可能性として、ポール・オースターのようなミステリ的趣向を使ったエレガントな前衛に向かう作家になるのではないかという期待感もあった。〝ミステリ系にしてはちょっと純文系の匂《にお》いがする〟というのが、かつての純文学青年としては嬉《うれ》しく、いったいどういう作品を書くのだろうと気になっていたのである。

だから『ラッシュライフ』にはとびついた。そして僕の予想もしない物語に、またまた嬉しくなった。いったいこの作家は何を考えてるのだろう、どういう小説が好きで、どんな方向に進もうとしているのか気になったのである。それほど才能を感じさせた。

■群像劇／ハリウッド映画と海外ミステリとの関係

〝……次は奇人たちの住む「荻島」ではなくて、普通の街の物語が書きたいですね。

ハリウッド映画のような小説だったら、レンタルビデオを見れば済むわけですから、小説でしか味わえない物語、文章でしか表現できない映像よりも映像らしい世界を創っていきたいと思っています〟（「波」二〇〇一年一月号所収「『オーデュボンの祈り』刊行インタヴュー／喋《しゃべ》るカカシのいる島で」より）

『オーデュボンの祈り』を上梓したときのインタヴューであり、次に書きたいという、〝普通の街の物語〟とは、第二作『ラッシュライフ』のことである。〝ハリウッド映画のような小説〟ではないものを目指しているというが、しかし、愉快なクライム・コメディ『陽気なギャングが地球を回す』とともに、いちばんハリウッド映画を思い出す作品ではないだろうか。なぜなら群像劇であるからである。ハリウッド・エンターテインメントおよび海外ミステリの傑出した才能たちが最も得意とするジャンルでもある。

具体的にいうなら、映画における群像劇の名手といったら、映画ファンならすぐにロバート・アルトマン（『ショートカッツ』『クッキー・フォーチュン』）やポール・トーマス・アンダーソン（『マグノリア』）を想起するだろうし、ミステリファンなら、何といってもカール・ハイアセン（『大魚の一撃』『虚《むな》しき楽園』）を思い出すだろう。

ミステリといったら異論があるかもしれないが、近年では村上春樹が翻訳したティム・オブライエンの『世界のすべての七月』も、同窓会を舞台にした、すぐれた群像劇の傑作として記憶されるべきだろう。

群像劇というのは、それぞれ別の人生を歩んでいた人間たちが劇的に後半で交錯する場合もあるし、途中で交錯しつつもまた己が人生に戻り、それぞれの道を歩む場合もある。本書はどちらかというと後者で、そのスタイルを踏襲しているけれど、ただ作者の狙《ねら》いは交錯のみにあるのではなく、単行本のときの帯の言葉を使うなら、五つの物語が〝一枚の壮大な騙《だま》し絵〟として収斂《しゅうれん》するところにある。それまでバラバラに進んでいた人物たちの物語、読者が頭のなかで組み立てていた物語が、終盤になって、綺麗《きれい》に解体され、鮮やかに再構築されるのである。それが何とも絶妙なのである。

■収斂するは〝一枚の壮大な騙し絵〟

もっと具体的に触れよう。『ラッシュライフ』は五つの視点で進む。すなわち、

A、拝金主義者の画商戸田と、彼に振り回される新進の女性画家志奈子

B、空き巣に入ったら必ず盗品のメモを残して被害者の心の軽減をはかる泥棒の黒澤

C、新興宗教の教祖にひかれている画家志望の河原崎と、指導役の塚本

D、それぞれの配偶者を殺す計画を練る女性精神科医京子と、サッカー選手の青山E、四十社連続不採用の目にあっている失業者の豊田の五つで、登場人物は右の八人のほかに、元画商の佐々岡、新興宗教の教祖の高橋、河原崎の亡《な》くなった父親、豊田が拾うことになる柴《しば》犬などが、おりにふれて登場または回想されて、物語が進んでいく。まったく別個の人生でありながら、それぞれが意外なところで結びつき、予想もしないところで出会い、危ないものを手にいれたり、ヤマをふんだり、修羅場を迎えたり、さらには変なところで同窓会とあいなったりする。いやはや、その意表をつく成り行きと先の読めない展開が、何とも心憎い。しかも一風変わったキャラクター像、軽快このうえない語り口、きらめく機知、洗練されたユーモア感覚、そして的確で洒落《しゃれ》た引用と比喩《ひゆ》が効いていて、読むのが愉《たの》しくて仕方がない。

しかも、単に人物たちが複雑に交錯するだけではないことが、中盤以降に少しずつわかってくる。右のABCDEの各ストーリーが、ある狙いのもとに配置されていることが次第に見えてくる。〝一枚の壮大な騙し絵〟をたくらむために、構成が組み立てられているのである。構成にたくらみがある物語という点で、これはまたクエンティン・タランティーノ（『レザボアドッグス』『パルプ・フィクション』）、クリストフアー・ノーラン（『フォロウィング』『メメント』）、さらにアレハンドロ・ゴンサレス・イニャリトゥ（『アモーレス・ペロス』『21グラム』）などの映画作家たちと、スタイリッシュな秀作の数々を思い出すだろう。

もちろん伊坂幸太郎は大の映画ファンなので、刺激を受けていないはずはないけれど、しかし忘れてならないのは、映像に奉仕しているわけではないことである。技巧を採用しても、目のあてられない作品も多いが、伊坂幸太郎は違う。〝小説でしか味わえない物語、文章でしか表現できない映像よりも映像らしい世界を創っていきたい〟という強い決意表明そのままに、小説の要素が充実している。右にあげた美点が申し分なく発揮されて、読者は心地よい昂奮《こうふん》を覚えつつ読んでしまう。人物たちの台詞《せりふ》一つひとつにニヤリとし、文学的・映画的引用に思いをはせ、人物たちの巧みな交通整理と劇的な交錯と卓越した技巧に驚きの声をあげてしまう。タイトルの〝ラッシュ〟の多義性を明らかにするくだりがややくどいが、読者のなかには説明されてはじめて、解釈の多様さに目を見張る人もいるだろう。ともかく最初から最後まで、文章とキャラクターは読者の微笑を誘うし、挿話の連繫《れんけい》（とくに冒頭と終盤の〝好きな日本語〟の挿話の連繫）は秀逸で驚くし、最後に浮かび上がる登場人物たちのパノラマも素晴らしく見事だ。

■著作リスト／受賞作・候補作

本書が出た三年前、感心して書評を書いたのだが、そのときに、〝特異な才能をもつ新人の会心の一作〟と評したのだが、しかしそれは間違っていた。いや、間違いというよりも、伊坂幸太郎という作家の才能は一部しかまだあらわれていなかった。いちおう現在までの作品をリストにすると——。

0『悪党たちが目にしみる』（一九九六年、サントリーミステリー大賞佳作）
1『オーデュボンの祈り』（新潮社、二〇〇〇年十二月）↓新潮文庫
2『ラッシュライフ』（新潮社、二〇〇二年七月）↓新潮文庫　※本書
3『陽気なギャングが地球を回す』（祥伝社ノン・ノベル、二〇〇三年二月）
4『重力ピエロ』（新潮社、二〇〇三年四月）
5『アヒルと鴨のコインロッカー』（東京創元社、二〇〇三年十一月）
6『チルドレン』（講談社、二〇〇四年五月）
7『グラスホッパー』（角川書店、二〇〇四年七月）
8『死神の精度』（文藝春秋、二〇〇五年六月刊行予定）

あえて0番にして『悪党たちが目にしみる』をあげたのは、サンミスの場合、公開選考会の前に、最終候補作は仮綴本《かりとじ》として関係者に配られるからである。非売品の粗末な仮綴本であり、結局、本にならなかったのだから、古書市場にでたら、異常な高値をよぶことは間違いないだろう。いちおう『悪党』は大幅に改訂され、3に形をかえた。いうまでもなく、銀行強盗たちが活躍する洗練されたケイパー（銀行強奪もの）の秀作だ。

1、2、3がミステリファンたちの関心をひいたとしたら、4は、ミステリファン以外の小説ファンたちの心を摑《つか》んだ人気作である。放火と落書きと遺伝子をめぐる青春ミステリであるが、その奇抜なテーマの妙なる合致、颯爽《さっそう》とした物語の疾走感、警句と比喩を多用した洒脱な語り口、温かな人間味などが合わさって、「伊坂幸太郎」が〝発見〟される契機となった作品である（「小説、まだまだいけるじゃん！」という文章ではじまる、担当編集者の熱い熱い、前代未聞の宣伝文も画期的だった）。

5は、書店を襲う話とペット殺しが見事に交錯する話で、複雑な人間関係と物語が最後に反転する本書と同じように、二つのストーリーを中盤で交差させて劇的な効果をあげている。6は、家裁調査官武藤がさまざまな人間模様を目撃する連作で、ここでも時間軸がずらされている。7は、三人の殺し屋が絡《から》みあう寓意性の高いクライム・コメディで、8は、何と〝死神〟を主人公にした傑作シリーズだ。

伊坂幸太郎は人気も高いが、文壇での評価も高く、まず1は（前述したように）第五回新潮ミステリー倶楽部賞、5は、名だたる作家たち（直木賞を受賞していない大物作家たち）がほとんど受賞している吉川英治文学新人賞を受賞している。また、「死神の精度」（「オール讀物《よみもの》」二〇〇三年十二月号所収）で第五十七回日本推理作家協会賞短編部門を受賞している。そのほか、残念ながら賞は逃したものの、4と6と7が直木賞、3と7が大藪《おおやぶ》春彦賞にそれぞれノミネートされている。

■引用される映画と小説の〝倫理〟／作品同士のリンク

最後にいくつか注釈をつけておきたいと思う。作者が名前を伏せて書いているものを詳《つまび》らかにするのは避ける場合もあるが、引用を得意とし、文脈を生き生きと浮かび上がらせるのが好きな「伊坂幸太郎」の嗜好《しこう》を思えば、あながち野暮ではないだろう。

まず、豊田が拳銃《けんじゅう》を見つけて、〝ベトナム戦争の映画〟を思い出す場面があるが（一〇三頁《ページ》）、それはマイケル・チミノ監督の名作『ディア・ハンター』（七八年）のことである。また、〝確か映画にもこんな話があった〟と志奈子が思い出す〝アメリカの大富豪が大金と交換に若い夫婦の妻を一晩拘束する話〟（一六一頁）は、エイドリアン・ライン監督の『幸福の条件』（九三年）。さらに、豊田が学生時代に読んだ小説として、主人公が白痴の女性に〝怖《おそ》れるな。そして、俺から離れるな〟と言う作品をあげているが（二一一頁）、それは坂口安吾の『白痴』である。

別のところ（「小説トリッパー」二〇〇四年夏号や「本の雑誌」二〇〇四年十月号から二〇〇五年二月号）で書いたので、ここでは触れないが、伊坂文学の最大の魅力は清潔な倫理の確立にあると思っている。伊坂幸太郎がかならずといっていいほど使う、愛用語ともいうべき「神様のレシピ」（二二四頁）をはじめとして、制度や価値観の重要性、または〝倫理〟をめぐる葛藤《かっとう》が小説の基礎になっている。三年前の初読のときは物語の仕掛けに目がいったけれど、再読して感じるのは至るところで開陳される、まっとうな結婚観（二七四頁）や人生への再挑戦である。とくに豊田のパートが力強く、ちょっと感動的だ（文庫本にはないが、単行本二〇六頁下段に名言がある）。右の映画二本と小説も、実はモラルの葛藤をめぐる作品であり、伊坂文学を貫く清潔で強靭《きょうじん》な倫理を反映しているのである。

最後の最後に、もうひとつ。伊坂幸太郎の作品では、作品同士がリンクする。本書は二作目になるが、本書の細部が、短篇小説や後の長篇で利用されている。たとえば、

『オーデュボンの祈り』の伊藤が、額屋のバイトをしていたことが佐々岡の口から語られるが（二二三頁）、『重力ピエロ』では泉水が伊藤と出会うことになる。河原崎が塚本から聞く、〝横浜で起きた映画館の爆破未遂事件〟（二三三頁）というのは、『陽気なギャングが地球を回す』の四人が出会うきっかけとなった事件であり、豊田が、タクシーで耳にする銀行強盗事件（三〇六頁）は、『チルドレン』の冒頭を飾る「バンク」で描かれることになる。伊坂ファンの間で人気の高い泥棒黒澤は、『重力ピエロ』で泉水にやとわれて探偵をするし、高橋ひきいる宗教団体の話も『重力ピエロ』で少し触れられる。そのほかまだ本にはなっていないが、本書で語られる河原崎の父親の話（一三〇頁）が、傑作短篇「動物園のエンジン」（「小説新潮」二〇〇一年三月号所収）でより詳しく展開することになる（さらに詳細な情報が、伊坂幸太郎のファンサイトには掲載されている。素晴らしいのでぜひ見てもらいたい）。

本書は、〝壮大な騙し絵〟の物語であるが、ごらんのように伊坂作品同士がリンクして、ある程度の作品数が揃《そろ》うと、ウィリアム・フォークナーのヨクナパトーファ・サーガのような世界がひらけるのではないだろうか。フォークナーがいくつもの技巧と文体を駆使して多様な作品を生み出したように、伊坂幸太郎もまた多様な作品を生み出すのではないかと思う。いや、もうすでに生み出している。僕としては、最初にも触れたけれど、エレガントな前衛ともよぶべき作品の方向に進んでほしいと思っているのだが、さてさてどうだろう。

（平成十七年三月、文芸評論家）

この作品は平成十四年七月新潮社より刊行され、文庫化に際し改稿を行った。

恩田陸著
ライオンハート
17世紀のロンドン、19世紀のシェルブール、20世紀のパナマ、フロリダ……。時空を越えて邂逅する男と女。異色のラブストーリー。

恩田陸著
不安な童話
遠い昔、海辺で起きた惨劇。私を襲う他人の記憶は、果たして殺された彼女のものなのか。知らなければよかった現実、新たな悲劇。

恩田陸著
六番目の小夜子
ツムラサヨコ。奇妙なゲームが受け継がれる高校に、謎めいた生徒が転校してきた。青春のきらめきを放つ、伝説のモダン・ホラー。

恩田陸著
球形の季節
奇妙な噂が広まり、金平糖のおまじないが流行り、女子高生が消えた。いま確かに何かが大きく変わろうとしていた。学園モダンホラー。

恩田陸著
図書室の海
学校に代々伝わる〈サヨコ〉伝説。女子高生は伝説に関わる秘密の使命を託された――。恩田ワールドの魅力満載。全10話の短篇玉手箱。

荻原浩著
コールドゲーム
あいつが帰ってきた。復讐のために――。4年前の中2時代、イジメの標的だったトロ吉。クラスメートが一人また一人と襲われていく。

梶尾真治著
黄泉がえり
会いたかったあの人が、再び目の前に——。死者の生き返り現象に喜びながらも戸惑う家族。そして行政。「泣けるホラー」、一大巨編。

石田衣良著
眠れぬ真珠
島清恋愛文学賞受賞
人生の後半に訪れた恋が、孤高の魂を持つ咲世子を少女に変える。恋人は17歳年下。情熱と抒情に彩られた、著者最高の恋愛小説。

石田衣良著
4TEEN【フォーティーン】
直木賞受賞
ぼくらはきっと空だって飛べる！ 月島の街で成長する14歳の中学生4人組の、爽快でちょっと切ない青春ストーリー。直木賞受賞作。

綾辻行人著
霧越邸殺人事件
密室と化した豪奢な洋館。謎めいた住人たち。一人、また一人…不可思議な状況で起る連続殺人！ 驚愕の結末が絶賛を浴びた超話題作。

三浦しをん著
風が強く吹いている
目指せ、箱根駅伝。風を感じながら、たすき繋いで、走り抜け！「速く」ではなく「強く」——純度100パーセントの疾走青春小説。

三浦しをん著
桃色トワイライト
乙女でニヒルな妄想に爆笑、脱力系ポリシーに共感。捨てきれない情けなさの中にこそ愛おしさを見出す、大人気エッセイシリーズ！

乃南アサ著　凍える牙　直木賞受賞

凶悪な獣の牙――。警視庁機動捜査隊員・音道貴子が連続殺人事件に挑む。女性刑事の孤独な闘いが圧倒的共感を集めた超ベストセラー。

乃南アサ著　女刑事音道貴子　花散る頃の殺人

32歳、バツイチの独身、趣味はバイク。かっこいいけど悩みも多い女性刑事・貴子さんの短編集。滝沢刑事と著者の架空対談付き！

乃南アサ著　涙（上・下）

東京五輪直前、結婚間近の刑事が殺人事件に巻込まれ失踪した。行方を追う婚約者が知った慟哭の真実。一途な愛を描くミステリー！

乃南アサ著　鎖（上・下）

占い師夫婦殺害の裏に潜む現金奪取の巧妙な罠。その捜査中に音道貴子刑事が突然、犯人らに拉致された！　傑作『凍える牙』の続編。

乃南アサ著　結婚詐欺師（上・下）

偶然かかわった結婚詐欺の捜査で、刑事の阿久津は昔の恋人が被害者だったことを知る。大胆な手口と揺れる女心を描くサスペンス！

西原理恵子著　パーマネント野ばら

恋をすればええやんか。どんな恋でもないよりましやん。俗っぽくてだめだめな恋に宿る、可愛くて神聖なきらきらを描いた感動作！

天童荒太著

孤独の歌声

日本推理サスペンス大賞優秀作

さぁ、さぁ、よく見て。ぼくは、次に、どこを刺すと思う？　孤独を抱える男と女のせつない愛と暴力が渦巻く戦慄のサイコホラー。

天童荒太著

幻世《まぼろよ》の祈《いの》り

家族狩り　第一部

高校教師・巣藤浚介、馬見原光毅警部補、児童心理に携わる氷崎游子。三つの生が交錯したとき、哀しき惨劇に続く階段が姿を現わす。

天童荒太著

遭難者の夢

家族狩り　第二部

麻生一家の事件を追う刑事に届いた報せ。自らの手で家庭を壊したあの男が、再び野に放たれたのだ。過去と現在が火花散らす第二幕。

天童荒太著

贈られた手

家族狩り　第三部

発言ひとつで自宅謹慎を命じられる教師。殺人の捜査より娘と話すことが苦手な刑事。決して器用には生きられぬ人々を描く、第三部。

天童荒太著

巡礼者たち

家族狩り　第四部

前夫の暴力に怯える綾女。人生を見失いかけた佐和子。父親と逃避行を続ける玲子。女たちは夜空に何を祈るのか。哀切と緊迫の第四弾。

天童荒太著

まだ遠い光

家族狩り　第五部

刑事、元教師、少女——。悲劇が結びつけた人びとは、奔流の中で自らの生に目覚めてゆく。永遠に光芒を放ち続ける傑作。遂に完結。

筒井康隆著
傾いた世界
―自選ドタバタ傑作集2―
正常と狂気の深～い関係から生まれた猛毒入りユーモア七連発。永遠に読み継がれる傑作だけを厳選した自選爆笑傑作集第二弾！

筒井康隆著
最後の喫煙者
―自選ドタバタ傑作集1―
「ドタバタ」とは手足がケイレンし、耳から脳がこぼれるほど笑ってしまう小説のこと。ツツイ中毒必至の自選爆笑傑作集第一弾！

筒井康隆著
旅のラゴス
集団転移、壁抜けなど不思議な体験を繰り返し、二度も奴隷の身に落とされながら、生涯をかけて旅を続ける男・ラゴスの目的は何か？

筒井康隆著
懲戒の部屋
―自選ホラー傑作集1―
逃げ場なしの絶望的状況。それでもどす黒い悪夢は襲い掛かる。身も凍る恐怖の逸品を著者自ら選び抜いたホラー傑作集第一弾！

筒井康隆著
パプリカ
ヒロインは他人の夢に侵入できる夢探偵パプリカ。究極の精神医療マシンの争奪戦は夢と現実の境界を壊し、世界は未体験ゾーンに！

筒井康隆著
夢の木坂分岐点
谷崎潤一郎賞受賞
サラリーマンか作家か？　夢と虚構と現実を自在に流転し、一人の人間に与えられた、ありうべき幾つもの生を重層的に描いた話題作。

新潮文庫最新刊

浅田次郎著
夕映え天使
ふいにあらわれそして姿を消した天使のような女、時効直前の殺人犯を旅先で発見した定年目前の警官、人生の哀歓を描いた六短篇。

重松清著
せんせい。
大人になったからこそわかる、あのとき先生が教えてくれたこと――。時を経て心を通わせる教師と教え子の、ほろ苦い六つの物語。

米澤穂信著
儚い羊たちの祝宴
優雅な読書サークル「バベルの会」にリンクして起こる、邪悪な5つの事件。恐るべき真相はラストの1行に。衝撃の暗黒ミステリ。

桜庭一樹著
青年のための読書クラブ
山の手のお嬢様学園で起こった数々の事件の背後で、秘密裏に活躍した「読書クラブ」。異端児集団の文学少女魂が学園を攪乱する。

神永学著
スナイパーズ・アイ
―天命探偵　真田省吾2―
連続狙撃殺人に潜む、悲しき暗殺者の過去。黒幕に迫り事件の運命を変えられるのか?!最強探偵チームが疾走する大人気シリーズ！

佐伯泰英著
難破
古着屋総兵衛影始末　第九巻
柳沢の手の者は南蛮の巨大海賊船を使嗾し、ついに琉球沖で、大黒丸との激しい砲撃戦が始まる。シリーズ最高潮、感慨悲慟の第九巻。

新潮文庫最新刊

安西水丸
和田誠 著
青豆とうふ
何が語られるのか、それは読んでのお楽しみ！ 二人が交互に絵と文を描いたエッセイ集。まるごと一冊、和田・安西ワールド。

中沢新一 著
鳥の仏教
カッコウに姿を変えた観音菩薩が語る、ブッダの貴い知恵。仏教思想のエッセンスに満ちた入門編。カラー挿絵多数収録。

植木理恵 著
シロクマのことだけは考えるな！
―人生が急にオモシロくなる心理術―
恋愛、仕事、あらゆるシチュエーションを気鋭の学者が分析。ベストの対処法を紹介します。現代人必読の心理学エッセイ。

岩合光昭 著
パンダ
もはやカワイさ殿堂入りの国民的アイドル、パンダ！ ふわふわもこもこに癒され悶絶する、奇跡のショット満載なパンダフル写真集。

野地秩嘉 著
サービスの裏方たち
学習院の給食のおばさんから、ハマトラブームを支えたブティックまで、見えざるサービスの真髄に迫った10篇のノンフィクション。

菅谷昭 著
新版 チェルノブイリ診療記
―福島原発事故への黙示―
原発事故で汚染された国に5年半滞在し、子どものガンを治療し続けた甲状腺外科医。放射線被曝の怖ろしさを警告する貴重な体験記。

ラッシュライフ

新潮文庫　い－69－2

平成十七年五月一日発行
平成二十三年七月五日五十二刷

著者　伊《い》坂《さか》幸《こう》太《た》郎《ろう》

発行者　佐藤隆信

発行所　株式会社新潮社

郵便番号　一六二―八七一一
東京都新宿区矢来町七一
電話　編集部(〇三)三二六六―五四四〇
読者係(〇三)三二六六―五一一一
http://www.shinchosha.co.jp

価格はカバーに表示してあります。

乱丁・落丁本は、ご面倒ですが小社読者係宛ご送付ください。送料小社負担にてお取替えいたします。

印刷・株式会社光邦　製本・株式会社植木製本所

ISBN978-4-10-125022-9 C0193